#홈스쿨링
#혼자공부하기

우등생
국어

Chunjae
Makes
Chunjae

▼

우등생 국어 6-1

기획총괄   박상남
편집개발   원명희, 안정아, 임주희
디자인총괄   김희정
표지디자인   윤순미, 강태원
내지디자인   박희춘
제작   황성진, 조규영

발행일   2023년 12월 1일 2판 2023년 12월 1일 1쇄
발행인   (주)천재교육
주소   서울시 금천구 가산로9길 54
신고번호   제2001-000018호
고객센터   1577-0902

홈스쿨링 꼼꼼 스케줄표(27회)
우등생 국어 6-1

꼼꼼 스케줄표는 교과서 진도북과 온라인 학습북을
27회로 나누어 꼼꼼하게 공부하는 학습 진도표입니다.

● 교과서 진도북　　● 온라인 학습북

1. 비유하는 표현

1회 교과서 진도북 9~14쪽	**2**회 교과서 진도북 15~18쪽	**3**회 온라인 학습북 4~8쪽
월　　일	월　　일	월　　일

2. 이야기를 간추려요

4회 교과서 진도북 19~27쪽	**5**회 교과서 진도북 28~40쪽	**6**회 온라인 학습북 9~14쪽
월　　일	월　　일	월　　일

3. 짜임새 있게 구성해요

7회 교과서 진도북 41~45쪽	**8**회 교과서 진도북 46~52쪽	**9**회 온라인 학습북 15~20쪽
월　　일	월　　일	월　　일

4. 주장과 근거를 판단해요

10회 교과서 진도북 53~59쪽	**11**회 교과서 진도북 60~64쪽	**12**회 온라인 학습북 21~26쪽
월　　일	월　　일	월　　일

5. 속담을 활용해요

13회 교과서 진도북 65~70쪽	**14**회 교과서 진도북 71~80쪽	**15**회 온라인 학습북 27~32쪽
월　　일	월　　일	월　　일

꼼꼼하게 공부하는 27회 **꼼꼼 스케줄표**   # 전과목 시간표인 **통합 스케줄표**
빠르게 공부하는 9회 **스피드 스케줄표**   # 자유롭게 **내가 만드는 스케줄표**

홈스쿨링 27회
꼼꼼 스케줄표

● 교과서 진도북   ● 온라인 학습북

6. 내용을 추론해요

16회	교과서 진도북 81~89쪽	**17**회	교과서 진도북 90~94쪽	**18**회	온라인 학습북 33~38쪽
	월 일		월 일		월 일

7. 우리말을 가꾸어요

19회	교과서 진도북 95~101쪽	**20**회	교과서 진도북 102~108쪽	**21**회	온라인 학습북 39~44쪽
	월 일		월 일		월 일

8. 인물의 삶을 찾아서

22회	교과서 진도북 109~122쪽	**23**회	교과서 진도북 123~132쪽	**24**회	온라인 학습북 45~50쪽
	월 일		월 일		월 일

9. 마음을 나누는 글을 써요

25회	교과서 진도북 133~138쪽	**26**회	교과서 진도북 139~144쪽	**27**회	온라인 학습북 51~56쪽
	월 일		월 일		월 일

절취선

우등생 국어 사용법

QR로 학습 스케줄을 편하게 관리!

공부하고 나서 날개에 있는 QR코드를 스캔하면
온라인 스케줄표에 학습 완료 자동 체크!

학습
완료!

3회
국어
1. 비유하는 표현

4회
국어
1. 비유하는 표현
교과서 진도북 9~18쪽

※ 스케줄표에 따라 해당 페이지 날개에
[진도 완료 체크] QR이 들어가 있어요!

1
단원

진도 완료
체크

 동영상 강의
개념 / 서술형·논술형 문제 / 단원 평가

 온라인 채점과 성적 피드백
정답을 올리기만 하면 채점과 성적 분석이 자동으로

 온라인 학습 스케줄 관리
밀린 공부는 없나 내 스케줄표로 꼼꼼히 체크하기

우등생 온라인 학습

교과서에 실린 작품 소개

단원	영역	제재 이름	지은이	나온 곳	우등생
1단원	국어 ㉮	「뻥튀기」	글쓴이: 고일 그린 이: 권세혁	『뻥튀기』 -(주)주니어이서원, 2014.	11쪽
		「봄비」	심후섭	『내 마음의 동시 6학년』 - 계림북스, 2011.	12쪽
		「풀잎과 바람」	정완영	『가랑비 가랑가랑 가랑파 가랑가랑』 - (주)사계절출판사, 2015.	13쪽
2단원	국어 ㉮	「황금 사과」	송희진 글, 이경혜 옮김	『황금 사과』 - 뜨인돌어린이, 2011.	21쪽
		「우주 호텔」	유순희	『우주 호텔』 - 해와나무, 2012.	28쪽
		「소나기」 포스터		「소나기」, 연필로 명상하기 - 2017.	37쪽
		「소나기」	연필로 명상하기	「소나기」, 연필로 명상하기 - 2017.	37쪽
3단원	국어 ㉮	'2017년 서울 강수량 분석' 도표 자료		기상 자료 개방 포털 누리집 (http://www.data.kma. go.kr)	42쪽
		100대 기업의 인재상 변화		대한상공회의소 - 2018.	47쪽
		「일자리의 미래」	한국교육 방송공사	『지식 채널 e: 일자리의 미래』 - 한국교육방송공사, 2018.	48쪽
5단원	국어 ㉮	「속담 하나 이야기 하나: 독장수구구」	임덕연	『속담 하나 이야기 하나』 - 도서출판 산하, 2014.	71쪽
		「속담 하나 이야기 하나: 까마귀 고기를 먹었나」	임덕연	『믿거나 말거나 속담 이야기』 - 도서출판 산하, 2014.	72쪽

『뻥튀기』

뻥튀기를 튀기는 곳의 모습을 눈에 보이는 것처럼 표현합니다. 뻥튀기를 튀기는 곳의 소란스러운 모습과 즐거운 아이들의 표정을 재미있게 그려 내었습니다.

『황금 사과』

황금 사과 때문에 서로 오해를 하게 되고 결국에는 오가지도 않게 된 윗동네와 아랫동네의 모습을 통해 욕심, 이기심, 무관심에 대해 생각하게 합니다. 그리고 사과라는 아이의 화해의 몸짓을 통해 나눔의 소중함도 알려 줍니다.

『소나기』

시골 마을을 배경으로 소년과 소녀의 순수한 사랑을 담은 이야기입니다. 소년과 소녀의 마음을 이해하며 보는 만화 영화로 배경과 마음에 대한 묘사가 뛰어난 작품입니다.

『속담 하나 이야기 하나』

속담과 관련된 재미있는 이야기가 실려 있습니다. 옛사람들의 지혜와 생활 모습이 담긴 여러 가지 속담을 알 수 있습니다.

단원	영역	제재 이름	지은이	나온 곳	우등생
6 단원	국어 ⓷	「아묘도추」	김득신	─ 간송미술문화재단	82쪽
		「우리는 이미 하나」	브랜드 센세이션	─ 한국방송광고진흥공사, 2016.	83쪽
		「수원 화성을 어떻게 만들었을까」	유지현	『조선 왕실의 보물 의궤』 ─ 토토북, 2009.	84쪽
		「씨름」	김홍도	─ 국립중앙박물관	92쪽
7 단원	국어 ⓷	사례 1 (「욕해도 될까요?」)	한국교육 방송공사	『EBS 다큐 프라임』 ─ 한국교육방송공사, 2011.	99쪽
		사례 3 (「카드 뉴스-우리말 로 바꾼 반려 문화 외래어·외국어」)	김보아	『한국일보』 ─ 2017. 10. 9.	99쪽
		㉳ 책 표지	한글학회	『우리 토박이말 사전』 ─ (주)어문각, 2002.	100쪽
		㉴ 텔레비전 프로그램	한국 방송공사	『안녕! 우리말』 ─ 한국방송공사, 2015.	100쪽
		'초등학생이 가장 많 이 사용하는 신조어 와 줄임 말' 표		『MBC 경남 뉴스데스크: 초등 학생 줄임 말, 신조어 '심각'』 ─ (주) 문화방송, 2015. 10. 9.	100쪽
8 단원	국어 ⓷	「제게 12척의 배가 있으니」	이강엽	『불패의 신화가 된 명장 이순신』 ─ (주)웅진씽크빅, 2005.	113쪽
		「버들이를 사랑한 죄」	황선미	『샘마을 몽당깨비』 ─ (주)창비, 2013.	117쪽
9 단원	국어 ⓷	「주어라, 또 주어라」 (원제목: 「남을 도울 줄 아는 사람이 되 거라」)	정약용 글, 한문희 엮음	『아버지의 편지』 ─ 함께읽는책, 2004.	139쪽

『조선 왕실의 보물 의궤』

의궤는 조선 왕실의 중요한 행사를 글과 그림으로 자세히 기록한 책입니다. 의궤 속으로 여행을 떠난 금붕어와 토토를 통해 조선 시대의 문화를 알 수 있습니다.

『샘마을 몽당깨비』

사람을 좋아하는 도깨비인 몽당깨비가 벌을 받고 은행나무 뿌리에 갇혔습니다. 삼백 년이 흐른 뒤에 은행나무가 뽑혀 나가면서 밖으로 나와 사람들 속에 섞여 살면서 벌어지는 이야기가 재미있고 감동적으로 펼쳐집니다.

『아버지의 편지』

다산 정약용 선생의 편지를 이해하기 쉽도록 해설을 담아 펴낸 책입니다. 바르게 독서하고 공부하는 자세와 올바른 사람이 되기 위한 가르침이 담겨 있습니다.

구성과 특징

교과서 진도북

1 쉽고 재미있게 개념 익히기

✓ 재미있는 개념 웹툰도 함께 보아요!

2 『국어』교과서로 공부하고 『단원 평가』로 확인하기

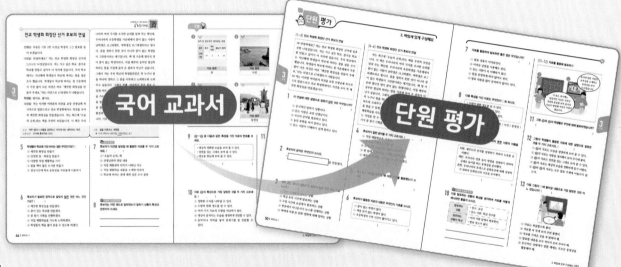

국어 교과서

단원 평가

3 교과서에 실린 문제는 자습서로 꼼꼼하게!

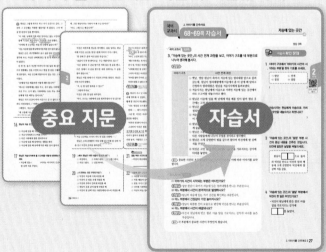

중요 지문

자습서

✓ 「자습서」는 국어 교사용 지도서를 반영한 <교과서 문제 답안 모음집> 입니다.

① 개념 학습

✅ 선생님의 강의를 듣고 확인 문제를 풀어요!

② 서술형·논술형 평가

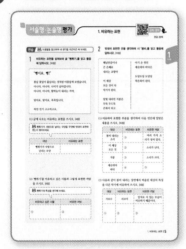

✅ 어려운 서술형 논술형 문제도
강의를 들으며 차근차근 공부해요!

③ 단원 평가 풀고 성적 피드백 받기

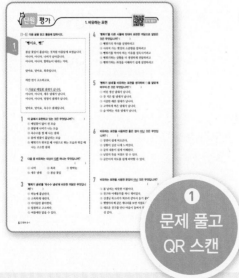

✅ 채점과 성적 분석이 한번에!

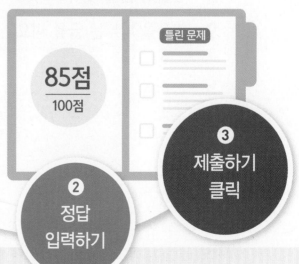

85점
100점

틀린 문제

① 문제 풀고 QR 스캔

② 정답 입력하기

③ 제출하기 클릭

차례

개념 웹툰

등장인물 소개

맛슐랭 동아리

유명한 맛집을 찾아다니는 먹방 동아리 친구들이 있대요.
친구들과 함께 맛있는 여행을 떠나 보아요!

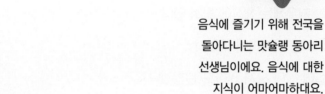

선생님

음식에 즐기기 위해 전국을
돌아다니는 맛슐랭 동아리
선생님이에요. 음식에 대한
지식이 어마어마하대요.

주희

세계적인 요리사가 꿈이에요.
음식을 먹고 맛을 적으며
항상 공부하는 노력파예요.
가끔씩 욱하는 성격이지만
마음은 따뜻해요.

성남

맛있는 음식을 많이 먹기 위해
열심히 운동해요. 칼로리가 높은
음식을 먹고 나면 그 자리에서
팔굽혀펴기나 윗몸일으키기를
하기도 한대요

미주

항상 거울을 보며 자신의 미모에
감탄해요. SNS에 음식 사진을
올리기 위해 맛슐랭 동아리에
가입했대요.

나는 공부할 준비가 되었나? ✓ 표를 해 보자.

- 책상은 깨끗이 정리했니? ✓
- 엉덩이는 바짝 붙이고 앉았니? ☐
- 연필과 지우개는 책상에 놓여 있니? ☐
- 연필깎이는 가까이에 두었니? ☐
- 화장실에 갔다 오지 않아도 괜찮겠니? ☐

다 괜찮다면,

이제 내 목소리에 귀 기울일 준비가 되었니?
다른 문은 다 닫고, 나와 이야기할 마음이 되었다면

자, 책장을 넘겨 볼까?

비유하는 표현 1

개념 웹툰

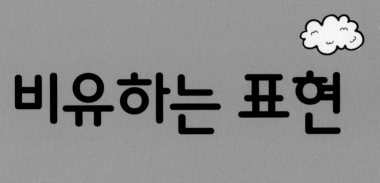

어떤 현상이나 사물을 비슷한 현상이나 사물에 빗대어 표현하는 것이지.

비유하는 표현이요?

우린 맛 기행 동아리이니까 각자 음식을 보고 비유하는 표현으로 나타내 보면 어떨까?

잠깐!

잘 먹겠습니다.

개념 웹툰
비유하는 표현은 무엇일까요?
스마트폰에서 확인하세요!

개념 1 비유하는 표현

① 어떤 현상이나 사물을 비슷한 현상이나 사물에 빗대어 표현하는 것을 비유하는 표현이라고 합니다.

② 비유하는 표현은 대상 하나를 다른 대상에 빗대어 표현하기 때문에 두 대상 사이에는 공통점이 있습니다.

지문 글 「뻥튀기」의 비유하는 표현

"뻥이요. 뻥!"
→ 비유하는 표현 → 비유한 까닭
봄날 꽃잎이 흩날리는 것처럼 아름답게 보였습니다.

개념 2 비유하는 표현을 사용하면 좋은 점

① 글이나 그림책의 내용이 쉽게 이해됩니다.

② 글쓴이의 의도를 쉽게 파악할 수 있습니다.

③ 상황이 실감 나게 느껴집니다.

④ 장면이 쉽게 떠오릅니다.

활동 비유하는 표현을 사용하여 말하기 예

노란 개나리가 쉽게 떠오름.

햇병아리 때 같은 개나리를 보면 저절로 웃음이 나요.

대상: 개나리   비유하는 표현: 햇병아리 때

개념 3 비유하는 표현 방법

표현 방법	뜻	예
은유법	'~은/는 ~이다'로 빗대어 표현하는 방법	봄비 내리는 소리는 교향악.
직유법	'~같이', '~처럼', '~듯이'와 같은 말을 써서 두 대상을 직접 견주어 표현하는 방법	친구는 호수처럼 마음이 깊다.

지문 시 「봄비」의 비유하는 표현 방법

아기 손 씻던   대상
세숫대야 바닥은

도당도당 도당당
작은북이 된다.

비유하는 표현

◐ 은유법이 사용됨.

개념 4 비유하는 표현을 살려 시 쓰기

① 봄이 되어 새롭게 만난 대상을 하나 정해 어떤 생각이나 마음을 표현하고 싶은지 정합니다.

② 자신이 정한 대상의 특징을 담아 비유하는 표현을 살려 시를 써 봅니다.

활동 비유하는 표현을 살려 시를 쓴 예
→ 겉으로 드러나는 모습뿐만 아니라 보이지 않는 특징도 충분히 생각해 보도록 함.

커다랗게 핀 목련꽃
내 친구 함박웃음처럼
내 마음을 환하게 한다.

뻥튀기

· 글쓴이: 고일
· 그린 이: 권세혁
· 생각할 점: 뻥튀기가 사방으로 날리는 모양과 뻥튀기 냄새를 무엇에 빗대어 표현하였는지 살펴봅니다.

"뻥이요. 뻥!"
'뻥이오'가 바른 표기입니다.

봄날 꽃잎이 흩날리는 것처럼 아름답게 보였습니다.

아니야, 아니야, 나비가 날아갑니다.

아니야, 아니야, 함박눈이 내리는 거야.

맞아요, 맞아요, 폭죽입니다.

하얀 연기 고소하고요.

가을날 메밀꽃 냄새가 납니다.

아니야, 아니야, 새우 냄새가 납니다.

아니야, 아니야, 멍멍이 냄새가 납니다.

맞아요, 맞아요, 옥수수 냄새입니다.

뻥튀기 냄새를 비유하는 표현이 나타남.

♥ 글에 나오는 비유하는 표현

대상	비유하는 표현	비유한 까닭
뻥튀기가 사방으로 날리는 모양	봄날 꽃잎	하늘에 흩날린다.
	나비	다양한 방향으로 움직인다.

함박눈 굵고 탐스럽게 내리는 눈.
폭죽 공중에서 터뜨려서 소리가 나고 불꽃이 일어나게 한 물건.
메밀꽃 메밀의 꽃.

○ 메밀꽃

---

1 이 글에서 표현하려는 것은 무엇인가요? (   )

① 뻥튀기하는 모습
② 함박눈이 내리는 모습
③ 나비가 날아가는 모습
④ 벚꽃이 흩날리는 모습
⑤ 아이들이 메밀꽃밭에 있는 모습

📙교과서 문제

2 대상과 비유하는 표현을 알맞게 이으세요.

(1) 뻥튀기가 사방으로 날리는 모양 ·

· ① 봄날 꽃잎

(2) 뻥튀기 냄새 ·

· ② 새우 냄새

3 그림에서 '뻥이요'라는 글자를 진하고 구불구불하게 표현한 까닭은 무엇인지 번호를 쓰세요.

① 큰 글씨가 멋져서이다.
② 뻥튀기가 튀겨지는 상황을 훨씬 실감 나게 표현하기 위해서이다.

(   )

4 '뻥튀기'를 다른 사물에 비유하여 표현하고 그 까닭을 알맞게 말한 사람을 쓰세요.

유리: 뻥튀기를 솜사탕에 비유하고 싶어. 재료가 설탕인 것이 똑같기 때문이야.
서준: 뻥튀기를 나비에 비유하고 싶어. 번데기가 나비가 되듯이 아주 다른 모습으로 변하는 것이 비슷해서야.

(   )

봄비

- 글의 종류: 시
- 글쓴이: 심후섭
- 생각할 점: 비유하는 표현의 두 대상의 공통점을 생각해 봅니다.

해님만큼이나
큰 은혜로
내리는 교향악
관현악을 위해 만든 음악을 통틀어
이르는 말.

이 세상
모든 것이 다
악기가 된다.

달빛 내리던 지붕은
두둑 두드둑
큰북이 되고

아기 손 씻던
세숫대야 바닥은

도당도당 도당당
작은북이 된다.

ㄱ앞마을 냇가에선
풍풍 포옹 풍
뒷마을 연못에선
풍풍 푸웅 풍

외양간 엄마 소도 함께
댕그랑댕그랑

엄마 치마 주름처럼
산들 나부끼며
왈츠
3박자의 경쾌한 춤곡.
봄의 왈츠
하루 종일 연주한다.

📍 시 「봄비」에서 비유하여 표현한 부분

대상	비유하는 표현	비유한 까닭
봄비 내리는 소리	교향악	여러 가지 소리가 섞여 있다.
이 세상 모든 것	악기	소리가 난다.
지붕	큰북	큰 소리가 난다.
세숫대야 바닥	작은북	작은 소리가 난다.
봄비 내리는 모습	왈츠	경쾌하고 가볍게 움직인다.

5 봄비를 무엇으로 표현했는지 쓰세요.

- 큰 은혜로 내리는 ☐☐☐

6 이 시에서 악기가 되는 것으로 말하지 않은 것은 무엇인가요? ( )
① 지붕
② 앞마을 냇가
③ 세숫대야 바닥
④ 외양간 엄마 소
⑤ 엄마 치마 주름

7 지붕을 큰북에 비유한 까닭은 무엇인지 쓰세요.
( )

8 ㄱ은 어떤 장면을 표현한 것인지 쓰세요.

- 앞마을 냇가와 뒷마을 연못에
☐☐ 가 경쾌하게 내리는 장면

🍘 교과서 문제

9 이 시에서 운율이 잘 느껴지는 부분이 아닌 것은 무엇인가요? ( )
① 두둑 두드둑
② 풍풍 포옹 풍
③ 댕그랑댕그랑
④ 도당도당 도당당
⑤ 하루 종일 연주한다.

풀잎과 바람

나는 풀잎이 좋아, 풀잎 같은 친구 좋아
바람하고 엉켰다가 풀 줄 아는 풀잎의 모습이 헤어질 때 또 만나자고 손 흔드는 친구 같기 때문에.
바람하고 엉켰다가 풀 줄 아는 풀잎처럼

헤질 때 또 만나자고 손 흔드는 친구 좋아.

나는 바람이 좋아, ㉠바람 같은 친구 좋아

풀잎하고 헤졌다가 되찾아 온 바람처럼

만나면 얼싸안는 바람, 바람 같은 친구 좋아.

- 글쓴이: 정완영
- 시의 짜임: 2연 6행
- 글의 특징: 풀잎이 바람에 흔들리는 모습을 떠올리며 비유하는 표현을 찾을 수 있습니다.

📍 비유하는 표현
- 풀잎 같은 친구

→ 헤어질 때 또 만나자고 손 흔드는 친구

- 바람 같은 친구

→ 만나면 얼싸안는 친구

엉켰다가 서로 한 무리를 이루거나 달라붙어 있다가.
헤질 '헤어질'의 준말.
⃝예 할머니와 헤질 때를 생각하면 눈물이 납니다.

1
단원

---

10 이 시를 읽고 떠오르는 장면으로 알맞지 <u>않은</u> 것의 번호를 쓰세요.

> ① 친구하고 헤어졌다가 다시 만나는 장면
> ② 친구와 헤어질 때 다시 만나자고 약속하는 장면
> ③ 친구와 오래간만에 만나 기쁘게 서로 얼싸안는 장면
> ④ 친구와 심하게 싸우고 다시는 놀지 않겠다고 다짐하는 장면

(   )

🍞 교과서 문제

11 ㉠과 같이 표현한 까닭은 무엇인가요? (   )
① 만나면 얼싸안는 친구 같아서
② 나를 비추어 주는 친구 같아서
③ 항상 내 옆에 있어 주는 친구 같아서
④ 내 마음을 따뜻하게 해 주는 친구 같아서
⑤ 헤어질 때 또 만나자고 손 흔드는 친구 같아서

12 이 시의 주제는 무엇인가요? (   )
① 친구 사이의 우정
② 새 학년을 맞이하는 설렘
③ 식물이 사람에게 주는 도움
④ 여행에서 얻을 수 있는 교훈
⑤ 과학을 발전시키는 호기심의 중요성

📦 서술형·논술형 문제

13 친구의 의미를 다른 것에 빗대어 다음을 새로운 표현으로 바꾸어 쓰세요.

비유하는 표현	바꾼 표현
풀잎 같은 친구 좋아 바람하고 엉켰다가 풀 줄 아는 풀잎처럼	

1 단원

진도 완료 체크

1 봄이 되면 새롭게 만날 수 있는 것을 떠올리기

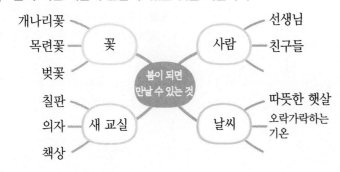

- 개나리꽃
- 목련꽃
- 벚꽃
- 칠판
- 의자
- 책상

꽃

새 교실

봄이 되면 만날 수 있는 것

사람

날씨

- 선생님
- 친구들
- 따뜻한 햇살
- 오락가락하는 기온

2 봄이 되어 새롭게 만난 대상을 하나 정해 어떤 생각이나 마음을 표현하고 싶은지 정하기

봄에 만난 꽃들의 아름다운 모습을 표현하고 싶어.

㉮

새롭게 만난 대상 예	표현하고 싶은 생각이나 마음 예
꽃	㉠
사람	설렘, 기대, 희망
새 교실	낯섦, 어색함
날씨	변덕스러움, 따뜻함, 포근함

3 자신이 정한 대상의 특징을 생각하며 여러 가지 비유하는 표현을 떠올려 써 보기

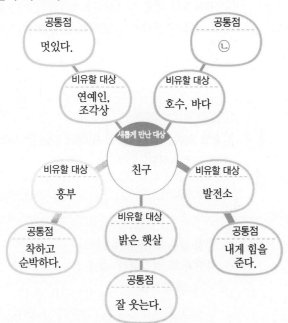

- 공통점: 멋있다. / 비유할 대상: 연예인, 조각상
- 공통점: ㉡ / 비유할 대상: 호수, 바다
- 비유할 대상: 흥부 / 공통점: 착하고 순박하다.
- 비유할 대상: 발전소 / 공통점: 내게 힘을 준다.
- 비유할 대상: 밝은 햇살 / 공통점: 잘 웃는다.

새롭게 만난 대상: 친구

14 ㉮에서 아이는 무엇이라고 말하였을지 번호를 쓰세요.

> ① 단풍이 떨어질 때의 쓸쓸한 마음을 표현하고 싶어.
> ② 새롭게 만난 친구들과 앞으로 잘 지내고 싶은 마음을 표현하고 싶어.

(   )

15 ㉠에서 표현하고 싶은 생각이나 마음으로 알맞은 것을 두 가지 고르세요. (,   )
① 화사함
② 새로운 시작
③ 녹아서 없어짐
④ 수확의 풍요로움
⑤ 찌는 듯한 답답함

📋 서술형·논술형 문제

16 ㉡에 알맞은 말을 쓰세요.
(   )

17 왼쪽 **3**에서 떠올린 것을 바탕으로 비유하는 표현을 사용하여 시를 썼습니다. 알맞게 쓴 것의 번호를 쓰세요.

①	②
친구는 발전소 언제나 나에게 힘을 가득 가득.	친구는 착하고 순박해서 친구를 보면 흥부가 떠오른다.

(   )

18 시 낭송을 잘하는 방법을 알맞지 <u>않게</u> 말한 사람을 쓰세요.

> 은수: 한 글자씩 끊어서 또박또박 읽어야 해.
> 채은: 시의 분위기와 느낌을 살려서 읽어야 해.
> 서진: 시에서 떠오르는 장면을 상상하면서 읽어야 해.

(   )

[1~6] 뻥튀기

> "뻥이요, 뻥!"
>
> 봄날 꽃잎이 흩날리는 것처럼 아름답게 보였습니다.
> 아니야, 아니야, 나비가 날아갑니다.
> 아니야, 아니야, 함박눈이 내리는 거야.
>
> 맞아요, 맞아요, 폭죽입니다.
>
> 하얀 연기 고소하고요.
>
> 가을날 메밀꽃 냄새가 납니다.
> 아니야, 아니야, 새우 냄새가 납니다.
> 아니야, 아니야, 멍멍이 냄새가 납니다.
>
> 맞아요, 맞아요, 옥수수 냄새입니다.

1 글에서 '뻥튀기가 사방으로 날리는 모양'을 비유하는 표현을 두 가지 고르시오. (,   )

① 나비
② 폭죽
③ 우유
④ 하얀 연기
⑤ 친구 머리카락

2 '뻥튀기가 사방으로 날리는 모양'을 '봄날 꽃잎'에 비유한 까닭은 무엇입니까? (   )

① 하늘에 흩날린다.
② 봄에만 볼 수 있다.
③ 아이들만 좋아한다.
④ 달콤하고 고소하다.
⑤ 땅에 떨어지자마자 녹는다.

3 표현하는 대상이 다른 하나는 무엇입니까? (   )

① 함박눈
② 메밀꽃 냄새
③ 새우 냄새
④ 멍멍이 냄새
⑤ 옥수수 냄새

4 '뻥튀기'를 다른 사물에 빗대어 표현한 까닭을 알맞게 말한 친구의 이름을 쓰시오.

> 윤기: 뻥튀기하는 순서를 잘 설명하기 위해서야.
> 수민: 뻥튀기하는 상황을 읽는 사람들에게 더 생생하게 전달하기 위해서야.

(   )

5 '뻥튀기'를 다른 사물에 빗대어 알맞게 표현한 것의 번호를 쓰시오.

	비유하는 표현	비유한 까닭
①	개나리	노란색이 비슷하기 때문이다.
②	솜사탕	작은 것이 큰 것으로 변하는 성질이 비슷하기 때문이다.

(   )

6 글쓴이가 말하고 싶은 의도로 알맞은 것은 무엇입니까?

(   )

① 농부와 어부의 수고
② 겨울 함박눈의 풍성함
③ 사라져 가는 옛것의 소중함
④ 봄날 꽃잎이 떨어지는 것의 안타까움
⑤ 번데기가 나비가 되는 생명의 신비로움

[7~10] 봄비

해님만큼이나
큰 은혜로
내리는 교향악

이 세상
모든 것이 다
악기가 된다.

달빛 내리던 지붕은
두둑 두드둑
큰북이 되고

아기 손 씻던
세숫대야 바닥은

도당도당 도당당
작은북이 된다.

앞마을 냇가에선
퐁퐁 포옹 퐁
뒷마을 연못에선
풍풍 푸웅 풍

외양간 엄마 소도 함께
댕그랑댕그랑

엄마 치마 주름처럼
산들 나부끼며
왈츠 / 봄의 왈츠
하루 종일 연주한다.

7 이 시에 대한 설명으로 알맞지 <u>않은</u> 것은 무엇입니까?
( )

① 소리를 흉내 내는 말이 쓰였다.
② 봄비가 여러 사물에 떨어지는 모습을 표현하였다.
③ '~은/는 ~이다'로 빗대는 표현 방법을 사용하였다.
④ 봄비가 잠깐 내리다가 그쳐서 아쉬운 마음을 표현하였다.
⑤ 봄비가 식물들이 잘 자라도록 도움을 주어서 고맙다는 마음이 표현되었다.

8 '봄비 내리는 소리'를 '교향악'에 비유한 까닭을 알맞게 말한 사람을 쓰시오.

민정: 여러 가지 소리가 섞여 있기 때문이야.
재민: 봄에만 교향악을 들을 수 있기 때문이야.

( )

9 대상과 비유하는 표현을 알맞게 이으시오.

(1) 이 세상 모든 것 · · ① 큰북

(2) 지붕 · · ② 악기

(3) 세숫대야 바닥 · · ③ 작은북

서술형·논술형 문제

10 시에서 '봄비 내리는 모습'을 어떻게 표현했는지 알맞은 내용을 쓰시오.

대상	비유하는 표현	비유한 까닭
봄비 내리는 모습	왈츠	

11 다음 ( ) 안에 알맞은 말을 쓰시오.

( )은 시가 음악처럼 느껴지게 하는 요소로, 소리가 비슷한 글자나 일정한 글자 수가 반복될 때 생긴다.

[12~15] 풀잎과 바람

> 나는 풀잎이 좋아, ㉠풀잎 같은 친구 좋아
> 바람하고 엉켰다가 풀 줄 아는 풀잎처럼
> 헤질 때 또 만나자고 손 흔드는 친구 좋아.
>
> 나는 바람이 좋아, 바람 같은 친구 좋아
> 풀잎하고 헤졌다가 되찾아 온 바람처럼
> 만나면 얼싸안는 바람, 바람 같은 친구 좋아.

12 이 시에 대한 설명으로 알맞지 <u>않은</u> 것은 무엇입니까?

( )

① 은유법이 쓰였다.
② 2연 6행으로 이루어져 있다.
③ 친구 사이의 우정을 표현하였다.
④ 반복되는 말이 있어서 운율이 느껴진다.
⑤ 친구를 풀잎과 바람에 빗대어 표현하였다.

13 ㉠과 같이 표현한 까닭은 무엇입니까? ( )
① 키가 크기 때문에
② 꽃을 좋아하기 때문에
③ 노래를 잘 부르기 때문에
④ 늘 밝게 웃으며 지내기 때문에
⑤ 헤어질 때 또 만나자고 손을 흔들기 때문에

14 이 시의 비유하는 표현을 바꾸어 쓴 것으로 더 알맞은 것의 번호를 쓰시오.

	비유하는 표현	바꾼 표현
①	풀잎 같은 친구 좋아 바람하고 엉켰다가 풀 줄 아는 풀잎처럼	바다 같은 친구 좋아 세상에 있는 모든 물을 넉넉하게 보듬어 주는 바다처럼
②	바람 같은 친구 좋아 풀잎하고 헤졌다가 되찾아 온 바람처럼	나는 자석 같은 친구가 좋다. 늘 내 옆에 있어 주기 때문이다.

( )

15 친구의 의미를 비유하는 표현을 사용해 나타낸 것으로 알맞지 <u>않은</u> 것의 번호를 쓰시오.

	의미	비유하는 표현	비유한 까닭
①	소중함	공기 같은 친구 좋아 언제나 내 옆에서 함께해 주는 공기처럼	공기처럼 친구가 항상 소중하고 필요하기 때문에
②	따뜻함	햇볕 같은 친구 좋아 따뜻하게 온 땅을 내리쬐는 햇볕처럼	햇볕처럼 따뜻한 느낌을 주기 때문에
③	편함	새 교실 같은 친구 좋아 설렘을 주는 새 교실처럼	새 교실은 낯설어서 설레기 때문에

( )

16 비유하는 표현 방법이 나머지 넷과 <u>다른</u> 하나는 무엇입니까? ( )
① 선생님 목소리는 봄이다.
② 기차가 가듯이 빠르게 지나가는 시간
③ 따뜻한 손 같은 친구가 있으면 좋겠다.
④ 내 친구의 함박웃음같이 활짝 핀 목련꽃
⑤ 햇병아리 떼 같은 개나리를 보면 웃음이 난다.

단원 평가

[17~19]

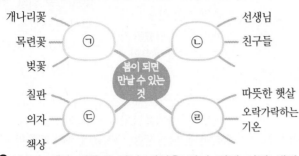

1 봄이 되면 새롭게 만날 수 있는 것을 떠올리기

개나리꽃
목련꽃   ㉠   ㉡   선생님
벚꽃   친구들
                  봄이 되면
                  만날 수 있는 것
칠판   따뜻한 햇살
의자   ㉢   ㉣   오락가락하는 기온
책상

2 봄이 되어 새롭게 만난 대상을 하나 정해 어떤 생각이나 마음을 표현하고 싶은지 정하기

봄에 만난 꽃들의 아름다운 모습을 표현하고 싶어.

㉮

새롭게 만난 대상 ⑩	표현하고 싶은 생각이나 마음 ⑩
꽃	화사함, 새로운 시작
사람	설렘, 기대, 희망
새 교실	낯섦, 어색함
날씨	변덕스러움, 따뜻함, 포근함

3 자신이 정한 대상의 특징을 생각하며 여러 가지 비유하는 표현을 떠올려 써 보기

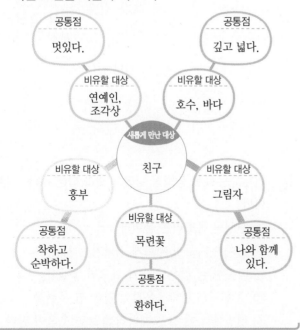

공통점: 멋있다.
비유할 대상: 연예인, 조각상

공통점: 깊고 넓다.
비유할 대상: 호수, 바다

새롭게 만난 대상: 친구

비유할 대상: 흥부
공통점: 착하고 순박하다.

비유할 대상: 그림자
공통점: 나와 함께 있다.

비유할 대상: 목련꽃
공통점: 환하다.

17 ㉠~㉣에 들어갈 대상을 알맞게 이으시오.

(1) ㉠ •   • ① 꽃
(2) ㉡ •   • ② 날씨
(3) ㉢ •   • ③ 사람
(4) ㉣ •   • ④ 새 교실

18 ㉮에 들어갈 내용을 알맞게 말한 친구의 이름을 쓰시오.

> 이서: 경찰관 아저씨께 고마움을 표현하고 싶어.
> 은아: 새 선생님과 친구들을 만난 설렘을 표현하고 싶어.

(   )

🗂 서술형·논술형 문제

19 다음은 왼쪽 **3**에서 떠올린 내용을 바탕으로 시를 쓴 것입니다. 밑줄 그은 부분에 알맞은 내용을 쓰시오.

봄과 함께 온 친구

봄과 함께 온 친구
마음은 깊은 호수

봄과 함께 온 친구
웃는 얼굴은 환한 목련꽃

봄과 함께 온 친구

_____

20 시 낭송을 잘하는 방법으로 알맞지 <u>않은</u> 것은 어느 것입니까? (   )

① 시의 분위기와 느낌을 살려서 읽는다.
② 웅변하듯이 우렁차고 또박또박 읽는다.
③ 노래하듯이 부드럽고 자연스럽게 읽는다.
④ 시에서 떠오르는 장면을 상상하면서 읽는다.
⑤ 친구들 앞에서 부끄러워하지 않고 자신 있게 읽는다.

이야기를 간추려요

2

아하! 그럼 내가 간추려 볼게.

중요한 사건이 일어난 원인과 그에 따른 결과를 찾아야 하지.

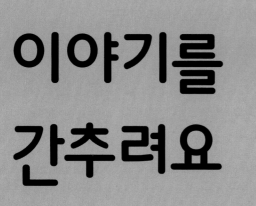

중요하지 않은 내용은 삭제하거나 간단히 쓰고,

개념 웹툰

이야기 구조를 생각하며 내용을 어떻게 간추릴까요? 스마트폰에서 확인하세요!

2단원

개념① 이야기 속 사건의 흐름을 살펴보며 이야기를 읽으면 좋은 점

① 전체 내용을 쉽게 이해할 수 있습니다.
② 인물 사이의 갈등이 무엇인지 알 수 있습니다.
③ 사건의 연결 관계를 알 수 있습니다.
④ 사건이 변해 가는 과정을 알 수 있습니다.
　└→ 서로 생각이나 처지 등이
　　　달라서 맞부딪치는 것

지문 「황금 사과」의 사건의 흐름

① 두 동네 가운데에 있는 사과나무에 황금 사과가 열렸다.	② 두 동네 사람들은 황금 사과를 서로 가지겠다고 싸우다가 담을 쌓았다.
③ 어느 날, 아이가 담 너머에 누가 사느냐고 묻자 엄마는 괴물이 산다고 했다.	④ 꼬마 아이가 담에 있는 문을 열자 그곳에 아이들이 즐겁게 놀고 있었다.

개념② 이야기 구조

발단	전개
이야기의 사건이 시작되는 부분	사건이 본격적으로 발생하고 갈등이 일어나는 부분
절정	**결말**
사건 속의 갈등이 커지면서 긴장감이 가장 높아지는 부분	사건이 해결되는 부분

지문 「저승에 있는 곳간」의 이야기 구조

❂ 저승사자는 원님에게 덕진이라는 아가씨의 곳간에서 쌀을 꾸어 계산하게 하고 원님을 이승으로 보냄.

❂ 원님이 이승으로 돌아와 덕진을 만나고 덕진의 말과 행동에 크게 감명받아 덕진에게 쌀 삼백 석을 갚음.

개념③ 이야기를 요약하는 방법

① 이야기 구조를 생각하며 각 부분에서 중요한 사건이 무엇인지 찾습니다.
② 이야기 흐름에서 중요하지 않은 내용은 삭제하거나 간단히 씁니다.
③ 중요한 사건이 일어난 원인과 그에 따른 결과를 찾습니다.
④ 여러 사건이 관련 있을 때에는 관련 있는 사건은 하나로 묶습니다.

지문 「우주 호텔」의 사건 전개 과정을 이야기 구조에 따라 요약하기

이야기 구조	사건의 중심 내용 간추리기
발단	종이 할머니는 허리를 굽혀 땅만 보며 종이를 주웠다.
전개	종이 할머니는 자신의 빈 상자를 빼앗기지 않으려고 소리치며 눈에 혹이 난 할머니를 밀어 버렸다.
절정	종이 할머니는 메이가 가져다주는 종이를 매일 기다렸는데, 메이가 그린 우주 그림을 보고 어릴 적 꿈을 떠올렸다.
결말	종이 할머니는 눈에 혹이 난 할머니와 친구처럼 지내며 자신이 사는 곳이 바로 우주 호텔이라고 생각하였다.

개념④ 이야기 구조를 생각하며 작품 감상하기

① 이야기 구조를 생각하며 만화 영화를 봅니다.
② 사건 전개 과정을 이야기 구조에 따라 요약합니다.
③ 만화 영화에서 인상 깊었던 장면에 대한 생각이나 느낌을 말합니다.

활동 만화 영화 「소나기」에서 인상 깊었던 장면에 대한 생각이나 느낌 예

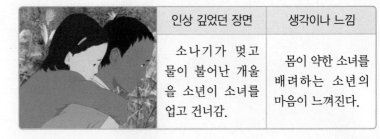

인상 깊었던 장면	생각이나 느낌
소나기가 멎고 물이 불어난 개울을 소년이 소녀를 업고 건너감.	몸이 약한 소녀를 배려하는 소년의 마음이 느껴진다.

황금 사과

· 글쓴이: 송희진
· 생각할 점: 사건의 흐름을 살펴보며 일어난 일을 정리하고, 주요 인물의 말이나 행동에 대한 생각이나 느낌을 떠올려 봅니다.

❶ 두 동네 가운데에 있는 사과나무에 황금 사과가 열렸다.

❷ 두 동네 사람들은 담을 높게 쌓고 서로를 미워하게 되었다.

❸ 한 꼬마 아이가 엄마께 담 너머에 누가 사느냐고 묻자 엄마는 괴물이 사니 조심하라고 했다.

❹ 꼬마 아이가 담에 있는 문을 열자, 그곳에 아이들이 즐겁게 놀고 있었다.

2
단원

❶ 오래전 일이야.

어느 작은 도시 한가운데에 예쁜 사과나무가 있었어.
　　공간적 배경
나무는 두 동네를 정확하게 반으로 가르는 곳에 있었지.

하지만 아무도 그 나무를 눈여겨보지 않았어.
　　　　　　　주의 깊게 잘 살펴보지.
그 나무에 황금 사과가 열린다는 걸 누군가 알아채기

전까지는 말이야.

"얘기 들었어? 사과나무에 황금 사과가 열린대!"

"황금 사과? 말도 안 돼!"

"가 보면 알 거 아냐. 우리 눈으로 직접 확인하자고!"

그 소식은 아랫동네부터 윗동네까지 쫙 퍼져 나갔지.

사람들은 황금 사과를 따려고 마법의 나무 주위로 벌
　　　　　　　　　　　황금 사과가 열리기 때문에
떼처럼 우르르 몰려들었어.

"이 사과들은 우리 거예요!"

"천만에! 이건 우리 것입니다!"

"이 사과를 처음 본 건 우리라고요."

두 동네 사이에는 툭하면 싸움이 벌어졌어.
　　　　　　　　　　　　　　갈등이 생겼어.
다들 황금 사과를 갖겠다고 아우성이었지.
　　　　　　　　　　　　떠들썩하게 힘을 내서 지르는 소리.
할 수 없이 사람들은 모여서 의논을 했어.

"이 나무는 우리 두 동네의 한가운데에 있습니다. 그

러니 잘 나누기 위해 땅바닥에 금을 그읍시다. 금 오

른쪽에 열리는 사과는 윗동네, 금 왼쪽에 열리는 사과

는 아랫동네에서 갖도록 말입니다."

그렇게 해서 땅바닥에 금이 생겼지.

중심 내용 ❶ 두 동네의 한가운데에 있는 사과나무에 황금 사과가 열렸는데, 두 동네 사람들이 황금 사과를 서로 가지겠다고 땅바닥에 금을 그었다.

---

1 어느 작은 도시 한가운데에 어떤 나무가 자라고 있었는지 쓰세요.

· (　　　　　　　　　)가 열리는 예쁜 사과나무

교과서 문제

2 윗동네와 아랫동네 사람들은 왜 싸웠나요? (　　　)

① 황금 사과를 서로 가지고 싶어서
② 황금 사과를 더 편하게 따고 싶어서
③ 황금 사과를 더 비싼 값에 팔고 싶어서
④ 황금 사과를 더 많이 열리게 하고 싶어서
⑤ 사과나무를 자기네 동네로 옮기고 싶어서

3 두 동네의 한가운데에 있는 땅바닥에 금이 생긴 까닭은 무엇인가요? (　　　)

① 황금 사과를 잘 나누려고
② 자기 동네의 땅을 더 넓히려고
③ 서로의 동네를 오갈 때 세금을 받으려고
④ 어른들만 두 동네를 오갈 수 있게 하려고
⑤ 사과나무를 햇볕이 잘 드는 곳으로 옮기려고

4 글 ❶에서 두 동네 사람들의 마음을 나타내는 낱말로 알맞은 것은 무엇인가요? (　　　)

① 양보　　　② 배려　　　③ 화해
④ 욕심　　　⑤ 우정

2 잠깐 동안은 별일 없이 평화롭게 지냈어.

하지만 사람들은 곧 약속을 어겼어.

사과를 따려고 금을 넘어가기 시작한 거야.

두 동네 사이에는 다시 싸움이 일어났지.

결국 금보다 더 확실하고 분명한 방법이 있어야 했어.

이런저런 생각 끝에 사람들은 드나들 수 있는 작은 문이 달린 나무 울타리를 세웠지.

그렇지만 나무 울타리도 사람들의 욕심을 막을 수가 없었어. / 사람들은 이제 담을 쌓기 시작했어.

사방이 꽉 막힌 높고 단단한 담을.

그런 다음 양쪽에 보초를 세우고 담을 넘는 사람이 있나 잘 감시했지. / 윗동네도 아랫동네도 서로를 의심하는 마음이 차츰차츰 쌓여 갔어.

그러다 나중에는 서로 잡아먹을 듯이 미워하게 되었지.

세월이 흘러갈수록 담은 점점 더 높아졌지.
→ 두 동네 사람들이 서로 오갈 수 없게 됨.

그러다 어느 때부터인가 아무도 그 담에 관심을 갖지 않게 되었어.

언제 담을 세웠는지, 왜 세웠는지조차 사람들은 까맣게 잊고 만 거야.

담을 넘는 사람들이 없어지자 보초도 사라졌고, 황금 사과까지 사라졌어.
갈등이 생기게 된 원인이 사라짐.

오직 남은 것은 가슴 깊숙이 뿌리박힌 서로 미워하는 마음뿐이었지.

중심 내용 2 두 동네 사람들은 담까지 높게 쌓았는데, 담을 세운 까닭을 잊고 미워하는 마음만 남았다.

3 어느 날, 한 꼬마 아이가 물었어.

"엄마, 저 담 너머에는 누가 살아요?"

"쉿! 아가야, 절대로 저 담 옆에 가면 안 돼. 저 담 너머에는 심술궂고 못된, 아주 나쁜 사람들이 산단다."

그 아이가 어른이 되어 다시 딸을 낳았지.

어느 날, 어린 딸이 물었어.

"엄마, 저 담 너머에는 누가 살아요?"

"쉿! 아가야, 절대로 저 담 옆에 가면 안 돼. 저 담 너머에는 무시무시한 괴물들이 산단다."

울타리 풀이나 나무 등을 얽거나 엮어서 담 대신에 막는 물건.

보초 (步 걸음 보 哨 망볼 초) 선이나 문에서 지키는 일을 하는 사람.

---

5 글 **2**에서 일어난 일이 <u>아닌</u> 것은 무엇인가요? (   )
① 황금 사과가 더 많이 열리게 되었다.
② 두 동네 사이에 나무 울타리를 세웠다.
③ 두 동네를 오가지 못하도록 담을 높게 쌓았다.
④ 두 동네 사람들은 서로 미워하는 마음만 남았다.
⑤ 두 동네 사람들은 점점 담을 세운 까닭을 잊었다.

교과서 문제

6 글 **2**에 나타난 두 동네 사람들의 말과 행동에 대한 생각이나 느낌을 알맞게 말한 사람을 쓰세요.

> 이준: 농사 기술을 더 연구해서 황금 사과가 계속 열리게 해야 했어.
> 소율: 서로 소통해 황금 사과를 나누어 가졌다면 두 동네가 사이좋게 살았을 텐데 하는 아쉬움이 있어.

(   )

7 황금 사과를 사이좋게 나누는 방법으로 알맞은 것의 번호를 쓰세요.

> ① 황금 사과나무를 일 년씩 번갈아 두 동네에 옮겨 심는다.
> ② 황금 사과를 팔아서 두 동네에 공원이나 도로를 만드는 등의 필요한 일에 사용한다.

(   )

8 글 **3**에서 엄마가 꼬마 아이에게 괴물이 산다고 말한 까닭은 무엇인가요? (   )
① 실제 괴물이 살아서
② 장난으로 꼬마 아이에게 겁주려고
③ 다른 동네에서 황금 사과나무를 잘라서
④ 다른 동네에서 황금 사과를 더 많이 가져가서
⑤ 서로 오가지 않고 미워하는 마음만 남게 되어서

시간이 지날수록 윗동네는 점점 바뀌어 갔어.

어느새 커다란 현대식 건물들로 가득 찬 엄청나게 큰 동네가 되었지.

하지만 아랫동네는 높은 담 때문에 멀리까지 그늘이 졌어.

그래서 낮에도 햇볕이 들지 않고, 동네는 늘 어두웠어.

<u>그늘진 곳에 살던</u> 사람들은 따뜻하고 밝은 곳을 찾아
아랫동네
멀리 떠났지.

✏️ **중심 내용 3** 어느 날, 한 꼬마 아이가 엄마께 담 너머에 누가 사느냐고 묻자 엄마는 괴물이 사니 조심하라고 했다.

4 그러던 어느 날, 한 꼬마 아이가 공놀이를 하다가
'사과'라는 이름을 가진 아이
공을 놓치고 말았어.

공은 떼굴떼굴 담 쪽으로 굴러갔지.

아이는 아무도 살지 않는 <u>으스스한</u> 그곳으로 걸어갔어.

그런데 담 쪽으로 다가가 보니 작은 문이 <u>언뜻</u> 보이는 거야.

<u>몸이 오싹거렸지만</u> 그 아이는 계속 다가갔어.
괴물이 산다는 말을 들었기 때문에

열쇠 구멍에서 <u>희미한</u> 빛이 새어 나왔거든.

아이는 무서운 마음을 꾹 누르고 구멍 속을 들여다보았어.

"와, 세상에 이럴 수가!"

아이의 눈에 보인 건 공을 가지고 즐겁게 노는 아이들이었어.

엄마가 말한 끔찍한 괴물들이 아니라 자기하고 비슷한 또래 친구들 말이야.

끼이이이익 ──

아이가 문을 밀자 쓱 열렸어.

문은 낡았고, 자물쇠는 망가져 있었거든. ⌉ 두 동네 사람들
관계가 변할 것
임을 알 수 있음.

환한 햇살 때문에 아이는 눈이 부셨지.

아이는 친구들에게 다가가 말했어.

㉠"얘들아, 안녕! 내 이름은 사과야. 너희 이름은 뭐야?"

✏️ **중심 내용 4** 꼬마 아이가 공을 주우려고 담 쪽으로 갔다가 담에 있는 문을 열자, 그곳에 아이들이 즐겁게 놀고 있었다.

으스스한 차거나 싫은 것이 몸에 닿았을 때 크게 소름이 돋는 느낌이 있는. **예** 귀신이 나오는 영화에는 <u>으스스한</u> 곳이 나옵니다.
언뜻 지나는 결에 잠깐 나타나는 모양.

오싹거렸지만 무섭거나 추워서 자꾸 몸이 움츠러들거나 소름이 끼쳤지만. **예** 감기에 걸려서 <u>오싹거렸지만</u> 밖에 나갔습니다.
희미한 분명하지 못하고 어렴풋한.

---

9 ㉠에서 아이의 이름은 왜 사과일지 알맞게 이야기한 사람을 쓰세요.

> 해수: 아이의 이름인 '사과'는 먹는 사과야. 사과나무가 있는 동네에서 태어났으니 사과를 좋아해서 지었을 거야.
> 정인: 아이의 이름인 '사과'는 화해의 의미로 사용되는 사과야. 두 동네 사람들이 서로 화해하고 대화와 소통을 했으면 하는 마음이 담겨 있는 것 같아.

( )

📋 서술형·논술형 문제
10 두 동네 사람들의 관계는 앞으로 어떻게 될지 쓰세요.

_____

_____

---

11 글 **4** 에 나타난 사과의 말과 행동에 대한 생각이나 느낌으로 알맞은 것의 번호를 쓰세요.

> ① 먼저 가서 대화를 나누는 사과가 용기 있다고 생각한다.
> ② 어른들의 말씀을 듣지 않고 맞서는 태도가 나쁘다고 생각한다.

( )

12 「황금 사과」의 주제로 알맞은 것을 두 가지 고르세요.

(,)

① 욕심을 부리지 말자.
② 어려운 이웃을 돕자.
③ 절약하는 생활을 하자.
④ 서로 대화하고 소통하자.
⑤ 미래를 위해 계획을 세우자.

저승에 있는 곳간

• 생각할 점: 발단, 전개, 절정, 결말의 이야기 구조에 따라 중요한 사건이 무엇인지 파악합니다.

❶ 저승사자가 원님에게 수고비를 내 놓으라고 하였다.

❷ 원님은 덕진의 곳간에서 쌀을 꾸어서 수고비를 내고 이승으로 왔다.

❸ 원님이 이승으로 돌아와 덕진의 말과 행동에 크게 감명을 받았다.

❹ 덕진은 원님에게 받은 쌀로 강가에 다리를 놓았다.

① 옛날, 전라남도 영암 땅에서 있던 일이다.

영암 원님이 죽어서 염라대왕 앞으로 끌려갔다.
인물 ① 사람이 죽은 뒤에 그 영혼이 가는 곳에서, 잘하고 잘못한 일을 판단하는 왕.

"염라대왕님, 소인은 아직 할 일이 많습니다. 그런데
인물 ②

벌써 저를 데려오셨습니까? 이승에서 좀 더 살게 해
지금 살고 있는 세상. 반대말은 저승.

주십시오."

원님은 머리를 조아리며 간청했다. 그러자 염라대왕은 수명을 적어 놓은 책을 들여다보고는 아직 원님이 나이가 젊어 딱하다는 생각이 들었다.

"좋다, 내 마음이 변하기 전에 얼른 사라져라."

염라대왕은 원님을 저승사자에게 돌려보냈다.
저승에서 염라대왕의 명령을 받고 죽은 사람의 영혼을 데리러 온다는 심부름꾼.

"이승으로 나가려는데 어떻게 가면 될까요?"

"여기까지 데려왔는데 그냥 보내 줄 수는 없다. 너 때문에 헛걸음을 했으니 수고비를 내놓아라."

"어떡하지요? 지금 저는 빈털터리인데……."

"그러면 저승에 있는 네 곳간에서라도 내놓아라."
물건을 간직하여 두는 곳.

사람은 누구나 저승에 곳간이 하나씩 있다. 그렇지만 이승에서 부자라고 해서 그 곳간이 꽉 차 있지는 않다. 마찬가지로 가난하게 사는 사람이라고 해서 저승 곳간까지 텅 빈 것도 아니었다. 그 곳간은 이 세상에서 좋은 일을 한 만큼 재물이 쌓이게끔 되어 있었다.

중심 내용 ① 저승에 간 원님이 염라대왕에게 이승에서 좀 더 살게 해 달라고 간청하자 염라대왕은 원님을 저승사자에게 돌려보냈고, 저승사자는 원님에게 수고비를 내놓으라고 하였다.

---

13 사건이 시작되는 곳은 어디인지 다음에서 설명하는 곳을 찾아 쓰세요.

> 사람이 죽은 뒤에 간다고 하는 곳

( )

14 저승 곳간의 재물이 사람마다 다른 까닭으로 알맞은 것의 번호를 쓰세요.

> ① 이승에서 좋은 일을 한 만큼 재물이 쌓이기 때문이다.
> ② 이승에서 부자인지 가난한지에 따라 곳간 안의 재물이 달라지기 때문이다.

( )

15 요약하는 방법에 알맞게 **보기**에서 찾아 쓰세요.

보기

> 사건의 원인 찾기, 관련 있는 사건은 하나로 묶기,
> 중요하지 않은 내용 삭제하기

발단 부분 사건의 중심 내용 정리하기

① 옛날, 영암 원님이 죽어서 저승에 있는 염라대왕 앞으로 끌려갔는데, 원님이 염라대왕에게 이승에서 좀 더 살게 해 달라고 간청하자 염라대왕은 원님을 저승사자에게 돌려보냈다.

→ (((1)), (((2)))

② 저승사자는 원님에게 이승으로 가려면 저승에 있는 곳간에서라도 수고비를 내놓으라고 했다.

↓

발단 부분 사건의 중심 내용 간추리기

저승에 간 원님이 염라대왕에게 이승에서 좀 더 살게 해 달라고 간청하자 염라대왕은 원님을 저승사자에게 돌려보냈고, 저승사자는 원님에게 수고비를 내놓으라고 함.

→ (((3)))

❷ 원님은 그렇게 하기로 하고 자기 곳간으로 갔다. 그런데 그 곳간에는 특별한 재물이랄 게 없었다. 고작 볏짚 한 단만이 있을 뿐이었다.

"이 사람, 남에게 덕을 베푼 일이라곤 없는 모양이네!"
남을 넓게 이해하고 받아들이는 마음이나 행동.

옆에 서 있던 저승사자가 코웃음을 치며 말했다.
인물 ③   깔보고 비웃으며

"어찌해 제 곳간에는 볏짚 한 단밖에 없습니까?"

"너는 이승에 있을 때 남에게 덕을 베푼 일이 없지 않느냐?"

원님은 순간, 쥐구멍에라도 숨고 싶을 만큼 부끄러웠다.
좋은 일을 한 적이 없어서.

생각해 보니, 자신은 남에게 좋은 일 한 번 변변히 한 적이 없었다.

단 한 번, 몹시 가난한 아낙이 아기를 낳을 때 짚이 없어서 쩔쩔매는 것을 우연히 보고 볏짚 한 단을 구해다 준 게 전부였다. 저승 곳간에 볏짚이나마 있는 것은 그 때문이었다.

"남에게 덕을 베풀려면 어떻게 해야 합니까?"

"배고픈 사람에게는 밥을 주고, 옷이 없는 사람에게는 옷을 주고, 돈이 없는 사람에게는 돈을 주는 것이 다 남에게 덕을 베푸는 일이니라."

원님은 자기 곳간이 비어 이승으로 갈 수 없다고 생각하니 걱정되었다. / '어쩐다……?'

그때였다. 저승사자가 핀잔하듯 말했다.
꾸짖듯

"네 고을에 사는 주막집 딸은 곳간을 그득하게 채웠는
시골 길가에서 밥과 술을 팔고, 돈을 받고 나그네를 묵게 하는 집.

데, 고을 원님이라는 사람이 이게 무슨 꼴이냐?"

"아니, 그게 무슨 얘깁니까?"

"덕진이라는 아가씨의 곳간에는 쌀이 수백 석이나 있
덕진이 이승에서 덕을 많이 베풀며 살고 있음.

으니, 일단 거기서 쌀을 꾸어 계산하고 이승에 나가서 갚도록 해라."

저승사자가 원님에게 제안했다. 결국 원님은 덕진의 곳간에서 쌀 삼백 석을 꾸어 셈을 치를 수 있었다.

원님은 저승사자를 쫓아 얼마쯤 갔다. 드디어 이승 문 앞에 이르렀다.

저승사자는 그 문을 열며

"이 컴컴한 데로만 들어가면 이승으로 나갈 수 있다. 속히 나가거라." / 하면서 원님을 문밖으로 밀쳤다.

✏️ 중심 내용 ❷ 저승사자는 원님에게 덕진이라는 아가씨의 곳간에서 쌀을 꾸어 계산하게 하고 원님을 이승으로 보냈다.

❸ 원님이 깜짝 놀라 정신을 차려 보니, 그곳은 바로 이승이었고, 자신도 이승 사람이 되어 있었다. 원님은
공간적 배경

즉시 나졸들을 시켜 덕진이라는 아가씨를 찾으라고 명령했다. 얼마 뒤, 덕진이라는 아가씨가 어머니와 주막을 차려 살고 있으며, 인정이 많아 손님을 후하게 대접한다는 것을 알았다.

사실을 확인하고 싶은 원님은 허름한 선비 모습으로
덕진이 가난한 사람에게도 따뜻하게 대하는지

변장하고, 밤에 덕진의 주막을 찾아갔다.

---

16 원님의 저승 곳간에는 왜 볏짚 한 단만이 있었나요?

(   )

① 이승에 있을 때 가난하여서
② 저승사자에게 수고비를 주어서
③ 다른 사람에게 쌀을 빌려주어서
④ 이승에 있을 때 낭비하는 생활을 해서
⑤ 이승에 있을 때 남에게 덕을 베푼 일이 없어서

17 원님은 저승사자에게 줄 수고비를 어떻게 마련했는지 쓰세요.

• 저승에 있는 (   )이라는 아가씨의 곳간에서 쌀 삼백 석을 꾸었다.

📋 서술형·논술형 문제

18 전개 부분 내용을 요약해 쓰세요.

전개 부분 사건의 중심 내용 정리하기
① 원님은 이승에 있을 때 남에게 덕을 베푼 일이 없어 원님 곳간에는 고작 볏짚 한 단만이 있었다.   ② 원님은 자기 곳간이 비어 이승으로 갈 수 없다고 생각하니 걱정되었다.   ③ 저승사자는 원님에게 덕진이라는 아가씨의 곳간에서 쌀을 꾸어 계산하고 이승에 나가서 갚으라고 제안했다.

↓

전개 부분 사건의 중심 내용 간추리기

덕진은 따뜻하게 원님을 맞이했다. 술을 달라는 원님에게 덕진은 술상을 정성스럽게 차려서 가지고 왔다.

"한 잔에 두 푼씩 여섯 푼만 주십시오."

"술값이 무척 싼 편이로군. 무슨 까닭이라도 있소?"

"다른 집에서 두 푼을 받으면 저희 집은 한 푼을 받고, 다른 집에서 서 푼을 받으면 저희 집에서는 두 푼을 받아 왔습니다."

원님은 며칠 뒤에 다시 덕진의 주막을 찾았다. 원님은 머뭇거리며 말했다.

"저, 돈 열 냥만 빌려줄 수 있소?"

"그렇게 하지요."

덕진은 선뜻 열 냥을 내주었다.

"아니, 모르는 사람에게 돈을 빌려주었다가 안 갚으면 어쩌려고 그러시오?"

"걱정 마시고 형편이 어렵거든 가져다 쓰시고, 돈이 생기거든 갚으십시오."

덕진은 웃으며 대답했다. 원님은 열 냥을 받아 가지고 나오면서 생각했다.

㉠ '이런 것이 만인에게 적선하는 것이로구나. 이런 식으로 덕진은 수많은 사람을 도와주고, 돈 수천 냥을 다른 사람들에게 나누어 주었을 것이다. 그러니 덕진의 저승 곳간에는 곡식이 가득 차 있을 수밖에…….'
착한 일을 많이 함.

원님은 크게 감명받아 며칠 뒤에 달구지에 쌀 삼백 석을 싣고 덕진의 주막을 찾아갔다.
소나 말이 끄는 짐수레.

주모가 호들갑스럽게 원님을 맞이했다.
주막에서 장사하는 여인.

"주모 딸을 좀 불러 주게."
덕진

"아니, 소인의 딸은 무슨 일로……."

"해코지하려는 게 아니니 염려 말게."

잠시 뒤, 덕진은 마당에 나와 원님 앞에 다소곳이 섰다.

"너에게 빚진 쌀 삼백 석을 갚으러 왔느니라."

그러자 덕진은 어리둥절해하며 원님을 쳐다보았다.

"하여튼 받아 두어라. ㉡먼 훗날, 너도 알게 될 것이니라."

덕진이 받을 수 없다고 하자 원님은 강제로 쌀을 떠맡겼다.

중심 내용 3 원님이 이승으로 돌아와 덕진을 만나고 덕진의 말과 행동에 크게 감명받아 덕진에게 쌀 삼백 석을 갚았다.

4 원님이 가고 난 다음에도 덕진은 영문을 몰라 그 자리에 멍하게 서 있었다. 덕진은 어머니와 함께 쌀을 어떻게 할 것인지 의논했다.
원님이 쌀 삼백 석을 왜 주었는지

"나도 영문을 모르겠구나. 무슨 까닭이 있는 것 같긴 한데……. 네가 주인이니 네 뜻대로 해라."

그날 밤, 덕진은 이리저리 몸을 뒤척이며 고민하다가 결론을 내렸다.

'어차피 내 쌀이 아니니 좋은 일에 쓰도록 하자.'

그리하여 덕진은 쌀을 팔아서 마을 앞을 가로지르는 강가에 다리를 놓기로 했다. 마을 사람들 모두가 그곳에 다리가 없어서 불편을 겪던 참이었다. 이렇게 해서 돌다리를 놓자, 사람들은 그 다리를 '덕진 다리'라고 했다.
좋은 일

중심 내용 4 덕진이 원님에게 받은 쌀로 마을 앞을 가로지르는 강가에 다리를 놓았다.

---

19 ㉠에서 원님은 어떤 마음이 들었겠나요? (　　　　)
① 허전하다.　② 후회스럽다.　③ 당황스럽다.
④ 의심스럽다.　⑤ 감동적이다.

20 ㉡이 뜻하는 것은 무엇인가요? (　　　　)
① 덕진이 저승에 가게 되었을 때
② 덕진이 큰 빚을 지게 되었을 때
③ 덕진의 주막이 망하게 되었을 때
④ 원님이 돈을 갚지 않게 되었을 때
⑤ 덕진이 쌀 삼백 석을 사람들에게 나누어 주었을 때

🔖 교과서 문제

21 결말 부분 사건의 중심 내용을 쓰세요.
• 덕진이 원님에게 받은 쌀로

22 「저승에 있는 곳간」의 주제는 무엇인가요? (　　　　)
① 자연을 보호해야 한다.
② 덕을 베풀며 살아야 한다.
③ 꿈을 가지고 살면 삶이 변화한다.
④ 나라를 사랑하는 마음을 가져야 한다.
⑤ 자신이 하는 일에 최선을 다해야 한다.

정답 3쪽

국어 교과서 68쪽

3. 「저승에 있는 곳간」의 사건 전개 과정을 보고, 이야기 구조를 네 부분으로 나누어 생각해 봅시다.

(예시 답안)

이야기 구조	사건 전개 과정
발단	① 옛날, 영암 원님이 죽어서 저승에 있는 염라대왕 앞으로 끌려 갔는데, 원님이 염라대왕에게 이승에서 좀 더 살게 해 달라고 간청하자 염라대왕은 원님을 저승사자에게 돌려보냈다. ② 저승사자는 원님에게 이승으로 가려면 저승에 있는 곳간에서라도 수고비를 내놓으라고 했다.
전개	③ 원님은 이승에 있을 때 남에게 덕을 베푼 일이 없어 원님 곳간에는 고작 볏짚 한 단만이 있었다. ④ 원님은 자기 곳간이 비어 이승으로 갈 수 없다고 생각하니 걱정되었다. ⑤ 저승사자는 원님에게 덕진이라는 아가씨의 곳간에서 쌀을 꾸어 계산하고 이승에 나가서 갚으라고 제안했다.
절정	⑥ 원님은 이승으로 돌아와 덕진을 찾아갔는데, 덕진은 원님에게 술값을 다른 집보다 더 싸게 받고 선뜻 돈도 빌려주었다. ⑦ 원님은 그동안 덕진이 수많은 사람을 도와주고, 돈 수천 냥을 다른 사람들에게 나누어 주었을 것이라고 생각했다. ⑧ 원님은 크게 감명받아 빚을 갚으러 왔다며 덕진에게 쌀 삼백 석을 주었다.
결말	⑨ 덕진은 고민 끝에 쌀을 팔아서 마을 앞을 가로지르는 강가에 다리를 놓았다.

(풀이) 중요한 사건의 흐름에 따라 이야기가 나누어지며 이에 따라 이야기를 요약합니다.

국어 교과서 69쪽

(1) **이야기의 사건이 시작되는 부분은 어디인가요?**

(예시 답안) 영암 원님이 죽어서 저승에 있는 염라대왕을 만나는 부분입니다.

(2) **어느 부분에서 사건이 본격적으로 발생하나요?**

(예시 답안) 원님이 저승에 있는 자기 곳간을 확인하는 부분입니다.

(3) **어느 부분에서 긴장감이 가장 높아지나요?**

(예시 답안) 원님이 허름한 선비 모습으로 변장해 덕진을 만나는 부분입니다.

(4) **어느 부분에서 사건이 해결되나요?**

(예시 답안) 덕진이 원님에게 받은 쌀로 마을 앞을 가로지르는 강가에 다리를 놓은 부분입니다.

(풀이) 각 부분에서 중요한 사건이 무엇인지 찾습니다.

🔍 **자습서 확인 문제**

2 단원

1 이야기 구조에서 '이야기의 사건이 시작되는 부분'을 찾아 기호를 쓰세요.

㉠ 발단	㉡ 전개
㉢ 절정	㉣ 결말

(　　　　　　)

진도 완료 체크

2 저승사자는 원님에게 이승으로 가려면 무엇을 내놓으라고 하였나요?

(　　　　　　)

3 「저승에 있는 곳간」의 '절정' 부분 사건의 중심 내용을 간추린 것입니다. 빈칸에 알맞은 낱말을 써넣으세요.

원님이 □□으로 돌아 와 덕진을 만나고 덕진의 말과 행동에 크게 감명받아 덕진에게 쌀 삼백 석을 갚음.

4 「저승에 있는 곳간」의 '결말' 부분에서 덕진이 한 일은 무엇인가요?

• 덕진이 원님에게 받은 쌀로 마을 앞을 가로지르는 강가에 □□를 놓았다.

우주 호텔

- 글쓴이: 유순희
- 생각할 점: 이야기 구조를 생각하며 읽고 요약한 후에, 주제를 파악하여 본다.

❶ 종이 할머니는 허리를 굽혀 땅만 보며 종이를 주웠다.

❷ 빈 상자를 빼앗기지 않으려고 눈에 혹이 난 할머니를 밀어 버렸다.

❸~❹ 종이 할머니는 우주 그림을 보고 어릴 적 꿈을 떠올렸다.

❺ 종이 할머니가 자신이 사는 곳이 우주 호텔이라고 생각하였다.

❶ 할머니는 공터 구석진 곳에 꾸부정하게 앉아서 폐지를 묶고 있었어. 꽤 시간이 흘렀는데도 손놀림은 느려지지 않았지. 다 묶은 폐지 꾸러미를 손수레에 싣고, 할머니는 혹시 하나라도 빠질까 봐 다시 한번 노끈으로 단단히 묶었단다.

할머니는 손수레를 힘껏 끌었어. 뒤에서 보면 ㉠수수깡처럼 마른 할머니가 손수레에 밀려가는 것처럼 보였지. 할머니는 머리를 수그린 채 땅만 보며 걸었어. 할머니는 자신의 나이만큼 늙지 않는 건 눈뿐이라고 생각했어. 웬만한 것은 다 보였지. 껌 종이, 담배꽁초, 빨대, 어딘가에 박혀 있다 떨어져 나온 녹슨 못…….

<small>할머니가 자신의 나이만큼 늙지 않는 것이 눈뿐이라고 생각한 까닭</small>

그리고 갈라진 시멘트 틈도 보였어.

할머니는 이리저리 땅을 살폈어. 종이를 찾는 거야. 무게가 조금도 나가지 않을 것 같은 작은 종이라도, 할머니의 눈에는 무게가 있어 보였거든. 그래서 점점 더 등을 납작하게 구부리고 땅을 뚫어져라 살피게 되었어. <small>종이를 찾기 위하여</small> 그럴수록 할머니는 하늘을 쳐다보는 일이 줄어들었지. 어느 날부터인가 ㉡하늘이 어떻게 생겼는지, 구름이 어떻게 흘러가는지도 까맣게 잊게 되었단다.

그런 할머니를 사람들은 '종이 할머니'라고 불렀어.

 중심 내용 ❶ 종이 할머니는 허리를 굽혀 땅만 보며 종이를 주웠습니다.

공터 집이나 밭 등이 없는 비어 있는 땅.
폐지 (廢 버릴 폐 紙 종이 지) 쓰고 버린 종이.

손놀림 손을 이리저리 움직이는 일.
노끈 실이나 종이 따위를 가늘게 비비거나 꼬아서 만든 끈.

🎓 교과서 문제

23 이야기는 어떻게 시작되나요? ( )
① 할머니가 메이를 만나며 시작된다.
② 할머니가 하늘을 쳐다보면서 시작된다.
③ 할머니가 땅만 보고 종이를 주우며 시작된다.
④ 할머니가 갈라진 땅 틈으로 사라지며 시작된다.
⑤ 할머니가 눈에 혹이 난 할머니와 싸우며 시작된다.

24 ㉠은 할머니의 어떤 모습을 비유하는 표현인가요?
( )
① 뚱뚱한 모습 ② 키가 큰 모습
③ 힘이 센 모습 ④ 아주 마른 모습
⑤ 허리가 굽은 모습

25 ㉡은 어떤 의미이겠나요? ( )
① 꿈을 잃고 힘들게 살아간다.
② 몸이 불편하여 집에서만 지냈다.
③ 비가 오지 않는 날이 계속되었다.
④ 하늘보다 바다와 땅에 관심이 많다.
⑤ 눈이 나빠져 앞이 잘 보이지 않게 되었다.

26 할머니가 '종이 할머니'라고 불린 까닭은 무엇인지 쓰세요.
• (1) [ ] 만 살피며 (2) [ ] 를 줍기 때문이다.

2 종이 할머니는 손수레를 끌고 채소 가게로 갔어. 채소 가게 주인은 아침마다 배달되는 채소들을 가게 안에 들이고, 빈 상자를 가게 앞에 쌓아 놓았어. 그 상자는 종이 할머니의 거였어. 이 동네에는 폐지를 주워서 파는 노인이 여럿 있었는데, 노인마다 빈 상자를 거두는 가게가 따로 있었거든. 종이 할머니는 이 채소 가게에서 나오는 상자를 차지하기 위해 일부러 여기에서 반찬거리를 사곤 했어.

공간적 배경

그런데 그 가게 앞에 칠이 벗겨진 낡은 유모차가 서 있었어. 그리고 작고 뚱뚱한 할머니가 가게 앞에 쌓인 빈 상자를 유모차에 싣고 있는 게 아니겠어! 종이 할머니는 깜짝 놀랐어. 자기 상자를 처음 보는 노인이 가져가니 놀랄 수밖에. 종이 할머니는 잰걸음으로 다가가 작고 뚱뚱한 할머니의 뒤통수에 대고 소리쳤어.

인물

"이 상자는 내 것이여! 이 가게 주인이 나더러 가져가라고 내놓은 거여."

작고 뚱뚱한 할머니는 흠칫 놀라 뒤돌아보았어.

그런데 정작 놀란 건 종이 할머니였어. 작고 뚱뚱한 할머니의 한쪽 눈두덩에 불룩한 혹이 나 있었기 때문이

야. 눈동자는 아예 보이지도 않았지. 게다가 다른 한쪽 눈에서 흘러나오는 눈빛은 뿌유스레한 안개 같았어.

선명하지 않고 약간 부연.

"그런 벱이 어디 있어!"

법

눈에 혹이 난 할머니가 벌그데데한 낯빛이 되어 쏘아붙였어. 그 소리는 마치 혹이 난 눈에서 나는 것 같았어. **섬뜩하고** 소름이 끼쳤지. 하지만 종이 할머니는 빈 상자를 포기할 수 없었어. 한번 포기하면 다른 곳의 상자나 폐지도 **흉측하게** 생긴 이 노인에게 빼앗길지 모르니까.

"내 거여! 이 동네에서 폐지 줍는 노인네들은 다 아는구면."

하지만 눈에 혹이 난 할머니는 아무 대꾸도 없이 상자를 실은 유모차를 끌고 가려고 했어.

울뚝, 화가 치밀어 오른 ㉠종이 할머니는 눈에 혹이 난 할머니의 팔을 잡고는 힘껏 밀어 버렸어. 벌러덩, 눈에 혹이 난 할머니는 힘없이 넘어졌어. 그러고는 앞이 잘 안 보이는지 땅을 허둥허둥 짚어 대다가 유모차를 간신히 잡고 일어났어.

잰걸음 발 사이의 거리가 짧고 빠른 걸음.
흠칫 몸을 움츠리며 갑작스럽게 놀라는 모양.

섬뜩하고 갑자기 소름이 끼치도록 무섭고 끔찍하고.
흉측하게 보기에 언짢을 만큼 고약하게. 흉악망측하게.

---

27 글 **2**는 이야기 구조 중 어디에 해당하나요? (   )

교과서 문제

① 사건이 해결되는 부분
② 이야기가 시작되는 부분
③ 배경과 인물을 소개하는 부분
④ 사건이 본격적으로 발생하는 부분
⑤ 사건 때문에 긴장감이 가장 높아지는 부분

28 종이 할머니가 작고 뚱뚱한 할머니를 보고 놀란 까닭은 무엇인가요? (   )

① 얼굴이 너무 빨개서
② 눈에 혹이 나 있어서
③ 처음 보는 할머니여서
④ 몸집보다 큰 상자를 잘 옮겨서
⑤ 무서운 표정으로 자신을 노려보아서

29 종이 할머니가 빈 상자를 포기할 수 없었던 까닭의 번호를 쓰세요.

> ① 동네에서 폐지를 줍는 노인이 종이 할머니밖에 없기 때문이다.
> ② 한번 포기하면 다른 곳의 상자나 폐지도 눈에 혹이 난 할머니에게 빼앗길 것 같아서이다.

(   )

30 ㉠에서 종이 할머니의 마음은 어떠한가요? (   )

① 힘이 든다.
② 화가 난다.
③ 슬프고 창피하다.
④ 기쁘고 행복하다.
⑤ 설레고 감동적이다.

종이 할머니는 미안한 마음이 들기도 했지만 그보다는 마음이 놓였어. 인상도 험하고 자신보다 힘이 셀 것 같았는데, <u>흐무러진 살구처럼 약하고 부서지기 쉽다는</u> 걸 알게 되었으니까.

눈에 혹이 난 할머니를 비유하는 표현

내친김에 종이 할머니는 낡은 유모차에 실린 상자를 자신의 손수레로 옮겼어. 그러고는 단단히 <u>울릉댔지</u>.

"또 내 것을 가져갔다가는 <u>큰코다칠</u> 테니께 조심혀."

눈에 혹이 난 할머니는 힘없이 골목을 빠져나갔단다.

종이 할머니는 손수레를 끌고 <u>고물상</u>으로 향했어. 여전히 땅만 보면서 말이야. 그때 바닥에 실금처럼 갈라진 틈이 보였어. 문득 의사 선생님의 말이 떠올랐지.

폐지를 팔기 위하여

> 울릉댔지 제힘을 믿고 남에게 무서운 말이나 행동으로 겁을 주었지.
> 예 친구를 <u>울릉대는</u> 것은 나쁜 행동입니다.
> 큰코다칠 크게 창피한 일을 당할.

'할머니, 허리를 자꾸 펴시려고 해야 해요. 운동도 하시고요. 계속 그렇게 허리를 구부리시면 점점 더 허리를 펼 수 없게 돼요.'

종이 할머니는 고개를 저었어.

㉮ '허리를 펴고 똑바로 살면 뭐혀. 허리가 구부러질 대로 구부러지면 땅에 납작하게 붙어 버리겠지. 그럼 저 갈라진 틈으로 사라지면 그뿐 아니겠어?' → 종이 할머니는 자신의 몸이 사라져도 아쉽지 않음.

종이 할머니는 고개를 천천히 끄덕였어.

종이 할머니는 고물상 안으로 들어가 손수레를 세웠어. 손수레에는 눌러 편 종이 상자와 신문지가 차곡차곡 쌓여 있었어. 고물상 주인 정 씨는 익숙한 손놀림으로, 손수레에서 폐지를 내려 무게를 재고 한쪽 구석에 쌓았어. 그리고 종이 할머니의 손바닥에 만 원짜리 지폐 한 장과 천 원짜리 지폐 네 장을 올려놓았어. 언제나 자신이 일한 것보다 <u>턱없이</u> 적은 돈이었지. 종이 할머니는 ㉠그 돈을 꼭 쥐었어. ㉯아주아주 가벼웠단다. 부스러기처럼 말이야.

중심 내용 2 종이 할머니는 자신의 빈 상자를 빼앗기지 않으려고 소리치며 눈에 혹이 난 할머니를 밀어 버렸습니다.

> 고물상 (古 옛 고 物 물건 물 商 장사 상) 헐거나 낡은 물건을 사고 파는 가게.
> 턱없이 수준이나 분수에 맞지 않게.

---

31 눈에 혹이 난 할머니에 대한 종이 할머니의 마음으로 알맞은 것을 두 가지 고르세요. (　　,　　)

① 밀어 넘어뜨려서 미안하였다.
② 힘이 약한 것 같아서 안심이 된다.
③ 다치기 쉬울 것 같아서 걱정이 된다.
④ 빈 상자를 빼앗아 갈 것 같아서 겁이 난다.
⑤ 친구가 될 수 있을 것 같아서 기대가 된다.

서술형·논술형 문제

32 ㉮의 내용을 바탕으로 종이 할머니는 현재의 삶을 어떻게 생각하는지 쓰세요.

33 ㉯의 의미로 알맞은 것은 무엇인가요? (　　　)

① 소중하게 여긴다.
② 너무 적은 돈이다.
③ 지폐보다 동전을 더 좋아한다.
④ 기분이 좋아서 가볍게 느껴진다.
⑤ 폐지의 값보다 더 많은 돈을 받았다.

34 ㉠ '그 돈'을 무엇에 빗대어 표현하였는지 찾아 쓰세요.

(　　　　　　)

❸ 종이 할머니는 다시 손수레를 끌고 집으로 향했어.

골목에 들어서니 이삿짐 차가 보였어. 맞은편 집에 누군가 이사를 온 모양이야. 머리에 빨간 리본 핀을 꽂은 여자아이가 골목에서 뛰어다니고 있었어. 얼굴은 통통하고 보조개가 있었지. 눈은 커다랬는데 **쪽빛** 가을 하늘처럼 맑았어.

<small>여자아이의 눈을 비유하는 표현</small>

이삿짐 차가 돌아가자, 맞은편 집에서 젊은 여자가 책을 한 아름 안고 할머니한테 다가왔어.

"할머니, 이거요."

젊은 여자 뒤로 골목에서 놀고 있던 아이가 얼굴을 내밀었어.

"엄마, 이거 왜 할머니한테 줘?"

"할머니가 종이를 모으시거든. 너도 다 쓴 종이 있으면 할머니한테 갖다드려."

엄마가 말하자 아이는 신이 난 듯 대답했어.

"으응."

다음 날, 종이 할머니는 집 앞 골목에 쭈그리고 앉아서 폐지를 묶고 있었어. 그때 맞은편 집에서 아이가 쪼르르 달려 나왔어.

"할머니, 이거요."

다음 날, 그다음 날도 아이는 다 쓴 공책을 가져왔어. 다 쓴 공책이 없으면 문에 붙여진 광고지라도 떼어 가지고 왔단다. 아이에게는 아주 즐거운 놀이처럼 보였지.

<small>종이 할머니에게 종이를 가져다주는 일</small>

종이 할머니는 아이의 이름이 궁금해졌어.

"이름이 뭐냐?"

"메이요."

그런데 ㉠아이는 뭐가 바쁜지 쪼르르 달려가는 거야. 아이는 걷는 법이 없었지. 언제나 **날다람쥐**처럼 뛰어다녔어. 종이 할머니는 아이의 뒷모습이 사라지는 게 아쉬웠어.

다음 날은 아이가 오지 않았어. 종이 할머니는 이상하게 기운이 없었어. 폐지를 주우러 나가야 하는데도 아이가 올까 봐 기다리게 되었어. 누군가를 이렇게 기다린 적이 없었는데 말이야.

그러던 어느 날 점심때가 지날 무렵, 대문 밖에서 아이의 목소리가 들렸어.

"할머니, 이거요!"

종이 할머니는 얼른 밖으로 나갔어. 그런데 아이는 어느새 골목 귀퉁이로 사라져 버렸어.

보조개 말하거나 웃을 때에 두 볼에 움푹 들어가는 자국.
쪽빛 짙은 푸른빛. 예 가을 하늘이 쪽빛 물감을 풀어 놓은 것 같습니다.

날다람쥐 다람쥣과의 날다람쥐, 북미날다람쥐, 큰날다람쥐 등을 통틀어 이르는 말. 움직임이 매우 재빠른 사람을 비유적으로 이르는 말.

---

35 맞은편 집에 이사 온 여자아이에 대한 설명으로 알맞지 **않은** 것의 번호를 쓰세요.

① 얼굴은 통통하고 보조개가 있다.
② 머리에 빨간 리본 핀을 꽂고 있다.
③ 눈은 작았는데 쪽빛 가을 하늘처럼 맑다.

( )

36 새로 이사 온 아이는 종이 할머니께 어떻게 하였나요?

( )

① 종이를 가져다주었다.
② 함께 그림을 그리자고 하였다.
③ 숙제를 도와달라고 부탁하였다.
④ 인사를 제대로 하지 않고 숨어 다녔다.
⑤ 옆에 앉아 도란도란 이야기를 나누었다.

37 이 글에 나타난, 메이에 대한 종이 할머니의 마음으로 알맞은 것을 세 가지 고르세요. (, ,)

① 궁금함   ② 기다림
③ 아쉬움   ④ 괘씸함
⑤ 부러움

38 ㉠과 같은 메이의 모습을 비유하는 표현을 찾아 쓰세요.

( )

종이 할머니는 아이가 폐지 위에 놓고 간 스케치북을 찬찬히 넘겼어. 첫 장에는 아이가 뽀그르르 비누 거품 속에서 노는 모습이 그려져 있었어. 다음 장을 넘기자 알록달록한 꽃밭에서 아이가 친구랑 노는 모습이 그려져 있었지. 또 다음 장을 넘겼어. 그런데 이번에는 친구와 싸운 모양이야. 친구와 따로 떨어져서 고개를 숙이고 있는데, 시커먼 먹구름이 화난 표정으로 비를 퍼붓고 있었어.

작은 거품이 잇따라 갑자기 빠르게 일어날 때 나는 소리나 모양

몹시 검은 구름.

'메이가 화가 많이 난 모양이네.'

종이 할머니는 조용히 웃었단다.

그러고는 마지막 장을 넘겼어.

"아!"

종이 할머니는 자신도 모르게 탄성을 질렀어. 지금까지 한 번도 보지 못한 세상이 그려져 있었기 때문이야. 약간 찌그러진 똥그스름한 파란 지구, 아름다운 테를 두른 토성, 몸빛이 황갈색으로 빛나는 불퉁불퉁한 목성, 붉은빛이 뿜어져 나오는 태양……. 그리고 그 주위를 돌고 있는 버섯 모양의 우주선까지.

'그러고 보니 하늘을 본 지 꽤 오래됐구먼.'

하늘을 본 게 언제였더라? 별을 본 건 언제였지? 달을 본 건…….

아주 어릴 적에 달을 올려다보면서 '꼭 한 번 달에 가고 싶다'고 꿈꿨던 기억이 아슴아슴 떠올랐어. 하지만 도무지 이루지 못할 꿈이라 아주 금세 버렸던 기억도 함께 났지.

종이 할머니는 하늘을 품은 듯한, 별을 품은 듯한, 달을 품은 듯한 기분이었단다.

"다 늙어 빠졌는데 품고 싶은 게 생기다니……."

종이 할머니는 중얼거리면서 가만히 하늘을 올려다보았어. 허리가 뻐근하게 아팠어. 하늘은 비가 올 듯 회색빛이었지.
땅만 보던 종이 할머니의 행동이 바뀜.

그때 톡탁, 빗방울 하나가 뺨에 떨어졌어. 이내 두 방울, 세 방울이 떨어지더니 후두두 세차게 쏟아지기 시작했어. 이런 날은 폐지를 주우러 가지 않아. 대문 앞에 버려진 폐지들이 대부분 젖어 있기 때문이야.

중심 내용 ③ 종이 할머니는 메이가 가져다주는 종이를 매일 기다렸는데, 메이가 그린 우주 그림을 보고 어릴 적 꿈을 떠올렸습니다.

탄성 (歎 탄식할 탄 聲 소리 성) 몹시 감탄하는 소리.
테 둘레를 두른 물건.

아슴아슴 정신이 흐릿하고 몽롱한 모양.
뻐근하게 몸을 움직이기가 매우 거북스럽고 살이 뻐개지는 듯하게.

---

39 메이가 그린 그림이 아닌 것은 무엇인가요? ( )

① 뽀그르르 비누 거품 속에서 노는 모습
② 알록달록한 꽃밭에서 아이가 친구랑 노는 모습
③ 친구와 따로 떨어져서 고개를 숙이고 있는 모습
④ 우주에 지구, 토성, 목성, 태양, 우주선이 있는 모습
⑤ 비가 올 듯 회색빛인 하늘에 별과 달이 떠 있는 모습

40 메이의 우주 그림을 보고 종이 할머니는 어떤 생각을 하였는지 번호를 쓰세요.

① 하늘을 본 지 꽤 오래됐다.
② 이루지 못할 꿈은 버려야 한다.

( )

→ 어떤 일이 일어나거나 변화하도록 만드는 결정적인 원인이나 기회

41 종이 할머니가 꿈을 되찾은 계기는 무엇인가요?

( )

① 비를 맞게 된 것
② 우주여행에 대한 책을 읽은 것
③ 메이가 그린 우주 그림을 본 것
④ 외계인에 대한 텔레비전 프로그램을 본 것
⑤ 비가 오는 날 폐지를 주우러 가지 않게 된 것

📄 교과서 문제

42 메이가 그린 우주 그림을 보는 부분에서 종이 할머니의 감정은 어떠하였겠나요? ( )

① 무섭다. ② 화가 난다. ③ 감동적이다.
④ 힘이 든다. ⑤ 걱정스럽다.

❹ 종이 할머니는 스케치북을 안고 집으로 들어갔어. 햇빛이 잘 들어오지 않아서 단칸방은 늘 어둑했어. 하지만 아늑했지. 종이 할머니는 스케치북에 있는 그림을 한

포근하게 감싸 안기듯 편안하고 조용한 느낌이 있지.

장 한 장 떼어 내어 벽에 붙였어. 그리고 옆으로 누워서 찬찬히 그림을 보았단다. 가장 마음에 드는 건 마지막 장에 그려진 우주 그림이었어. 종이 할머니는 우주 그림을 자세히 보다가 아까는 보지 못했던 것을 보게 되었어. 바로 찌그러진 파란 지구 맞은편 위에 떠 있는 포도 모양의 성이야. ㉠포도 알갱이들은 하나하나가 작은 방 같았지. 그리고 그 알갱이들은 투명하고 푸른빛을 띠며 빛나고 있었어. 꼭 ㉡유리로 만든 바다처럼 보였어.

포도 모양의 성 맨 꼭대기에는 두 아이가 앉아서 차를 마시고 있었어. 그런데 참 이상하지 뭐야. 두 아이 중 하나는 눈이 불룩하게 튀어나오고 입은 개구리처럼 커다랬어. 게다가 팔다리는 길고 머리부터 발끝까지 초록빛이었지. 이런 사람은 한 번도 본 적이 없었어. 할머니는 그게 뭔지 무척 궁금했어.

초록색 아이   종이 할머니의 마음

'희한하다. 다 늙어 빠졌는데 이제 와서 뭐가 궁금하

매우 드물거나 신기하다.

단 말이여.'

종이 할머니는 자신을 타박하다가 궁금증을 애써 지

잘못 저지른 실수나 부족한 부분을 나무라거나 꾸짖다가.

워 버리고는 돌아누웠어. 그런데도 자꾸만 생각나는 거야. '그 초록색 아이는 누구일까?' 하고.

그때였어.

"할머니, 이거요!"

아이의 목소리가 들렸어. 종이 할머니는 반가운 마음

종이 할머니의 마음

에 문을 활짝 열었어.

"우리 집에 들어올려?"

아이는 방으로 들어와 벽에 붙은 자신의 그림을 보고는 팔짝팔짝 뛰었지.

"와, 이거 내가 그린 그림이다!"

종이 할머니는 우주 속에 떠 있는 포도 모양의 성을 가리켰어.

"그란디 저건 뭐여?" / "우주 호텔."

그런데

"우주 호텔이 뭐여? 우주에도 호텔이 있단 말이여?"

"네, 우주는 아주아주 넓은 곳이니까요. 우주 호텔은 우주를 여행하다가 쉬는 곳이에요. 목성에 갔다가 쉬고, 토성에 갔다가 쉬고……. 우주여행은 무척 힘들어요. 그래서 우주 호텔에 들러 잠깐 쉬는 거예요. 외계인 친구를 만나서 차도 마시면서요."

"외계인? 진짜 외계인이 있는 겨?"

종이 할머니의 눈이 커다래졌어. 그러자 아이는 초록색 아이를 가리켰어.

"얘는 뽀뽀나예요. 내가 우주를 여행할 때 만난 외계인 친구예요. 뽀뽀나는 뽀뽀하는 걸 좋아해요. 그래서 입을 개구리처럼 내밀고 다녀요."

아이는 이렇게 말하고는 밖으로 달려 나갔어.

43 메이의 그림 중 종이 할머니의 마음에 가장 든 그림은 무엇인지 쓰세요.

(   )

44 ㉠을 ㉡에 빗대어 표현한 까닭은 무엇인가요? (   )

① 잘 깨지기 때문에

② 달콤한 냄새가 나기 때문에

③ 물고기가 살고 있기 때문에

④ 지구의 맞은편에 있기 때문에

⑤ 투명하고 푸른빛을 띠며 빛나기 때문에

45 메이가 그린 포도 모양의 성은 무엇을 나타낸 것인지 찾아 쓰세요.

(   )

46 우주 호텔은 무엇을 하는 곳인지 두 가지 고르세요.

(,   )

① 비둘기를 모아 기르는 곳

② 우주를 여행하다가 쉬는 곳

③ 개구리를 관찰할 수 있는 곳

④ 우주에 대하여 공부할 수 있는 곳

⑤ 외계인 친구를 만나서 차를 마시는 곳

아이가 나가고, 종이 할머니는 아이의 말을 곰곰이 생각해 보았어.

'그래, 아이의 말이 맞을지도 모르겠군. 하늘도 저렇게 넓은데 저 하늘 밖의 우주는 얼마나 넓을까?'

종이 할머니의 눈에는 우주 호텔이 보이는 것 같았어. 바람개비처럼 돌고 있는 별들 사이에 우뚝 솟아 있는 우주 호텔.

> 종이 할머니는 그곳으로 비둘기처럼 날아가고 싶었단다.
> 종이 할머니는 작은 마당으로 나갔어. 그리고 힘겹게 허리를 펴고 천천히 고개를 들었단다. 그러고는 하늘을 올려다보았지. 하늘엔 먹구름이 물러가고 환한 빛이 눈부시게 쏟아지고 있었어.
> "눈은 아직 늙지 않았구먼. 아주 멀리 있는 것도 볼 수 있지."
> 종이 할머니는 환한 빛 너머, 하늘 너머, 별 너머, 우주 호텔 너머 유리 바다에 둘러싸인 성을 보았지.

> 종이 할머니는 결심했어. 쉽게 허리를 구부리지 않기로 말이야. 쉽게 허리를 구부리면 다시는 저 우주 호텔을 보지 못할 것 같았거든.
>
> 종이 할머니의 삶의 태도가 바뀜.

✏️**중심 내용 ④** 종이 할머니는 저 멀리 우주로 날아가고 싶다는 생각에 고개를 들어 하늘을 올려다보았습니다.

❺ 다음 날, 종이 할머니는 다른 날과 마찬가지로 손수레를 끌며 동네를 돌아다녔어. 가게마다, 집집마다 버려진 폐지들을 주워서 손수레에 실었지.

도서관 앞을 지날 때였어. 전봇대 앞에 고개를 숙이고 강낭콩을 파는 할머니가 보였어. 며칠 전, 채소 가게 앞에서 본 눈에 혹이 난 할머니였어.

아마 폐지를 줍는 것은 포기한 모양이야. 하긴 앞이 잘 보이지 않으니 폐지 줍기가 쉽지는 않았을 거야. 종이 할머니는 손수레를 멈추고 눈에 혹이 난 할머니에게 다가갔어.

하려던 일을 도중에 그만두어 버림.

"이 강낭콩, 얼마유?"

강낭콩이 그릇마다 수북하게 담겨 있었어.

쌓이거나 담긴 물건이 볼록하게 많게.

"천 원만 주소."

---

47 종이 할머니의 생활은 어떻게 변하였는지 빈칸에 들어갈 알맞은 말을 보기 에서 찾아 쓰세요.

> 보기
> 땅   하늘

• (1) [　　　]을 보는 삶에서 (2) [　　　]을 보는 삶으로 바뀌었다.

48 [　　　] 부분이 인상 깊은 까닭을 알맞게 말한 것은 무엇인가요? (　　　)

① 종이 할머니의 우울한 마음이 느껴져서
② 종이 할머니의 미래가 불행할 것 같아서
③ 종이 할머니가 실제로 우주 호텔을 보아서
④ 종이 할머니가 비둘기를 의지하는 마음이 느껴져서
⑤ 비둘기처럼 날아가고 싶어서 허리를 펴고 고개를 드는 할머니 모습이 머릿속에 그려져서

🎫교과서 문제

49 절정 부분 사건의 중심 내용을 간추릴 때 밑줄 그은 부분에 알맞은 내용을 쓰세요.

• 종이 할머니는 메이가 가져다주는 종이를 매일 기다렸는데, _____

_____

50 이야기 「우주 호텔」 전체에서 눈에 혹이 난 할머니에 대한 종이 할머니의 생각은 어떻게 바뀌었는지 알맞게 이으세요.

| (1) | 채소 가게 앞에서 만났을 때 | • | • ① | 다가가서 이야기를 나누고 싶음. |
| (2) | 도서관 앞에서 만났을 때 | • | • ② | 자신의 상자를 가져갈까 봐 화가 남. |

눈에 혹이 난 할머니가 힘없이 말했어. 얼마 전, 자신과 다투었던 것도 모르는 눈치였어. 잘 볼 수 없으니 자신이 누구인지 알 리가 없겠지. 종이 할머니는 시치미를
<u>속으로 생각하는 바가 겉으로 드러나는 어떤 태도.</u>
떼며 말했어.
<u>자기가 하고도 하지 않은 체하거나 알고 있으면서도 모르는 체하며.</u>

"너무 싸게 파는구먼."

종이 할머니가 한마디 던지자, 눈에 혹이 난 할머니가 쓸쓸하게 말했단다.
<u>싫거나 언짢은 기분이 조금 나게.</u>

"그래도 잘 안 팔려라."

그때 동네 꼬마들이 지나가며 소리쳤어.

"눈에 혹이 났어!"

"외계인이다! 도망가자."
<u>눈에 혹이 난 할머니</u>
종이 할머니는 외계인이라는 소리에 깜짝 놀라서 눈에 혹이 난 할머니의 얼굴을 찬찬히 살펴보았지. 그러고 보니 메이가 그린 초록색 외계인 친구하고 닮은 것도 같았어.

"이 동네로 이사 왔수?"

종이 할머니가 넌지시 물었어.

"한 달 조금 됐는디 말 상대가 없어라. 생긴 게 이래<u>서</u>……."
<u>눈에 혹이 나서</u>

"……."

종이 할머니는 강낭콩을 받아 들고 돈을 내밀었어.

"심심하면…… 놀러 오우. 우리 집은 도서관 뒷골목 세 번째 집이라오. 참, 대문 안쪽에 폐지들이 쌓여 있어서 금방 찾을 수 있다우."

종이 할머니는 손수레를 끌며 고물상으로 향했어. 그리고 이제는 허리를 구부리지 않았어. 더 이상 고개도 수그리지 않았지.

여러 계절이 왔다가 가고, 다시 왔다가 갔단다. 종이 할머니는 여전히 폐지를 모았어. 그렇지만 이제는 혼자가 아니야. ㉠눈에 혹이 난 할머니와 같이 주웠어. 그리
→ <u>우주 그림에서 아이가 초록색 외계인 아이와 친구가 되었듯이 종이 할</u>
고 저녁이 되면 따뜻한 밥도 같이 먹고 생강차도 나누어
<u>머니도 눈에 혹이 난 할머니와 친구처럼 지냄.</u>
마셨지.

종이 할머니는 벽에 붙여 놓은 우주 그림을 보며 잠깐 잠깐 이런 생각에 빠졌단다.
<u>무엇에 정신이 아주 쏠려 헤어나오 못했단다.</u>
'여기가 우주 호텔이 아닌가? 여행을 하다가 잠시 이
<u>종이 할머니가 사는 곳</u>   <u>'인생'을 비유하는 표현</u>
렇게 쉬어 가는 곳이니……, 여기가 바로 우주의 한가운데지.'

중심 내용 ⑤ 종이 할머니는 눈에 혹이 난 할머니와 친구처럼 지내며 자신이 사는 곳이 바로 우주 호텔이라고 생각하였습니다.

서술형·논술형 문제

51 ㉠에서 종이 할머니의 감정은 어떠하였을지와 그 까닭은 무엇인지 쓰세요.

_____

_____

52 이야기 「우주 호텔」의 결말 부분의 중요한 사건을 두 가지 골라 번호를 쓰세요.

> ① 종이 할머니는 눈에 혹이 난 할머니와 친구처럼 지낸다.
> ② 동네 꼬마들이 눈에 혹이 난 할머니를 외계인이라고 놀린다.
> ③ 종이 할머니는 자신이 사는 곳이 바로 우주 호텔이라고 생각한다.

(,   )

53 할머니가 자신이 사는 곳을 우주 호텔이라고 생각한 까닭은 무엇인가요? (   )

① 호텔처럼 꾸며 놓아서
② 메이의 우주 그림을 붙여 놓아서
③ 폐지를 줍고 잠깐 잠만 자는 곳이라서
④ 눈에 혹이 난 할머니가 호텔 같다고 말하여서
⑤ 인생이라는 여행을 하다가 잠시 쉬어 가는 곳이어서

교과서 문제

54 이야기 「우주 호텔」의 주제로 알맞지 <u>않은</u> 것은 무엇인가요? (   )

① 꿈을 가지면 삶이 변한다.
② 아이의 순수함이 할머니의 굳은 마음을 녹인다.
③ 이웃과 마음을 나눌 줄 아는 사람이 되어야 한다.
④ 다른 사람을 돕기 위해서는 자신을 희생해야 한다.
⑤ 행복은 마음먹기에 달려 있고 우리 가까이에 있다.

정답 **3**쪽

2
단원

국어 교과서 84쪽

3. 「우주 호텔」을 읽고 질문을 만들어 친구들과 묻고 답해 봅시다.

일어난 사실에 대한 질문	• 다른 사람들은 할머니를 뭐라고 불렀나요?
	예시 답안 채소 가게 앞에서 종이 할머니와 뚱뚱한 할머니가 싸운 까닭은 무엇인가요?
	• 종이 할머니는 왜 쉽게 허리를 구부리지 않기로 결심했나요?
	예시 답안 종이 할머니는 시장에서 만난 눈에 혹이 난 할머니에게 무엇을 제안했나요?
이야기 내용을 추론하는 질문	• 할머니는 왜 '종이 할머니'라고 불렸나요?
	예시 답안 종이 할머니가 꿈을 되찾은 계기는 무엇일까요?
	• 종이 할머니는 왜 눈에 혹이 난 할머니에게 자기 집으로 놀러 오라고 했을까요?
	예시 답안 종이 할머니가 자신이 사는 곳을 우주 호텔이라고 생각한 까닭은 무엇일까요?
친구들 생각을 알고 싶은 질문	• 동네 꼬마들이 눈에 혹이 난 할머니를 보고 "외계인이다! 도망가자."라고 말했을 때 어떤 생각이 들었나요?
	예시 답안 메이를 만나고 종이 할머니에게 어떤 변화가 있었나요?
	• 자신은 미래에 어떤 우주 호텔에서 살고 싶나요?
	예시 답안 이 이야기의 주제는 무엇인가요?

풀이 이야기를 읽고 질문을 만들 때에는 이야기의 내용을 이해하거나 이야기를 읽은 생각이나 느낌을 떠올릴 수 있도록 합니다.

국어 교과서 86쪽

6. 「우주 호텔」을 다시 읽고, 메이가 그린 그림을 보기 전과 본 뒤에 종이 할머니의 생각과 생활이 어떻게 달라졌는지 종이 할머니의 처지에서 말해 봅시다.

• 그림을 보기 전

예시 답안 매일 폐지를 주우려고 땅만 쳐다보며 의미 없이 살았어.

• 그림을 본 뒤

예시 답안 메이를 만나고 궁금한 것이 생기고 무기력했던 내 삶에 조금씩 애착이 생기기 시작했지. 이제 하늘을 보며 살 거야. 그리고 마음을 열고 친구와 나의 우주 호텔에서 행복하게 지내고 싶어.

풀이 종이 할머니의 생각과 생활의 변화를 통해 이야기의 주제를 전하고 있습니다.

1 이야기 「우주 호텔」에서 다른 사람들은 할머니를 뭐라고 불렀는지 쓰세요.

• ☐☐ 할머니

2 종이 할머니는 왜 눈에 혹이 난 할머니에게 자기 집으로 놀러 오라고 했을까요?

• 동네 꼬마들이 그 할머니를 ☐☐☐ 이라고 놀리는 소리를 듣고, 우주 호텔에서 외계인 친구와 차를 마시는 메이의 그림이 생각났기 때문이다.

3 이야기 「우주 호텔」에서 메이가 그린 그림을 보기 전에 종이 할머니의 생활은 어떠했는지 빈칸에 알맞은 낱말을 써넣으세요.

> 매일 폐지를 주우려고 ☐ 만 쳐다보며 의미 없이 살았다.

4 이야기 「우주 호텔」에서 메이가 그린 그림을 본 뒤에 종이 할머니의 생각은 어떠했는지 빈칸에 알맞은 낱말을 써넣으세요.

> 마음을 열고 친구와 나의 ☐☐☐ 에서 행복하게 지내고 싶다고 생각하였다.

소나기

- **종류**: 만화 영화
- **내용**: 시골 소년과 도시 소녀 사이의 아름답고 슬픈 사랑 이야기가 펼쳐집니다.

1. 만화 영화 「소나기」 포스터를 보기

> 소년과 소녀가 돌다리에서 만나 이야기를 나누는 장면입니다.

📍「소나기」의 사건 전개 과정을 이야기 구조에 따라 요약하기

이야기 구조	사건의 중심 내용 간추리기
발단	소년은 집으로 돌아가던 길에 개울가에서 물장난하는 소녀와 마주치고 소녀가 던진 조약돌을 간직함.
전개	소년과 소녀가 가까워져 함께 산으로 놀러 감.
절정	산에서 소나기를 만난 소년과 소녀는 수숫단 속에서 비를 피함. 며칠 뒤 다시 만난 소녀는 그동안 많이 아팠으며 곧 이사를 간다고 쓸쓸해함.
결말	며칠 뒤, 소년은 소녀가 앓다가 죽었다는 소식을 듣게 됨. 소녀의 유언은 자신이 입던 옷을 그대로 입혀서 묻어 달라는 것이었음.

2. 이야기 구조를 생각하며 만화 영화 「소나기」 보기

🔹 소년은 집으로 돌아가던 길에 개울가에서 물장난하는 소녀와 마주침.

🔹 소년과 소녀가 가까워져 함께 산으로 놀러 감.

🔹 산에서 소년과 소녀는 소나기를 만남.

🔹 소년이 소녀를 업고 물이 불어난 개울을 건넘.

55 만화 영화 「소나기」의 배경을 알맞게 이으세요.

(1) 시간적 배경 ・

(2) 공간적 배경 ・

・① 농촌 마을

・② 늦여름에서 초가을

56 만화 영화 「소나기」의 어느 부분에서 긴장감이 가장 높아지나요? (   )

① 소녀가 소년에게 대추를 주는 부분

② 소년이 소녀에게 꽃을 꺾어 주는 부분

③ 소년이 개울가에서 소녀와 마주치는 부분

④ 소녀가 소년에게 산 너머에 가고 싶다고 한 부분

⑤ 갑자기 소나기가 내려 소년과 소녀가 수숫단 속에서 비를 피하는 부분

57 이야기 「소나기」와 다른 만화 영화 「소나기」의 특성으로 알맞지 **않은** 것은 무엇인가요? (   )

① 인물 표정이 다양하다.

② 수채화 같은 배경이 인상적이다.

③ 배경 음악이 장면과 어우러진다.

④ 인물의 말과 행동을 해설로 설명해 준다.

⑤ 인물의 행동을 직접 볼 수 있어서 실감 난다.

📝 서술형·논술형 문제

58 만화 영화 「소나기」에서 인상 깊었던 장면과 내 생각이나 느낌을 쓰세요.

(1) 인상 깊었던 장면	(2) 생각이나 느낌

[1~6] 황금 사과

(가) 두 동네 사이에는 툭하면 싸움이 벌어졌어.

다들 황금 사과를 갖겠다고 아우성이었지.

할 수 없이 사람들은 모여서 의논을 했어.

(나) 그러다 나중에는 서로 잡아먹을 듯이 미워하게 되었지.

세월이 흘러갈수록 담은 점점 더 높아졌지.

그러다 어느 때부터인가 아무도 그 담에 관심을 갖지 않게 되었어.

언제 담을 세웠는지, 왜 세웠는지조차 사람들은 까맣게 잊고 만 거야.

담을 넘는 사람들이 없어지자 보초도 사라졌고, 황금 사과까지 사라졌어.

오직 남은 것은 가슴 깊숙이 뿌리박힌 서로 미워하는 마음뿐이었지.

(다) 어느 날, 한 꼬마 아이가 물었어.

"엄마, 저 담 너머에는 누가 살아요?"

"쉿! 아가야, 절대로 저 담 옆에 가면 안 돼. ㉠저 담 너머에는 심술궂고 못된, 아주 나쁜 사람들이 산단다."

(라) 담 쪽으로 다가가 보니 작은 문이 언뜻 보이는 거야.

몸이 오싹거렸지만 그 아이는 계속 다가갔어.

열쇠 구멍에서 희미한 빛이 새어 나왔거든.

아이는 무서운 마음을 꾹 누르고 구멍 속을 들여다보았어.

"와, 세상에 이럴 수가!"

아이의 눈에 보인 건 공을 가지고 즐겁게 노는 아이들이었어.

(마) 아이가 문을 밀자 쓱 열렸어.

문은 낡았고, 자물쇠는 망가져 있었거든.

환한 햇살 때문에 아이는 눈이 부셨지.

아이는 친구들에게 다가가 말했어.

"얘들아, 안녕! 내 이름은 사과야. 너희 이름은 뭐야?"

1 글 (가)에서 두 동네 사람들 사이에 어떤 일이 있었는지 쓰시오.

· ( )를 가지겠다고 싸웠다.

2 글 (나)에서 일어난 일로 알맞은 것의 번호를 쓰시오.

① 담을 넘는 사람들이 계속 늘어나자 보초의 수를 늘렸다.
② 두 동네 사람들은 담을 세운 까닭을 잊고 미워하는 마음만 남았다.

( )

3 글 (다)에서 엄마가 ㉠과 같이 말한 까닭은 무엇이겠습니까? ( )

① 실제로 보아서
② 텔레비전 뉴스로 보아서
③ 선생님께서 말씀해 주셔서
④ 서로 오가지 않아 오해가 생겨서
⑤ 아이에게 꾸며 낸 이야기를 들려주고 싶어서

4 글 (라)에서 아이가 열쇠 구멍을 통해 본 것은 무엇인지 쓰시오.

( )

5 글 (마)의 내용에 대해 알맞게 말한 사람을 쓰시오.

수아: 문이 낡고 자물쇠가 망가져 있었다는 것은 두 동네 사람들이 서로를 미워하는 마음이 사라질 때가 되었다는 뜻이야.
정우: '환한 햇살'이라는 표현에서 두 동네 사람들 사이가 더 나빠질 것을 예상할 수 있어.

( )

6 글 (라)와 (마)에 나타난 '사과'의 행동을 표현하는 말로 알맞은 것은 무엇입니까? ( )

① 의심
② 용기
③ 거짓
④ 겸손
⑤ 욕심

[7~13] 저승에 있는 곳간

(가) 염라대왕은 원님을 저승사자에게 돌려보냈다.

"이승으로 나가려는데 어떻게 가면 될까요?"

"여기까지 데려왔는데 그냥 보내 줄 수는 없다. 너 때문에 헛걸음을 했으니 수고비를 내놓아라."

"어떡하지요? 지금 저는 빈털터리인데……."

"그러면 저승에 있는 네 곳간에서라도 내놓아라."

사람은 누구나 저승에 곳간이 하나씩 있다. 그렇지만 이승에서 부자라고 해서 그 곳간이 꽉 차 있지는 않다. 마찬가지로 가난하게 사는 사람이라고 해서 저승 곳간 까지 텅 빈 것도 아니었다. 그 곳간은 이 세상에서 좋은 일을 한 만큼 재물이 쌓이게끔 되어 있었다.

(나) "㉠덕진이라는 아가씨의 곳간에는 쌀이 수백 석이나 있으니, 일단 거기서 쌀을 꾸어 계산하고 이승에 나가서 갚도록 해라."

저승사자가 원님에게 제안했다. 결국 원님은 덕진의 곳간에서 쌀 삼백 석을 꾸어 셈을 치를 수 있었다.

(다) ㉡사실을 확인하고 싶은 원님은 허름한 선비 모습으로 변장하고, 밤에 덕진의 주막을 찾아갔다.

덕진은 따뜻하게 원님을 맞이했다. 술을 달라는 원님에게 덕진은 술상을 정성스럽게 차려서 가지고 왔다.

(라) "너에게 빚진 쌀 삼백 석을 갚으러 왔느니라."

그러자 덕진은 어리둥절해하며 원님을 쳐다보았다.

"하여튼 받아 두어라. 먼 훗날, 너도 알게 될 것이니라."

덕진이 받을 수 없다고 하자 원님은 강제로 쌀을 떠맡겼다.

(마) 덕진은 이리저리 몸을 뒤척이며 고민하다가 결론을 내렸다.

'어차피 내 쌀이 아니니 좋은 일에 쓰도록 하자.'

그리하여 덕진은 쌀을 팔아서 마을 앞을 가로지르는 강가에 다리를 놓기로 했다.

7 글 (가)에서 저승사자는 원님에게 무엇을 내놓으라고 하였는지 쓰시오.

( )

8 저승 곳간의 특징은 무엇인지 쓰시오.

• 이승에서 좋은 일을 한 만큼 ( )이 쌓인다.

9 ㉠에서 알 수 있는 것은 무엇입니까? ( )

① 덕진이 부잣집 딸이다.

② 덕진이 장사를 잘한다.

③ 덕진이 농사를 잘 짓는다.

④ 덕진이 절약하는 생활을 한다.

⑤ 덕진이 다른 사람에게 덕을 많이 베푼다.

10 원님은 저승사자에게 줄 수고비를 어떻게 마련하였는지 쓰시오.

( )

11 ㉡에서 원님이 확인하고 싶은 사실로 알맞은 것의 번호를 쓰시오.

① 덕진의 음식 솜씨가 좋은지 확인하고 싶다.

② 덕진이 가난한 사람에게도 따뜻하게 대하는지 확인하고 싶다.

( )

12 글 (라)의 내용으로 알맞지 <u>않은</u> 것의 번호를 쓰시오.

① 원님은 저승에서 빚진 쌀을 덕진에게 갚았다.

② 덕진은 쌀을 기쁜 마음으로 받아 좋은 일에 쓰겠다고 말하였다.

③ 덕진은 저승에서의 일을 알지 못해 원님이 쌀을 주는 까닭을 알지 못하였다.

( )

🗂️ 서술형·논술형 문제

13 글 (마)의 사건의 중심 내용을 간추려 쓰시오.

_____

_____

단원 **평가**

2 단원

진도 완료 체크

[14~18] 우주 호텔

(가) 동네 꼬마들이 지나가며 소리쳤어.

"눈에 혹이 났어!"

"외계인이다! 도망가자."

종이 할머니는 외계인이라는 소리에 깜짝 놀라서 눈에 혹이 난 할머니의 얼굴을 찬찬히 살펴보았지. 그러고 보니 메이가 그린 초록색 외계인 친구하고 닮은 것도 같았어.

(나) 종이 할머니는 강낭콩을 받아 들고 돈을 내밀었어.

"심심하면…… 놀러 오우. 우리 집은 도서관 뒷골목세 번째 집이라오. 참, 대문 안쪽에 폐지들이 쌓여 있어서 금방 찾을 수 있다우."

(다) 종이 할머니는 여전히 폐지를 모았어. 그렇지만 ㉠이제는 혼자가 아니야. 눈에 혹이 난 할머니와 같이 주웠어. 그리고 저녁이 되면 따뜻한 밥도 같이 먹고 생강차도 나누어 마셨지.

종이 할머니는 벽에 붙여 놓은 우주 그림을 보며 잠깐잠깐 이런 생각에 빠졌단다.

'여기가 우주 호텔이 아닌가? 여행을 하다가 잠시 이렇게 쉬어 가는 곳이니……, 여기가 바로 우주의 한가운데지.'

14 종이 할머니는 동네 꼬마들의 "외계인이다!"라는 말을 들었을 때에 어떤 생각이 떠올랐습니까?

• 눈에 혹이 난 할머니가 메이가 그린

( )를 닮았다.

15 종이 할머니는 눈에 혹이 난 할머니를 다시 만났을 때 어떻게 대했습니까? ( )

① 집에 놀러 오라고 말하였다.

② 자신이 모은 폐지를 나누어 주었다.

③ 팔고 있는 강낭콩을 모두 사 주었다.

④ 허리를 구부리지 말라고 충고하였다.

⑤ 동네에서 강낭콩을 팔지 말라고 내쫓았다.

16 종이 할머니가 혼자가 아닌 까닭을 쓰시오.

• ( )와 친구처럼 지내기 때문이다.

17 ㉠에서 할머니의 감정은 어떠하였겠습니까? ( )

① 힘듦.　　② 놀람.　　③ 행복함.

④ 기다림.　　⑤ 화가 남.

🗂 서술형·논술형 문제

18 종이 할머니가 자신이 사는 곳을 우주 호텔이라고 생각한 까닭은 무엇인지 쓰시오.

_____

_____

[19~20] 소나기

◑ 소년은 집으로 돌아가던 길에 개울가에서 물장난하는 소녀와 마주침.

◑ 소년이 소녀를 업고 물이 불어난 개울을 건넘.

19 이야기는 어떻게 시작됩니까? ( )

① 소녀가 소년의 동네를 떠난다.

② 소년의 반에 소녀가 전학 온다.

③ 소년이 개울가에서 소녀를 만난다.

④ 소녀가 소년을 놀려서 둘이 말다툼을 한다.

⑤ 소년과 소녀가 소나기가 오는 날 같이 비를 피한다.

20 소녀의 옷에 묻은 얼룩은 어떻게 해서 생겼는지 장면 **2**와 관련지어 번호를 쓰시오.

① 흙이 묻은 꽃다발을 안고 있었다.

② 소나기가 내리던 날 소녀를 업은 소년의 옷에서 흙탕물이 물들었다.

( )

짜임새 있게 구성해요 3

그것도 모르면서
도와드린다고
한 거야?

그런데 발표를 잘하는지는
어떻게 알 수 있지?

그럼요! 제가 잘 봐
드릴 수 있어요!

그럼 내가 발표
연습을 할 건데,
잘하는지 한번 봐 줄래?

 개념 웹툰

선생님은 발표를 잘할 수 있을까요?
스마트폰에서 확인하세요!

개념 1 공식적인 말하기 상황의 특성

① 여러 사람 앞에서 발표하는 상황이기 때문에 큰 소리로 또박또박 말해야 합니다.

② 높임 표현을 사용해야 합니다.

③ 듣는 사람이 이해하기 쉽게 자료를 활용하면 좋습니다.

활동 공식적인 말하기 상황 살펴보기 예

> 듣는 사람은 집중해서 들어야 합니다.

개념 2 다양한 자료의 특성

자료의 종류	자료의 특성
표	• 여러 가지 자료의 수량을 비교하기 쉽습니다. • 많은 양의 자료를 간단하게 나타낼 수 있습니다.
사진	• 대상의 정확한 모습을 알 수 있습니다. • 대상을 한눈에 보여 줄 수 있습니다.
도표	• 수량의 변화 정도를 알 수 있습니다. • 정확한 수치를 나타낼 수 있습니다.
동영상	• 음악이나 자막을 넣어 분위기를 잘 전달할 수 있습니다.

활동 다양한 자료 예

우리 반 친구들이 좋아하는 운동

종목	축구	배드민턴	줄넘기	합계
인원(명)	10	5	8	23

△ 표

△ 사진

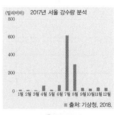

△ 도표

△ 동영상

개념 3 자료를 활용하여 발표할 때 주의할 점

① 꼭 필요한 내용만 자료에 정리합니다.

② 자료를 가져온 곳을 정확히 밝히고 원작자의 허락을 얻습니다.
　　　　　　　└ 자료의 출처　　　　└ 자료를 만든 사람

③ 한 번에 적절한 양의 내용을 보여 줍니다.

활동 자료를 활용하여 발표할 때 주의할 점 예

> 자료를 어디에서 가져왔을까?

○ 출처를 밝혀야 합니다.

개념 4 발표할 내용을 정리하기

시작하는 말	발표 주제와 제목을 말합니다.
자료를 설명하는 말	자료에 담긴 핵심 내용을 말합니다.
끝맺는 말	발표 내용을 간단하게 정리합니다.

활동 발표할 내용을 정리할 때 주의할 점 예

> 발표 내용을 잘 구성해야 짜임새 있게 발표할 수 있어요.

공식적인 말하기 상황

① 학급 토의

오늘 토의할 내용은……

②

군것질은 해로워요

③

제가 발표 하겠습니다.

④

?

♀ 말하기 상황

가   나

비슷한 점	말하는 사람과 듣는 사람이 있다.

다른 점	
가	• 교실 밖에서 자유롭게 말한다. • 친구들과 개인적으로 이야기한다.
나	• 수업 시간에 교실에서 여러 사람 앞에서 발표한다. • 여러 친구 앞에서 공식적으로 말한다.

3
단원

---

1 그림 ①~③은 어떤 상황에서 말하는 장면인지 번호를 쓰세요.

(1)	모둠 친구들이 둘러앉아 토의하는 상황	
(2)	수업 시간에 교실에서 발표하는 상황	
(3)	방송에서 아나운서가 뉴스를 진행하는 상황	

🍞교과서 문제

2 그림 ①~③과 같은 공식적인 말하기 상황의 특성으로 알맞지 <u>않은</u> 것은 어느 것인가요? (   )

① 높임 표현을 사용해야 한다.

② 큰 소리로 또박또박 말해야 한다.

③ 듣는 사람은 집중해서 들어야 한다.

④ 듣는 사람이 누구인지 생각해서 말해야 한다.

⑤ 듣는 사람이 친근감을 느낄 수 있도록 예사말을 사용해야 한다.

3 ④에 들어갈 말하기 상황으로 알맞은 것에 모두 ○표 하세요.

(1) 국어 시간에 토론할 때 말하는 상황 (   )

(2) 반장 선거에서 공약을 발표하는 상황 (   )

(3) 짝과 주말에 본 영화에 대해 말하는 상황 (   )

4 다음 그림을 보고 자료를 활용하여 발표할 때 좋은 점을 알맞게 말하지 <u>못한</u> 사람의 이름을 쓰세요.

어떤 음식을 소개하는지 잘 모르겠어.

❶ 자료를 활용하지 않고 발표할 때   ❷ 자료를 활용하여 발표할 때

혜민: 설명하는 내용을 쉽게 전달할 수 있어.
민결: 설명하는 대상을 한눈에 알아보기 쉬워.
영훈: 자료를 활용하면 작은 목소리로 말해도 돼.

(   )

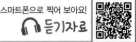

전교 학생회 회장단 선거 후보의 연설

선생님: 다음은 기호 2번 나성실 학생의 소견 발표를 들어 보겠습니다.

나성실: 안녕하세요? 저는 전교 학생회 회장단 선거에 입후보한 나성실입니다. 저는 가고 싶은 학교, 즐거운 학교를 만들고 싶어서 이 자리에 섰습니다. 우리 학교에서는 지난해에 학생들이 학교에 바라는 점을 설문 조사 했습니다. 학생들이 학교에 바라는 점 가운데에서 가장 많이 나온 의견은 바로 "깨끗한 화장실을 만들어 주세요."라는 의견으로 47퍼센트가 나왔습니다.

학생들: 맞아요. 좋아요.

나성실: 저는 이러한 여러분의 의견을 교장 선생님께 적극적으로 말씀드리고 전교 학생회에서도 의견을 모아 꼭 깨끗한 화장실을 만들겠습니다. 저는 최근에 『오늘의 순위』라는 책을 우연히 보았습니다. 이 책은 우리 나라의 여러 가지를 조사한 순위를 알려 주는 책인데, 우리나라의 초등학생들 가운데에서 꿈이 없는 사람이 남학생은 14.2퍼센트, 여학생은 16.7퍼센트라고 합니다. 꿈을 정하지 못한 것이 아니라 꿈이 없는 학생들이 그만큼이라는 얘기입니다. 백 명 가운데 열다섯 명이 꿈이 없는 학생이라니, 어릴 때부터 공부만 열심히 하라는 말을 지겹게 들어 온 결과가 아닌가 싶습니다. 그래서 저는 우리 학교의 학생들만큼은 꼭 누구나 꿈을 하나씩 정하고 그 꿈을 이루려고 노력하도록 도와주고 싶습니다. 그래서 첫째, 여러분이 꿈을 찾을 수 있게 여러 가지 직업을 체험할 수 있는 직업 체험학습을 가도록 노력하겠습니다. 둘째, 우리가 모르는 직업을 알 수 있도록 선생님의 도움을 받아서 여러 가지 꿈 찾기 기획을 진행하려고 합니다. 여러분, 깨끗한 환경과 꿈이 있는 학교를 만들려고 최선을 다하겠습니다. 기호 2번 나성실, 꼭 뽑아 주십시오. 감사합니다.

소견   어떤 일이나 사물을 살펴보고 가지게 되는 생각이나 의견.
입후보한   선거에 후보자로 나선.

기획   일을 이루려고 계획함.
예 우리 반에서 시화전을 기획하였습니다.

---

5 학생들이 학교에 가장 바라는 점은 무엇인가요? (   )
① 깨끗한 화장실 만들기
② 안전한 등·하굣길 만들기
③ 다양한 직업 체험학습 가기
④ 읽을 책이 많은 도서관 만들기
⑤ 점심시간에 학교 운동장을 자유롭게 이용하기

6 후보자가 발표한 공약으로 알맞지 <u>않은</u> 것은 어느 것인가요? (   )
① 깨끗한 화장실을 만들겠다.
② 꿈이 있는 학교를 만들겠다.
③ 꿈 찾기 기획을 진행하겠다.
④ 직업 체험학습을 가도록 노력하겠다.
⑤ 학생들이 책을 많이 읽을 수 있도록 하겠다.

🎓 교과서 문제
7 후보자가 의견을 발표할 때 활용한 자료를 두 가지 고르세요. (,   )
① 『오늘의 순위』 책
② 선생님과의 면담 내용
③ 직업 체험관의 위치가 나타난 지도
④ 직업 체험학습 내용을 소개한 안내서
⑤ 학교에 바라는 점에 대한 설문 조사 결과

✏️ 서술형·논술형 문제
8 후보자는 어떤 태도로 말하였는지 말하기 상황의 특성과 관련지어 쓰세요.

_____

_____

1

우리 반 친구들이 좋아하는 운동

종목	축구	배드민턴	줄넘기	합계
인원(명)	10	5	8	23

자료 종류
표

2

자료 종류
사진

3

2017년 서울 강수량 분석
(밀리미터)

출처: 기상청, 2018.

자료 종류
도표

4

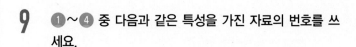

자료 종류
동영상

📍 **자료를 활용하여 발표하기**

이 표는 과거에는 있었지만 지금은 사라진 직업의 종류를 보여 줍니다.

↪ 사라진 직업의 종류와 그 까닭을 직업별로 정리해서 보여 주기에 표가 알맞습니다.

과거에 있던 직업인 보부상을 소개하는 동영상을 보여 드리겠습니다.

↪ 사라진 직업인 보부상의 모습을 생생하게 보여 주기에 동영상이 알맞습니다.

3
단원

진도 완료
체크

9 ❶~❹ 중 다음과 같은 특성을 가진 자료의 번호를 쓰세요.

> • 대상의 정확한 모습을 보여 줄 수 있다.
> • 장면을 있는 그대로 보여 줄 수 있다.
> • 대상을 한눈에 보여 줄 수 있다.

(   )

10 자료 ❹의 특성으로 가장 알맞은 것을 두 가지 고르세요. (,   )

① 정확한 수치를 나타낼 수 있다.
② 수량의 변화 정도를 알 수 있다.
③ 여러 가지 자료의 수량을 비교하기 쉽다.
④ 대상이 움직이는 모습을 생생하게 전달할 수 있다.
⑤ 음악이나 자막을 넣어 분위기를 잘 전달할 수 있다.

11 ❶~❹ 중 정은이가 발표하는 상황에서 활용하면 좋을 자료의 번호를 두 가지 쓰세요.

> 정은: 우리나라 인구수의 변화를 친구들에게 한눈에 알기 쉽게 보여 주고 싶어.

(,   )

🎓 교과서 문제

12 학급 친구들에게 가족과 다녀온 여행지를 소개할 때 말할 내용과 활용할 자료를 알맞게 이으세요.

(1) 여행지의 자연환경 •   •① 지도

(2) 여행지의 평균 기온 •   •② 사진

(3) 여행지까지 가는 길 •   •③ 도표

🍞 교과서 문제

13 다음을 발표 주제로 정했을 때 발표할 내용으로 알맞지 않은 것에 ×표 하세요.

| 우리 반 친구들이 원하는 직업 |

(1) 미래에 생길 직업의 종류 ( )
(2) 지금은 사라진 과거의 직업 ( )
(3) 우리 반에서 가장 인기 있는 직업 ( )

14 정민이가 발표할 때 어떤 자료를 활용하는 것이 좋을까요? ( )

정민: 나는 우리 반 친구들의 장래 희망을 순위대로 한눈에 알 수 있게 간단히 정리해서 보여 주고 싶어.

① 미래의 자기 모습을 그린 그림
② 인기 있는 직업을 가진 분과의 면담 내용
③ 친구들의 장래 희망을 순위대로 정리한 표
④ 정민이네 아버지가 일하시는 모습을 찍은 사진
⑤ 여러 가지 직업을 가진 사람들이 실제로 일하는 모습을 담은 동영상

15 다음 발표하는 상황에서 자료를 제시하는 방법으로 가장 알맞은 것은 어느 것인가요? ( )

| 발표하는 상황 | 교실에서 학급 친구들에게 발표할 때 |

① 자료의 크기가 작을수록 좋다.
② 가능한 한 적은 양의 자료를 활용하는 것이 좋다.
③ 이해하기 쉽도록 모든 자료를 한꺼번에 보여 준다.
④ 친구들이 흥미를 느끼도록 동영상 자료만 활용한다.
⑤ 멀리 있는 친구에게도 잘 보이도록 크게 확대해서 사용한다.

[16~18] 다음 발표하는 상황을 보고 물음에 답하세요.

16 그림 ❶의 발표하는 친구가 효과적으로 발표하려면 어떻게 해야 하는지 알맞은 말에 ○표 하세요.

• (꼭 필요한 내용만 / 관련된 모든 내용을) 자료에 정리해야 한다.

📋 서술형·논술형 문제

17 그림 ❷에서 발표하는 친구가 잘못한 점은 무엇인지 쓰세요.

_____

_____

18 그림 ❸에서 발표하는 친구에게 가장 알맞게 말한 사람의 이름을 쓰세요.

민재: 한 번에 적절한 분량만 보여 줘야 해.
태서: 친구들의 시선을 끌기 위해 무조건 화려하게 꾸미는 것이 좋아.
지용: 많은 양의 자료를 보여 주는 것이 듣는 사람이 더 쉽게 이해할 수 있어.

( )

미래의 인재

• **생각할 점**: 발표할 내용을 쓴 글로, 내용을 어떻게 구성했는지 생각하며 읽어 봅니다.

시작하는 말 | 안녕하세요? 1모둠 발표를 맡은 김대한입니다. 우리의 미래를 생각하면서 우리 모둠은 '미래에는 어떤 인재가 필요할까'라는 주제로 발표를 준비했습니다. 우리 모둠이 준비한 자료는 표와 동영상입니다. 자료를 보면서 발표를 들어 주십시오.

자료 1 | **100대 기업의 인재상 변화**

	2008년	2013년	2018년
1순위	창의성	도전 정신	소통과 협력
2순위	전문성	주인 의식	전문성
3순위	도전 정신	전문성	원칙과 신뢰
4순위	원칙과 신뢰	창의성	도전 정신
5순위	소통과 협력	원칙과 신뢰	주인 의식

■ 출처: 대한상공회의소, 2018.

설명하는 말 | 미래에는 어떤 인재가 필요할까요? 대한상공회의소에서 조사한 '100대 기업의 인재상 변화'에 따르면 2008년에는 창의성이 1순위였는데 2013년에는 도전 정신이, 2018년에는 소통과 협력이 1순위입니다. 이처럼 시대에 따라 필요한 인재상은 달라지고 있습니다.

우리가 어른이 되는 미래에는 어떤 인재가 필요할까요? 우리 모둠은 인공 지능, 사물 인터넷 같은 4차 산업 혁명으로 이전과는 다른 산업 형태가 나타나면서 필요한 인재상도 달라질 것이라고 예상했습니다. 미래에는 변화가 굉장히 빠른 속도로 일어나기 때문에 미래의 인재에게 가장 중요한 것은 계속 배우려는 의지라고 생각합니다.

📍 발표할 내용 정리하기

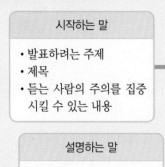

시작하는 말	자료
• 발표하려는 주제 • 제목 • 듣는 사람의 주의를 집중시킬 수 있는 내용	• 발표 주제와 관련한 자료 • 사람들이 흥미를 가질 만한 자료

설명하는 말	끝맺는 말
• 자료에 담긴 핵심 내용 • 자료를 가져온 곳	• 발표한 내용 정리 • 발표를 준비하며 느낀 점

19 대한이네 모둠은 무엇에 대하여 발표하였는지 쓰세요.

( )

📕 교과서 문제

20 시작하는 말의 역할로 알맞은 것은 무엇인가요? ( )
① 듣는 사람의 주의를 집중시켜야 한다.
② 발표 내용에서 잘한 점이나 부족한 점을 찾아야 한다.
③ 발표하는 내용을 자세히 말해서 듣는 사람을 이해시켜야 한다.
④ 듣는 사람에게 발표 자료 준비의 어려움을 간절하게 알려야 한다.
⑤ 발표하는 내용과 방법에 어울리는 자료라는 것을 듣는 사람에게 설득시켜야 한다.

21 대한이네 모둠이 발표에서 활용한 자료는 무엇인가요? ( )
① 표   ② 사진   ③ 도표
④ 지도   ⑤ 실제 물건

22 자료 1의 내용으로 알맞지 <u>않은</u> 것은 어느 것인가요? ( )
① 2008년에는 창의성이 1순위이다.
② 2013년에는 도전 정신이 1순위이다.
③ 2018년에는 소통과 협력이 1순위이다.
④ 필요한 인재상은 시대가 변해도 항상 똑같다.
⑤ 인재가 되려면 도전 정신, 원칙과 신뢰, 전문성 등이 필요하다.

자료 2

■ 출처: 한국교육방송공사(2018), 「지식 채널 e: 일자리의 미래」

설명하는 말 다음으로 준비한 자료는 한국교육방송공사에서 방송한 「일자리의 미래」입니다. 자료를 보면서 발표를 이어 가겠습니다.

이 동영상에서는 2020년까지 사라지는 일자리는 510만 개로, 미래에는 한 사람이 평균 4~5개의 직업을 가져야 한다고 합니다. 우리가 이러한 미래 사회에서 성공하려면 여러 분야에서 다양한 능력을 갖춰야 합니다. 경제협력개발기구[OECD]가 정리한 미래 핵심 역량은 도구 활용 능력, 사회적 상호 작용 능력, 자기 삶에 대한 자주적 관리 능력입니다. 앞서 발표한 '100대 기업의 인재상 변화'에서도 나타난 소통, 협력, 전문성과 관련 있다고 생각합니다. 이러한 능력을 키우려고 핀란드, 독일, 아르헨티나와 같은 세계 여러 나라에서는 단순한 암기 교육이 아니라 현실에 적용할 수 있는 능력을 키우는 역량 중심 교육을 강화한다고 합니다.

미래에는 더 많은 변화가 더 빨리 이루어질 것입니다. 미래에 우리에게 필요한 능력은 기계가 대신할 수 없는, 인간만이 지니는 능력이라고 생각합니다. 기술과 지식을 창의적으로 활용하고 이로써 문제를 해결해 내는 인간만이 지닐 수 있는 능력을 더욱 키워 나가야 할 것입니다.

끝맺는 말 지금까지 '미래에는 어떤 인재가 필요할까'라는 주제로 발표했습니다. 발표를 준비하면서 미래에 훌륭한 사람이 되려면 어떻게 준비해야 할지 친구들과 생각해 볼 수 있었습니다. 이상으로 우리 모둠 발표를 마치겠습니다. 끝까지 잘 들어 주셔서 감사합니다.

역량 어떤 일을 해낼 수 있는 힘.
자주적 남의 보호나 간섭을 받지 아니하고 자기 일을 스스로 처리하는.
암기 외워 잊지 아니함.
창의적 새로운 것을 생각해 내는 특성을 띠거나 가진.

23 자료 2의 특성으로 알맞은 것은 무엇인가요?
(   )
① 정확한 수치를 나타낼 수 있다.
② 실제로 보거나 만져 볼 수 있다.
③ 수량의 변화 정도를 알 수 있다.
④ 설명하는 대상을 한눈에 보여 줄 수 있다.
⑤ 음악이나 자막을 넣어 분위기를 잘 전달할 수 있다.

24 대한이네 모둠은 자료 2를 통해 미래에 우리에게 필요한 능력이 무엇일 것이라고 생각하였나요? (   )
① 암기할 수 있는 능력
② 인간만이 지니는 능력
③ 기계가 대신할 수 있는 능력
④ 로봇이 대체할 수 있는 능력
⑤ 한 가지 분야에 대한 전문적인 능력

25 이와 같이 발표할 내용을 정리하는 방법을 알맞게 이으세요.

(1) 시작하는 말 • • ① 자료를 가져온 곳을 밝혀야 한다.

(2) 자료를 설명하는 말 • • ② 발표 주제와 제목이 담겨야 한다.

(3) 끝맺는 말 • • ③ 발표한 내용을 간단하게 정리한다.

26 이와 같이 발표할 내용을 잘 구성해야 하는 까닭으로 알맞지 않은 것은 무엇인가요? (   )
① 짜임새 있게 발표할 수 있다.
② 발표할 내용을 빠뜨리지 않을 수 있다.
③ 발표 주제를 효과적으로 전달할 수 있다.
④ 발표 자료를 최대한 많이 활용할 수 있다.
⑤ 듣는 사람들이 흥미 있게 발표를 들을 수 있다.

국어 교과서 114쪽

1. 진로 체험 주간을 맞이해 우리의 미래에 대해 발표하려고 합니다. 발표 상황을 떠올려 보고 주의할 점을 생각해 봅시다.

(1) 발표 상황을 떠올려 보고 발표 상황의 특성을 생각해 보세요.

(예시 답안)

듣는 사람	우리 반 친구들
발표 장소	교실
발표 상황의 특성	• 발표 장소가 넓은 곳이다. • 여러 사람 앞에서 발표한다.
자료 제시 방법	• 뒤쪽에서도 잘 보이도록 큰 자료를 활용한다. • 텔레비전으로 자료를 보여 준다.

(풀이) 발표 장소에 따라 내용이 효과적으로 전달될 수 있는 방법을 생각해 봅니다.

(2) 발표 상황을 생각하며 발표할 때에 주의할 점을 말해 보세요.

• 준비한 자료를 차례에 맞게 잘 보여 주면서 말해야겠어.
• 자료를 보여 줄 때에는 친구들이 집중할 수 있도록 자세히 소개해야지!

(예시 답안) • 멀리까지 잘 들리도록 또박또박 큰 목소리로 말해야겠어.

국어 교과서 115쪽

2. 발표를 들을 때에 주의할 점을 말해 봅시다.

• 발표하는 내용 가운데에서 중요한 부분은 적으며 듣는다.
• 발표하는 내용과 방법에 어울리는 자료인지 생각하며 듣는다.

(예시 답안) • 발표하는 내용에 집중하며 듣는다.

국어 교과서 116쪽

4. 자료를 활용한 모둠별 발표를 듣고 잘한 점을 말해 봅시다.

〈점검할 내용〉
• 발표 내용에 알맞은 자료를 적절히 활용했나요?
• 자료를 활용할 때 저작권을 침해하지 않았나요?

모둠 이름	잘한 점
○○ 모둠	우리 반 친구들이 원하는 직업을 조사해 표로 정리해 보여 주니 한눈에 알아볼 수 있어서 좋았습니다.
△△ 모둠	(예시 답안) 인터넷에서 찾은 자료는 출처를 표시하였습니다.

(풀이) 자료를 활용할 때에는 저작권을 침해하지 않도록 주의합니다.

1 교실에서 발표할 때 주의할 점으로 알맞은 것의 기호를 쓰세요.

> ㉠ 작은 자료를 활용한다.
> ㉡ 자료를 한꺼번에 많이 제시한다.
> ㉢ 멀리까지 잘 들리도록 큰 목소리로 말한다.

( )

2 다음은 발표를 들을 때에 주의할 점입니다. 괄호 안의 알맞은 낱말에 ○표 하세요.

> 발표하는 내용 가운데에서 중요한 부분은 (적으며 / 질문하며) 듣는다.

3 다음에서 설명하는 것은 무엇인지 쓰세요.

> • 문학, 예술, 학술에 속하는 창작물에 저작자나 그 권리를 이어받은 사람이 행사하는 권리를 말한다.
> • 다른 사람의 창작물을 사용할 때에는 반드시 허락을 구하거나 출처를 밝혀 이것을 침해하지 않도록 주의해야 한다.

( )

3

단원

[1~3] 전교 학생회 회장단 선거 후보의 연설

(가) 안녕하세요? 저는 전교 학생회 회장단 선거에 입후보한 나성실입니다. 저는 가고 싶은 학교, 즐거운 학교를 만들고 싶어서 이 자리에 섰습니다. 우리 학교에서는 지난해에 학생들이 학교에 바라는 점을 설문 조사했습니다. 학생들이 학교에 바라는 점 가운데에서 가장 많이 나온 의견은 바로 "깨끗한 화장실을 만들어 주세요."라는 의견으로 47퍼센트가 나왔습니다.

(나) 저는 이러한 여러분의 의견을 교장 선생님께 적극적으로 말씀드리고 전교 학생회에서도 의견을 모아 꼭 깨끗한 화장실을 만들겠습니다.

1 이 연설에 대한 설명으로 알맞지 <u>않은</u> 것은 무엇입니까?
( )

① 공식적인 말하기 상황이다.
② 듣는 사람은 교장 선생님이다.
③ 자신의 공약을 발표하고 있다.
④ 높임 표현을 써서 말하고 있다.
⑤ 듣는 사람이 이해하기 쉽게 말하고 있다.

2 후보자의 공약은 무엇인지 쓰시오.

· [   ] 을 만들겠다.

3 이와 같은 말하기 상황으로 알맞지 <u>않은</u> 것은 어느 것입니까? ( )

① 국어 시간에 토론하는 상황
② 학급 토의 시간에 발표하는 상황
③ 수업 시간에 교실에서 발표하는 상황
④ 방송에서 아나운서가 뉴스를 진행하는 상황
⑤ 짝에게 어제 본 만화 영화에 대해 말하는 상황

[4~6] 전교 학생회 회장단 선거 후보의 연설

저는 최근에 『오늘의 순위』라는 책을 우연히 보았습니다. 이 책은 우리나라의 여러 가지를 조사한 순위를 알려 주는 책인데, 우리나라의 초등학생들 가운데에서 꿈이 없는 사람이 남학생은 14.2퍼센트, 여학생은 16.7퍼센트라고 합니다. 꿈을 정하지 못한 것이 아니라 꿈이 없는 학생들이 그만큼이라는 얘기입니다. 백 명 가운데 열다섯 명이 꿈이 없는 학생이라니, 어릴 때부터 공부만 열심히 하라는 말을 지겹게 들어 온 결과가 아닌가 싶습니다. 그래서 저는 우리 학교의 학생들만큼은 꼭 누구나 꿈을 하나씩 정하고 그 꿈을 이루려고 노력하도록 도와주고 싶습니다. 그래서 첫째, 여러분이 꿈을 찾을 수 있게 여러 가지 직업을 체험할 수 있는 직업 체험학습을 가도록 노력하겠습니다. 둘째, 우리가 모르는 직업을 알 수 있도록 선생님의 도움을 받아서 여러 가지 꿈 찾기 기획을 진행하려고 합니다.

4 후보자가 말한 공약을 두 가지 고르시오. (,)

① 직업 체험학습을 가겠다.
② 꿈 찾기 기획을 진행하겠다.
③ 도서관에 읽을 책을 많이 마련하겠다.
④ 한 달에 한 번 설문 조사를 실시하겠다.
⑤ 책을 많이 읽은 사람에게 상장을 주겠다.

5 후보자가 의견을 발표할 때 어떤 자료를 활용했는지 쓰시오.

( )

6 후보자가 활용한 자료의 내용은 무엇인지 기호를 쓰시오.

⊙ 꿈이 없는 학생이 많다.
ⓒ 책을 읽지 않는 학생이 많다.
ⓒ 초등학생의 수면 시간이 짧아지고 있다.

( )

7 자료를 활용하여 발표하면 좋은 점은 무엇입니까?

( )

① 발표 내용이 어려워진다.
② 어려운 낱말을 사용해도 된다.
③ 듣는 사람이 더 이해하기 쉽다.
④ 말을 분명하게 하지 않아도 된다.
⑤ 발표 내용을 많이 준비하지 않아도 된다.

8 다음 특성을 가진 자료는 무엇인지 ○표 하시오.

> • 수량의 변화 정도를 알 수 있다.
> • 정확한 수치를 나타낼 수 있다.
> • 대상의 수량을 견주어 볼 수 있다.

(도표 / 사진 / 동영상)

9 다음 중 발표 준비를 알맞게 하지 <u>못한</u> 사람의 이름을 쓰시오.

> 지희: 제주도의 위치를 설명하기 위하여 도표를 준 비했어.
> 재민: 우리나라 전통 놀이 방법을 설명하기 위하여 실제로 놀이를 하는 동영상을 준비했어.
> 준현: 우리나라의 유네스코 문화유산에 대해 설명하 기 위하여 문화유산의 사진을 준비했어.

( )

🖎 서술형·논술형 문제

10 다음 발표하는 상황의 특성을 생각하여 자료를 어떻게 제시하면 좋을지 쓰시오.

발표하는 상황	• 장소: 교실 • 듣는 사람: 학급 친구들
발표하는 상황의 특성	• 여러 사람 앞에서 발표한다. • 발표 장소가 넓다.

[11~12] 자료를 활용해 발표하기

11 그림 가와 나의 학생들은 무엇에 대해 발표하였습니까?

( )

12 그림의 학생들이 활용한 자료에 대한 설명으로 알맞은 것을 두 가지 고르시오. (,)

① 가의 자료는 모습을 생생하게 보여 줄 수 있다.
② 가의 자료는 내용을 정리해서 보여 주기에 좋다.
③ 나의 자료는 장면을 있는 그대로 보여 줄 수 있다.
④ 나의 자료는 대상의 모습을 정확하게 알기 어렵다.
⑤ 가와 나의 자료는 모두 발표 주제에 어울리지 않 는다.

13 다음 그림의 ㉠에 들어갈 내용으로 가장 알맞은 것은 어 느 것입니까? ( )

① 자료는 복잡할수록 좋아.
② 자료를 더 작게 보여 주면 좋겠어.
③ 자료를 가져온 곳을 꼭 밝혀야 해.
④ 발표할 내용을 모두 적어서 보여 주어야 해.
⑤ 공식적인 상황에서 말할 때에는 무조건 동영상을 활용해야 해.

[14~19] 미래의 인재

> 시작하는 말 안녕하세요? 1모둠 발표를 맡은 김대한 입니다. 우리의 미래를 생각하면서 우리 모둠은 '미래에는 어떤 인재가 필요할까'라는 주제로 발표를 준비했습니다. 우리 모둠이 준비한 자료는 표와 동영상입니다. 자료를 보면서 발표를 들어 주십시오.

자료 1　　　**100대 기업의 인재상 변화**

	2008년	2013년	2018년
1순위	창의성	도전 정신	소통과 협력
2순위	전문성	주인 의식	전문성
3순위	도전 정신	전문성	원칙과 신뢰
4순위	원칙과 신뢰	창의성	도전 정신
5순위	소통과 협력	원칙과 신뢰	주인 의식

■ 출처: 대한상공회의소, 2018.

> 설명하는 말 미래에는 어떤 인재가 필요할까요? 대한상공회의소에서 조사한 '100대 기업의 인재상 변화'에 따르면 2008년에는 창의성이 1순위였는데 2013년에는 도전 정신이, 2018년에는 소통과 협력이 1순위입니다. 이처럼 시대에 따라 필요한 인재상은 달라지고 있습니다.
>
> 　우리가 어른이 되는 미래에는 어떤 인재가 필요할까요? 우리 모둠은 인공 지능, 사물 인터넷 같은 4차 산업 혁명으로 이전과는 다른 산업 형태가 나타나면서 필요한 인재상도 달라질 것이라고 예상했습니다. 미래에는 변화가 굉장히 빠른 속도로 일어나기 때문에 미래의 인재에게 가장 중요한 것은 계속 배우려는 의지라고 생각합니다.

14 시작하는 말에는 어떤 내용이 들어갑니까? (　　　)

① 발표 주제 말하기
② 자료의 핵심 내용 말하기
③ 자료를 조사한 출처 밝히기
④ 발표 내용에 대한 질문 받기
⑤ 발표를 준비하면서 느낀 점 말하기

15 자료 1의 종류는 무엇입니까?

(　　　　　　)

16 자료 1의 특성은 무엇입니까? (　　　)

① 생생하게 전달할 수 있다.
② 음악이나 자막을 넣을 수 있다.
③ 움직이는 모습을 전달할 수 있다.
④ 많은 양의 자료를 간단하게 나타낼 수 있다.
⑤ 설명하는 대상의 정확한 모습을 알 수 있다.

17 대한이네 모둠은 미래의 인재에게 가장 중요한 것은 무엇이라고 생각하였는지 찾아 쓰시오.

• 계속 [　　　　　　　　　] 의지이다.

🗂 서술형·논술형 문제

18 대한이네 모둠과 같이 자료를 활용하여 발표할 때 주의해야 할 점을 한 가지 쓰시오.

_____

_____

19 대한이네 모둠의 발표를 듣는 자세로 알맞지 않은 것에 ×표 하시오.

(1) 발표하는 내용에 집중하며 듣는다. (　　　)
(2) 발표하는 내용을 모두 적으며 듣는다. (　　　)
(3) 발표하는 내용과 방법에 어울리는 자료인지 생각하며 듣는다. (　　　)

20 다음과 같은 내용을 발표할 때 활용하면 좋은 자료는 무엇입니까? (　　　)

> 우리 반 친구들이 가장 원하는 직업

① 설문 조사 결과 표
② 친구들 집의 위치를 표시한 지도
③ 취업자 수의 변화를 나타낸 도표
④ 새로운 직업을 소개하는 뉴스 동영상
⑤ 부모님이 직장에서 일하는 모습이 담긴 사진

주장과 근거를 판단해요

4

개념 웹툰

성남이는 어떤 근거를 들어야 할까요?
스마트폰에서 확인하세요!

늦을 수도 있지.
어떻게 매번 시간을
맞출 수가 있어?

넌 매번
늦잖아!

30분이나 늦었잖아!
이미 예약한 기차는
출발했다고!

미안해.
버스가 너무 막혔어.

지금이 몇 시인데
이제 오는 거야?
전화도 안 받고!

개념 1 논설문의 특성

① 주장과 이를 뒷받침하는 근거로 되어 있습니다.
어떤 문제를 놓고 글쓴이가 내세우는 생각
② 서론, 본론, 결론으로 짜여 있습니다.

서론	글을 쓴 문제 상황과 글쓴이의 주장을 밝힙니다.
본론	글쓴이의 주장에 적절한 근거를 제시합니다.
결론	글 내용을 요약하고 글쓴이의 주장을 다시 한번 강조합니다.

지문 「동물원은 필요한가」에서 아이들의 주장과 근거 예

지훈	주장	동물원은 필요하다.
	근거	동물원은 우리에게 즐거움을 준다.
미진	주장	동물원은 필요하지 않다.
	근거	사람의 즐거움을 위해 동물에게 고통을 주어서는 안 된다.

개념 2 내용의 타당성을 판단하는 방법

① 주장이 가치 있고 중요한지 판단해 봅니다.
② 근거가 주장과 관련 있는지 판단해 봅니다.
③ 근거가 주장을 뒷받침하는지 판단해 봅니다.

지문 「자연 보호는 우리가 꼭 해야 할 일」의 타당성을 판단하기 예

주장	자연을 보호해야 한다.
근거	• 자연은 한번 파괴되면 복원되기가 어렵다. • 무리한 자연 개발은 생태계를 파괴한다.

주장이 가치 있고 중요한가?	근거가 주장과 관련 있는가?	근거가 주장을 뒷받침하는가?
(그렇다) 아니다	(그렇다) 아니다	(그렇다) 아니다

개념 3 표현의 적절성을 판단하는 방법

① 주관적인 표현을 쓰지 않았는지 살펴봅니다.
② 모호한 표현을 쓰지 않았는지 살펴봅니다.
③ 단정하는 표현을 쓰지 않았는지 살펴봅니다.

활동 적절하지 않은 표현의 예

주관적인 표현	• 나는 자전거 타기보다 걷기를 더 좋아한다. • 내 생각에 음식을 남기는 것은 괜찮은 것 같다.
모호한 표현	• 적당히 먹어야 건강에 좋다. • 운동회는 우리 학교 전통이니까 하면 좋겠지만, 재미는 없을 것이다.
단정하는 표현	• 건강하려면 반드시 밖으로 나가 걸어야 한다. • 국립 공원에 절대로 케이블카를 설치해서는 안 된다.

개념 4 타당한 근거를 들어 알맞은 표현으로 논설문 쓰기

① 우리 주변에서 일어나는 문제 상황을 생각해 봅니다.
② 문제 상황을 해결할 수 있는 방법 가운데에서 하나를 골라 주장을 정합니다.
③ 주장을 뒷받침하는 적절한 근거를 씁니다.
구체적인 예나 자료
④ 논설문의 짜임에 알맞게 글을 씁니다.

활동 논설문에 쓸 내용 정리하기

문제 상황	교실에서 뛰어다니는 친구들이 있다.
주장	교실에서 뛰어다니지 말자.
근거	① 친구들과 부딪혀 다칠 수 있다. ② 친구들에게 방해가 될 수 있다.

동물원은 필요한가

시은이네 모둠은 '동물원은 필요한가'라는 주제로 서로 이야기해 보기로 했다. 먼저 시은이가 문제 상황을 설명했다.

시은 동물원은 살아 있는 동물들을 모아서 기르는 곳입니다. 자연 상태에서 쉽게 보기 힘든 다양한 동물을 가까이에서 볼 수 있어 동물의 생태와 습성, 자연환경의 소중함을 배울 수 있는 교육 장소입니다. 하
<small>습관이 되어 버린 성질.</small>
지만 좁은 우리에 갇혀 살아가는 동물들은 스트레스를 많이 받습니다. '동물원은 필요한가'에 대해 우리 모둠 친구들은 어떻게 생각하나요?

지훈이가 손을 들고 자기 생각을 말했다.

지훈 저는 동물원이 있어야 한다고 생각합니다. 그 까닭은 첫째, 동물원은 우리에게 큰 즐거움을 줍니다. 3000년 전에 이미 동물원을 만들었을 만큼 사람은 동물을 좋아하고 가까이해 왔습니다. 동물원에서는 쉽게 만날 수 없는 동물을 가까이에서 볼 수 있는데, 열대 지역에 사는 사자나 극지방에 사는 북극곰도 쉽게 만날 수 있습니다. 서울 동물원에
<small>남극과 북극을 중심으로 한 그 주변 지역.</small>
만 한 해 평균 350만 명이 방문한다고 합니다. 이렇게 많은 사람이 동물원을 좋아하고 동물원에서 즐거움을 느낍니다. 둘째, 동물원은 동물을 보호해 줍니다. 야생에서는 약한 동물이 더 강한 동물에게 공격당하거나 먹이가 없어 굶어 죽기도 합니다. 동물원은 자유를 제한하더라도 먹이와 안전을 보장하기 때문에 동물에게 훨씬 이롭습니다. 최근에는 친환경 동물원으로 탈바꿈하는 곳도 많습니다. 동물들이 지내는 환경을
<small>원래의 모양이나 형태를 바꿈.</small>
개선하면 동물원은 사람에게도, 동물에게도 이로운 곳이 될 것입니다.

지훈이가 말을 마치자 미진이가 자기 생각을 말했다.

미진 동물원은 없애야 합니다. 첫째, 동물원은 동물의 자유를 구속하고, 동물에게 사람의 구경거리가 되는 고통을 줍니다. 동물원에서 동물은 제한된 공간에 갇혀 수많은 관람객과 마주해야 합니다. 이러한 상황에서 동물은 극심한 스트레스를 받습니다. 동물은 사람의 눈요깃거리가 아니라 그 자체로 존중받아야 하는 소중한 생명체입니다. 둘째, 동물원은 인공적인 환경이기 때문에 자연을 대신할 수 없습니다. 동물원의 우리는 동물의 행동반경에 비해 턱없이 좁습니다. 친환경 동물원이 생기고 있지만 동물이 원래 살던 환경을 그대로 동물원으로 옮기는 것은 불가능합니다. 동물은 인위적으로 만든 동물원보다 생태계가 어우러진 광활한 자연에서 살아야 합니다. 동물에게 이로움보다 해로움이 훨씬 더 많은 동물원은 없애야 한다고 생각합니다.

모둠 친구들은 지훈이와 미진이의 주장을 듣고 곰곰이 생각했다.

---

1 시은이네 모둠에서 이야기하는 주제를 찾아 쓰세요.

(   )

2 지훈이와 미진이의 주장을 알맞게 이으세요.

(1) 지훈 •   • ① 동물원이 있어야 한다.

(2) 미진 •   • ② 동물원은 없애야 한다.

🐚 교과서 문제

3 지훈이가 주장을 뒷받침하기 위해 제시한 근거를 두 가지 고르세요. (,   )

① 동물원은 동물을 보호한다.
② 동물원은 동물의 자유를 구속한다.
③ 동물원은 우리에게 큰 즐거움을 준다.
④ 동물원은 동물에게 사람의 구경거리가 되는 고통을 준다.
⑤ 동물원은 인공적인 환경이기 때문에 자연을 대신할 수 없다.

4 다음 중 미진이의 주장과 생각이 같은 친구의 이름을 쓰세요.

권익: 동물원은 그 지역의 경제에 도움을 줄 수도 있어.
정은: 멸종 위기에 처한 동물은 사람들의 보호를 받아야 해.
세민: 아무리 동물원을 잘 만들어도 동물들이 원래 살던 곳을 대신할 수는 없어.

(   )

우리 전통 음식의 우수성

① 요즘에 우리 전통 음식보다 외국에서 유래한 햄버거나 피자와 같은 음식을 더 좋아하는 어린이를 쉽게 볼 수 있습니다. 이러한 음식은 지나치게 많이 먹으면 건강이 나빠지기도 합니다. 그에 비해 우리 전통 음식은 오랜 세월에 걸쳐 전해 오면서 우리 입맛과 체질에 맞게 발전해 왔기 때문에 여러 가지 면에서 우수합니다. 우리 전통 음식을 사랑합시다. 왜
<small>태어났을 때부터 지니고 있는 몸의 성질이나 건강상의 특징.</small>
전통 음식을 사랑해야 할까요?

② 첫째, [㉠] 우리가 날마다 먹는 밥은 담백해 쉽게 싫증이 나지 않으며 어떤 반찬과도 잘 어우러져 균형 잡힌 영양분을 섭취하기 좋습니다. 또 된장, 간장, 고추장과 같은 발효 식품에는 무기질과 비타민이 풍부하게
<small>효모나 미생물에 의해 유기물이 분해되고 변화하는 작용.</small>
들어 있어 몸을 건강하게 해 줍니다. 특히 청국장은 항암 효과는 물론 해독 작용까지 뛰어나다고 합니다. 된장도 건강에 이로운 식품으로 알려져 있습니다.

③ 둘째, [㉡] 우리 조상은 생활 주변에서 나는 여러 가지 재료를 이용해 계절에 맞는 다양한 음식을 만들어 왔습니다. 주변 바다와 산천에서 나는 풍부하고 다양한 해산물과 갖은 나물이나 채소와 같은 재료에는 각각 고유한 맛이 있습니다. 이러한 재료를 이용해 만든 여러 가지 음식은 지역 특색을 살린 독특한 맛을 냅니다. 비빔밥의 경우, 콩나물을 비롯
<small>보통의 것과 차이가 나게 다른 점.</small>
한 여러 가지 나물에 육회를 얹은 전주비빔밥, 기름에 볶은 밥에 고사리와 가늘게 찢은 닭고기, 각종 나물과 황해도 특산물인 김을 얹은 해주비빔밥, 멍게를 넣은 통영비빔밥과 같이 그 지역 특산물에 따라 다양하게 만들었습니다. 김치 또한 시원하고 톡 쏘는 맛이 강하거나 맵고 진한 감칠맛이 나는 등 지역에 따라 다양한 맛으로 만든 것을 볼 수 있습니다.

④ 셋째, [㉢] 우리 조상은 겨울을 나려고 김장을 하고, 저장 온도와 저장 기간을 조절해 겨울철에도 신선하게 채소를 먹을 수 있도록 했습니다. 삼국 시대부터 발달한 염장 기술로 고기류와 어패류를 오랫동안
<small>소금에 절여 저장함.</small>
보관해 맛있게 먹을 수 있도록 했습니다. 또 농경 생활을 하면서 설이나 추석과 같은 명절에 가족이나 이웃과 함께 세시 음식을 만들어 먹으며 정답게 어울려 지냈습니다.

⑤ 우리나라 전통 음식은 세계 여러 나라 사람에게 주목받고 있습니다. 우리 조상의 넉넉한 마음과 삶에서 배어 나온 지혜가 담긴 우리 전통 음식은 그 맛과 멋과 영양의 삼박자를 모두 갖추고 있습니다. 우리는 우리 전통 음식의 과학성과 우수성을 알고 우리 전통 음식에 관심을 가지고 우리 전통 음식을 사랑해야겠습니다.

---

5 이 글에 나타난 문제 상황은 무엇인가요?
( )

① 음식을 오랫동안 보관하기 힘들다.
② 지역에 따라 음식의 맛이 다르다.
③ 자연환경이 오염되어 식재료도 오염되고 있다.
④ 우리 전통 음식이 다른 음식에 비해 맛이 없는 경우가 많다.
⑤ 우리 전통 음식보다 외국에서 유래한 음식을 좋아하는 어린이가 많다.

6 이 글을 논설문의 짜임에 맞게 나누어 문단 번호를 쓰세요.

(1) 서론	
(2) 본론	
(3) 결론	

7 다음은 ㉠~㉢ 중 어디에 들어갈 중심 문장인지 기호를 쓰세요.
(1) 우리 전통 음식은 건강에 이롭습니다. ( )
(2) 우리 전통 음식에서 우리 조상의 슬기와 문화를 경험할 수 있습니다.
( )
(3) 우리 전통 음식을 가까이하면 계절과 지역에 따라 다양한 맛을 즐길 수 있습니다. ( )

8 글쓴이의 주장은 무엇인지 쓰세요.
• [ ]을 사랑하자.

자연 보호는 우리가 꼭 해야 할 일

- 글의 종류: 논설문
- 글의 특징: 자연을 보호해야 하는 까닭을 근거로 들어 자연을 보호하자고 주장하는 글입니다.

1 우리나라뿐만 아니라 세계 곳곳에서 벌어지는 자연 개발은 우리 삶을 위협한다. ㉠이러한 무분별한 개발로 우리 삶의 터전인 자연은 몸살을 앓고, 이제 인류의 생존까지 위협하는 상황에 이르렀다. 우리는 자연의 목소리에 귀를 기울이고 자연을 보호해야 한다. 왜 자연을 보호해야 할까?

2 첫째, ㉡자연은 한번 파괴되면 복원되기가 어렵다. ㉢어린나무 한 그루가 아름드리나무로 성장하는 데 약 30년에서 50년이 걸린다고 한다. 우유 한 컵(150밀리리터)으로 오염된 물을 물고기가 살 수 있는 깨끗한 물로 만들려면 우유 한 컵의 약 2만 배의 물이 필요하다. 이처럼 환경을 오염시키는 것은 순식간이지만 오염된 환경을 되살리는 데는 수십, 수백 배의 시간과 노력이 든다. 자연의 힘이 아무리 위대해도 자정 능력을 넘어서는 오염을 감당하기는 어렵다.

3 둘째, ㉣무리한 자연 개발은 생태계를 파괴한다. 생물은 서로 유기적인 생태계로 얽혀 있으며 주변 환경과 영향을 주고받으면서 살아간다. 자연 개발로 생태계를 파괴하면 결국 사람의 생활 환경을 악화시키는 결과를 초래한다. 예를 들어 사람의 편의를 돕는 시설을 만들면서 무분별하게 산을 파헤치면 동식물은 삶의 터전을 잃는다. 무리한 자연 개발의 결과로 기후 변화 현상까지 나타나 동물이 멸종 위기에 처하고, 지구 환경이 위협을 받기도 한다. 동식물이 살 수 없는 곳은 사람도 살 수 없는 곳이 된다. 사람도 자연의 일부분이므로 자연과 조화를 이루어야 우리 삶이 풍요로워진다.

4 셋째, 자연은 우리 후손이 살아갈 삶의 터전이다. 당장의 편리와 이익만을 추구하다 보면 우리 후손에게 훼손된 자연을 물려주게 된다. 환경을 고려하지 않은 개발로 물, 공기, 토양, 해양과 같은 자연환경이 돌이키기 힘들 정도로 훼손되면 우리 후손은 그 훼손된 자연 속에서 살아가야 한다. 조상으로부터 금수강산을 물려받은

우리는 후손에게 아름다운 자연을 물려주어야 할 의무가 있다. 자연은 조상이 남긴 소중한 환경 유산이자 후손이 앞으로 살아갈 삶의 터전임을 기억해야 한다.

5 자연은 우리의 영원한 안식처이다. 더 이상 무분별한
<small>바른 생각이나 판단을 하지 못한.</small>
개발로 금수강산을 훼손해서는 안 된다. 자연 개발로 사
<small>(비유적으로) 비단에 수를 놓은 것처럼 아름다운 한국의 자연.</small>
라져 가는 동식물을 다시 이 땅으로 돌아오게 하여 더불어 살아야 한다. 지나친 개발 때문에 나타나는 지구 온난화와 이상 기후 현상이 더 이상 심해지지 않도록 노력하는 일도 우리 모두에게 남겨진 과제이다. ㉤이제 우리 모두 자연 보호를 실천해야 한다.

9 ㉠~㉤ 중 이 글을 쓰게 된 문제 상황을 알 수 있는 문장의 기호를 쓰세요.

(   )

10 자연이 한번 파괴되면 복원되기 어려운 까닭은 무엇이라고 하였는지 쓰세요.

- 자연의 힘이 아무리 위대해도 [   ]을 넘어서는 오염을 감당하기는 어렵기 때문이다.

📖 교과서 문제

11 이 글을 논설문의 짜임에 따라 나눌 때 본론에 나타난 내용은 무엇인가요? (   )
① 문제 상황   ② 글쓴이의 주장
③ 글의 내용 요약   ④ 주장에 대한 근거
⑤ 글쓴이의 주장 강조

12 이 글의 주장을 뒷받침하는 근거를 추가할 때 알맞은 것에 ○표 하세요.
(1) 자연 개발로 자연재해를 막을 수 있다. (   )
(2) 자연의 일부인 인간이 자연을 파괴할 권리는 없다.
(   )

정답 9쪽

국어 교과서 **133쪽**

4. 「자연 보호는 우리가 꼭 해야 할 일」의 내용을 논설문의 짜임에 맞게 정리해 봅시다.

(1) 각 문단에서 중심 문장을 찾아 논설문의 짜임에 맞게 써 보세요.

예시 답안 우리는 자연의 목소리에 귀를 기울이고 자연을 보호해야 한다.	서론
자연은 한번 파괴되면 복원되기가 어렵다.	본론
예시 답안 무리한 자연 개발은 생태계를 파괴한다.	
예시 답안 자연은 우리 후손이 살아갈 삶의 터전이다.	
이제 우리 모두 자연 보호를 실천해야 한다.	결론

풀이 각 문단에서 중심 문장을 찾아 논설문의 짜임에 맞게 써 봅시다.

(2) **이 글의 주장을 써 보세요.**

예시 답안 자연을 보호해야 한다. / 자연 보호를 실천해야 한다.

풀이 글쓴이는 자연을 보호해야 한다는 주장을 펼치고 있습니다.

국어 교과서 **136쪽**

7. 「자연 보호는 우리가 꼭 해야 할 일」의 표현이 적절한지 판단해 봅시다.

(1) 논설문에서 보기 와 같은 표현을 쓰면 무엇이 문제인지 써 보세요.

보기
• 나는 자전거 타기보다 걷기를 더 좋아한다. 그래서 걷기는 좋은 운동이다.
• 내 생각에 급식 시간에 음식을 남기는 것은 괜찮은 것 같다.

문제점	예시 답안 '나는 ~을/를 좋아한다.'와 같은 주관적인 표현으로는 다른 사람을 논리적으로 설득하기 어렵다.

풀이 논설문에서는 사실을 있는 그대로 드러내는 객관적인 표현을 써야 합니다.

(2) **논설문에서 보기와 같은 표현을 쓰면 무엇이 문제인지 써 보세요.**

보기
• 적당히 먹어야 건강에 좋다.
• 운동회는 우리 학교 전통이니까 하면 좋겠지만, 재미는 없을 것이다.

문제점	예시 답안 모호한 표현을 사용하면 자신이 말하려는 내용을 다른 사람에게 명확하게 전달할 수 없다.

풀이 논설문은 자신의 견해나 관점을 정확하게 표현하는 글이므로 모호한 표현을 쓰지 않아야 합니다.

자습서 확인 문제

1 「자연 보호는 우리가 꼭 해야 할 일」에서 글쓴이는 무엇을 주장하고 있는지 기호를 쓰세요.

> ㉠ 동물원을 없애자.
> ㉡ 자연 보호를 실천하자.
> ㉢ 공공장소에서 큰 소리로 떠들지 말자.

( )

2 다음 빈칸에 알맞은 말을 쓰세요.

논설문은 서론, 본론, ☐☐ 으로 짜여 있습니다.

3 다음 근거는 어떤 주장을 뒷받침하기에 알맞은지 골라 ○표 하세요.

> 동물원은 동물이 사람에게 구경거리가 되는 고통을 준다.

(1) 동물원이 있어야 한다. ( )
(2) 동물원을 없애야 한다. ( )

4 다음 문장이 논설문을 쓸 때 적절한 표현이면 ○표, 적절한 표현이 아니면 ×표 하세요.

> 적당히 운동을 하는 것은 좋은 것 같다.

( )

표현의 적절성을 판단하기

📍 논설문에서 적절하지 않은 표현 예

'나는 ~을/를 좋아한다.'	자신만의 생각을 바탕으로 표현하지 말아야 합니다.
• 적당히 • ~한 편이다.	의미가 분명하지 않은 표현을 쓰지 말아야 합니다.
• 무조건 • 결단코 • 맹세코	어떤 사실을 딱 잘라 판단하거나 결정하는 표현을 쓰지 말아야 합니다.

- 나는 자전거 타기보다 걷기를 더 좋아한다. 그래서 걷기는 좋은 운동이다.
- 내 생각에 급식 시간에 음식을 남기는 것은 괜찮은 것 같다.

문제점 논설문에서는 자신만의 생각이나 감정에 치우치는 ⊙ 보다는 사실을 있는 그대로 드러내는 ⓒ 을 써야 합니다.

- 적당히 먹어야 건강에 좋다.
- 운동회는 우리 학교 전통이니까 하면 좋겠지만, 재미는 없을 것이다.

문제점

㉮

- 건강하려면 반드시 밖으로 나가 걸어야 한다.
- 국립 공원에 절대로 케이블카를 설치해서는 안 된다.

문제점 '㉯'와 같이 어떤 사실을 딱 잘라 판단하거나 결정해 단정하는 표현은 조심해서 써야 합니다.

4 단원

진도 완료 체크

13 ⊙ 과 ⓒ 에 들어갈 말을 알맞게 이으세요.

(1) ⊙ • • ① 주관적인 표현

(2) ⓒ • • ② 객관적인 표현

14 ㉮에 들어갈 알맞은 내용은 어느 것인가요? ( )
① 자료에 근거한 객관적인 표현은 쓰지 말아야 한다.
② 자신의 주장을 나타내는 표현은 쓰지 말아야 한다.
③ 다른 사람의 의견을 반박하는 표현은 쓰지 말아야 한다.
④ 의견을 분명하게 드러낸 명료한 표현은 쓰지 말아야 한다.
⑤ 낱말이나 문장이 나타내는 의미가 분명하지 않은 모호한 표현을 쓰지 말아야 한다.

15 ㉯ 에 들어갈 표현으로 알맞은 것을 세 가지 고르세요. (, ,)
① 결코   ② 거의
③ 절대로   ④ 아마도
⑤ 반드시

16 다음 문장을 논설문에 알맞은 표현으로 바꾸어 쓰세요.

국립 공원에 절대로 케이블카를 설치해서는 안 된다.

→ _____

정답 9쪽

① 스마트폰 중독

② 즉석 음식 즐겨 먹기

③ 한 가지 갈래의 책만 읽기

④ ?

💡 근거를 뒷받침하는 예를 찾는 방법 예

① 인터넷에서 검색하기
② 신문이나 책에서 관련 내용 찾기
③ 도표나 통계 자료 찾기

주장과 근거가 실천 가능한지도 생각해 봐요.

4 단원

🧢 교과서 문제

17 ①의 문제 상황을 해결할 수 있는 주장으로 가장 알맞은 것은 어느 것인가요? ( )

① 스마트폰을 개발해야 한다.
② 스마트폰을 활용하는 방법은 다양하다.
③ 사용 계획을 세워 스마트폰을 사용해야 한다.
④ 초등학생은 스마트폰을 절대 사용하면 안 된다.
⑤ 모든 초등학생은 무조건 스마트폰을 가지고 있어야 한다.

18 ②의 문제 상황에 대하여 다음과 같은 주장을 정했을 때 주장에 대한 근거로 알맞지 <u>않은</u> 것에 ×표 하세요.

주장	즉석 음식 섭취를 줄여야 한다.

(1) 즉석 음식은 영양이 불균형한 경우가 많다.
( )

(2) 즉석 음식은 빠르고 간편하게 먹을 수 있다.
( )

(3) 즉석 음식의 포장지 때문에 일회용품 사용이 늘어난다.
( )

19 ③의 문제 상황에 대한 다음 주장과 근거를 보고 알맞게 말하지 <u>못한</u> 것은 어느 것인가요? ( )

주장	여러 가지 갈래의 책을 읽어야 한다.
근거	한 가지 갈래의 책만 읽으면 시력이 나빠진다.

① 근거가 알맞지 않다.
② 근거가 주장을 잘 뒷받침한다.
③ 주장은 실천할 수 있는 내용이다.
④ 주장의 표현은 논설문을 쓸 때에 적절하다.
⑤ 주장은 문제 상황을 해결할 수 있는 내용이다.

📋 서술형·논술형 문제

20 ④에 들어갈 수 있는 문제 상황과 그 상황을 해결할 수 있는 주장과 근거를 한 가지씩 쓰세요.

(1) 문제 상황	
(2) 주장	
(3) 근거	

[1~5] 동물원은 필요한가

(가) 지훈 저는 □□□□□□ㄱ□□□□□고 생각합니다. 그 까닭은 첫째, 동물원은 우리에게 큰 즐거움을 줍니다. 3000년 전에 이미 동물원을 만들었을 만큼 사람은 동물을 좋아하고 가까이해 왔습니다. 동물원에서는 쉽게 만날 수 없는 동물을 가까이에서 볼 수 있는데, 열대 지역에 사는 사자나 극지방에 사는 북극곰도 쉽게 만날 수 있습니다. 서울 동물원에만 한 해 평균 350만 명이 방문한다고 합니다. 이렇게 많은 사람이 동물원을 좋아하고 동물원에서 즐거움을 느낍니다. 둘째, 동물원은 동물을 보호해 줍니다. 야생에서는 약한 동물이 더 강한 동물에게 공격당하거나 먹이가 없어 굶어 죽기도 합니다. 동물원은 자유를 제한하더라도 먹이와 안전을 보장하기 때문에 동물에게 훨씬 이롭습니다.

(나) 미진 동물원은 없애야 합니다. 첫째, 동물원은 동물의 자유를 구속하고, 동물에게 사람의 구경거리가 되는 고통을 줍니다. 동물원에서 동물은 제한된 공간에 갇혀 수많은 관람객과 마주해야 합니다. 이러한 상황에서 동물은 극심한 스트레스를 받습니다. 동물은 사람의 눈요깃거리가 아니라 그 자체로 존중받아야 하는 소중한 생명체입니다. 둘째, 동물원은 인공적인 환경이기 때문에 자연을 대신할 수 없습니다. 동물원의 우리는 동물의 행동반경에 비해 턱없이 좁습니다. 친환경 동물원이 생기고 있지만 동물이 원래 살던 환경을 그대로 동물원으로 옮기는 것은 불가능합니다. 동물은 인위적으로 만든 동물원보다 생태계가 어우러진 광활한 자연에서 살아야 합니다. 동물에게 이로움보다 해로움이 훨씬 더 많은 동물원은 없애야 한다고 생각합니다.

1 지훈이와 미진이가 이야기하고 있는 주제는 무엇입니까? (   )
① 동물원은 필요한가?
② 동물을 어떻게 기를 것인가?
③ 동물원을 어떻게 바꿀 것인가?
④ 무분별한 자연 개발이 필요한가?
⑤ 자연을 어떻게 보호해야 하는가?

2 □□ㄱ□□ 에 들어갈 지훈이의 주장으로 알맞은 것은 어느 것입니까? (   )
① 동물원이 있어야 한다
② 동물원을 없애야 한다
③ 동물원으로 현장 체험학습을 가야 한다
④ 동물원을 도시 한가운데에 만들어야 한다
⑤ 동물원에 있는 동물의 종류를 늘려야 한다

3 다음 중 지훈이가 동물에게 더 필요하다고 생각하는 것에 ○표 하시오.

자유	먹이와 안전

4 미진이의 주장을 뒷받침하는 내용으로 알맞지 <u>않은</u> 것은 어느 것입니까? (   )
① 동물원은 자연을 대신할 수 없다.
② 동물원은 동물의 자유를 구속한다.
③ 동물원은 동물에게 사람의 구경거리가 되는 고통을 준다.
④ 동물원의 동물들은 제한된 공간에 갇혀 관람객과 마주해야 한다.
⑤ 동물원은 더 강한 동물에게 공격당하거나 굶어 죽는 것으로부터 동물을 보호한다.

5 이 글을 읽고 알맞게 말하지 <u>못한</u> 사람의 이름을 쓰시오.

정수: 지훈이와 미진이의 주장은 서로 달라.
미준: 지훈이의 주장은 내 생각과 달라. 그래서 옳지 않아.
재희: 미진이는 적절한 근거를 들어 자기의 주장을 뒷받침하고 있어.

(   )

[6~10] 우리 전통 음식의 우수성

(가) 요즘에 우리 전통 음식보다 외국에서 유래한 햄버거나 피자와 같은 음식을 더 좋아하는 어린이를 쉽게 볼 수 있습니다. 이러한 음식은 지나치게 많이 먹으면 건강이 나빠지기도 합니다. 그에 비해 우리 전통 음식은 오랜 세월에 걸쳐 전해 오면서 우리 입맛과 체질에 맞게 발전해 왔기 때문에 여러 가지 면에서 우수합니다. 우리 전통 음식을 사랑합시다. 왜 전통 음식을 사랑해야 할까요?

(나) 첫째, 우리 전통 음식은 건강에 이롭습니다. 우리가 날마다 먹는 밥은 담백해 쉽게 싫증이 나지 않으며 어떤 반찬과도 잘 어우러져 균형 잡힌 영양분을 섭취하기 좋습니다. 또 된장, 간장, 고추장과 같은 발효 식품에는 무기질과 비타민이 풍부하게 들어 있어 몸을 건강하게 해 줍니다. 특히 청국장은 항암 효과는 물론 해독 작용까지 뛰어나다고 합니다.

(다) 우리나라 전통 음식은 세계 여러 나라 사람에게 주목받고 있습니다. 우리 조상의 넉넉한 마음과 삶에서 배어 나온 지혜가 담긴 우리 전통 음식은 그 맛과 멋과 영양의 삼박자를 모두 갖추고 있습니다. 우리는 우리 전통 음식의 과학성과 우수성을 알고 우리 전통 음식에 관심을 가지고 우리 전통 음식을 사랑해야겠습니다.

(라) 둘째, 우리 전통 음식을 가까이하면 계절과 지역에 따라 다양한 맛을 즐길 수 있습니다. 우리 조상은 생활 주변에서 나는 여러 가지 재료를 이용해 계절에 맞는 다양한 음식을 만들어 왔습니다. 주변 바다와 산천에서 나는 풍부하고 다양한 해산물과 갖은 나물이나 채소와 같은 재료에는 각각 고유한 맛이 있습니다. 이러한 재료를 이용해 만든 여러 가지 음식은 지역 특색을 살린 독특한 맛을 냅니다. ㉠비빔밥의 경우, 콩나물을 비롯한 여러 가지 나물에 육회를 얹은 전주비빔밥, 기름에 볶은 밥에 고사리와 가늘게 찢은 닭고기, 각종 나물과 황해도 특산물인 김을 얹은 해주비빔밥, 멍게를 넣은 통영비빔밥과 같이 그 지역 특산물에 따라 다양하게 만들었습니다.

6 논설문의 짜임에 맞게 (가)~(라)를 순서대로 기호를 쓰시오.

(   ) → (   ) → (   ) → (   )

7 이 글의 내용으로 알맞지 **않은** 것은 어느 것입니까?

(   )

① 계절에 따라 다양한 전통 음식이 있다.
② 청국장은 항암 효과와 해독 작용이 뛰어나다.
③ 지역에 따라 비빔밥의 재료는 조금씩 다르다.
④ 해주비빔밥은 콩나물을 비롯한 여러 가지 나물에 육회를 얹는다.
⑤ 된장, 간장 등의 발효 식품에는 무기질과 비타민이 풍부하게 들어 있다.

8 문단 (나)의 중심 생각으로 알맞은 것은 무엇입니까?

(   )

① 전통 음식은 건강에 이롭다.
② 밥은 여러 반찬과 잘 어우러진다.
③ 된장, 간장, 고추장은 발효 식품이다.
④ 밥은 균형 잡힌 영양분을 섭취하기 좋다.
⑤ 청국장은 항암 효과와 해독 작용이 뛰어나다.

9 ㉠은 근거를 어떻게 뒷받침합니까? (   )
① 통계 자료를 이용하여 설명하였다.
② 관련이 있는 예를 들어 설명하였다.
③ 전문가의 의견을 활용하여 설명하였다.
④ 관련된 책의 내용을 보여 주며 설명하였다.
⑤ 신문 기사에서 관련 내용을 찾아 설명하였다.

📋 서술형·논술형 문제

10 이 글에 나타난 글쓴이의 주장을 쓰시오.

[11~13] 자연 보호는 우리가 꼭 해야 할 일

(가) 우리나라뿐만 아니라 세계 곳곳에서 벌어지는 자연 개발은 우리 삶을 위협한다. 이러한 무분별한 개발로 우리 삶의 터전인 자연은 몸살을 앓고, 이제 인류의 생존까지 위협하는 상황에 이르렀다. 우리는 자연의 목소리에 귀를 기울이고 자연을 보호해야 한다. 왜 자연을 보호해야 할까?

(나) 첫째, ┌─── ㉠ ───┐ 어린나무 한 그루가 아름드리나무로 성장하는 데 약 30년에서 50년이 걸린다고 한다. 우유 한 컵(150밀리리터)으로 오염된 물을 물고기가 살 수 있는 깨끗한 물로 만들려면 우유 한 컵의 약 2만 배의 물이 필요하다. 이처럼 환경을 오염시키는 것은 순식간이지만 오염된 환경을 되살리는 데는 수십, 수백 배의 시간과 노력이 든다. 자연의 힘이 아무리 위대해도 자정 능력을 넘어서는 오염을 감당하기는 어렵다.

11 문단 (가)와 (나)에 주로 나타난 내용을 알맞게 이으시오.

(1) 문단 (가) •   • ① 주장

(2) 문단 (나) •   • ② 근거

　　　　　　　　　• ③ 문제 상황

12 다음 뜻을 가진 네 글자의 말을 글에서 찾아 쓰시오.

> 오염된 물이나 땅 등이 저절로 깨끗해지는 능력.

（　　　　　　　　　）

13 ┌ ㉠ ┐ 에 들어갈 문장으로 알맞은 것은 어느 것입니까?

（　　　　）

① 자연을 개발해야 한다.
② 자연은 우리의 영원한 안식처이다.
③ 무리한 자연 개발은 생태계를 파괴한다.
④ 자연은 한번 파괴되면 복원되기가 어렵다.
⑤ 자연은 우리 후손이 살아갈 삶의 터전이다.

[14~15] 자연 보호는 우리가 꼭 해야 할 일

(가) 무리한 자연 개발은 생태계를 파괴한다. 생물은 서로 유기적인 생태계로 얽혀 있으며 주변 환경과 영향을 주고받으면서 살아간다. 자연 개발로 생태계를 파괴하면 결국 사람의 생활 환경을 악화시키는 결과를 초래한다. 예를 들어 사람의 편의를 돕는 시설을 만들면서 무분별하게 산을 파헤치면 동식물은 삶의 터전을 잃는다. 무리한 자연 개발의 결과로 기후 변화 현상까지 나타나 동물이 멸종 위기에 처하고, 지구 환경이 위협을 받기도 한다. 동식물이 살 수 없는 곳은 사람도 살 수 없는 곳이 된다.

(나) 자연은 우리 후손이 살아갈 삶의 터전이다. 당장의 편리와 이익만을 추구하다 보면 우리 후손에게 훼손된 자연을 물려주게 된다. 환경을 고려하지 않은 개발로 물, 공기, 토양, 해양과 같은 자연환경이 돌이키기 힘들 정도로 훼손되면 우리 후손은 그 훼손된 자연 속에서 살아가야 한다. 조상으로부터 금수강산을 물려받은 우리는 후손에게 아름다운 자연을 물려주어야 할 의무가 있다.

14 이 글을 읽고 다음과 같이 판단하였을 때 판단 근거로 알맞지 **않은** 것에 ×표 하시오.

> 이 글의 내용은 타당하다.

(1) 근거가 주장과 관련 있다. 　　　（　　　）
(2) 근거가 주장을 뒷받침한다. 　　　（　　　）
(3) 근거의 수가 주장의 수와 같다. 　（　　　）

15 이 글의 글쓴이의 주장과 같은 생각을 가진 사람의 이름을 쓰시오.

> 영서: 댐을 세우는 등 자연 개발을 통해 자연재해에 대비해야 해.
> 미란: 우리는 동식물과 더불어 살아가는 존재이기 때문에 자연을 보호해야 해.
> 은채: 인구 증가에 대비할 수 있도록 국토를 계획적으로 개발하여 효율적으로 활용해야 해.

（　　　　　　　　　）

단원 평가

[16~17] 논설문의 표현

(가) 나는 자전거 타기보다 걷기를 더 좋아한다. 그래서 걷기는 좋은 운동이다.

(나) 내 생각에 급식 시간에 음식을 남기는 것은 괜찮은 것 같다.

(다) 적당히 먹어야 건강에 좋다.

(라) 운동회는 우리 학교 전통이니까 하면 좋겠지만, 재미는 없을 것이다.

(마) 건강하려면 반드시 밖으로 나가 걸어야 한다.

(바) 국립 공원에 절대로 케이블카를 설치해서는 안 된다.

4단원

진도 완료 체크

16 (가)~(바)에 대한 설명으로 알맞은 것은 어느 것입니까?
( )

① 논설문을 쓸 때 적절하지 않은 표현이다.
② 논설문에서 주장을 쓸 때 적절한 표현이다.
③ 논설문에서 근거를 쓸 때 적절한 표현이다.
④ 논설문에서 본론을 쓸 때 적절한 표현이다.
⑤ 논설문에서 서론이나 결론을 쓸 때 적절한 표현이다.

17 (가)~(바)를 통하여 알 수 있는, 논설문의 표현이 적절한지 판단하는 방법을 [보기]에서 찾아 빈칸에 써넣으시오.

> **보기**
>
> 모호한   주관적인   단정하는

(1) (가), (나)와 같은 [   ] 표현을 사용하였는지 살펴본다.

(2) (다), (라)와 같은 [   ] 표현을 사용하였는지 살펴본다.

(3) (마), (바)와 같은 [   ] 표현을 사용하였는지 살펴본다.

18 다음 주장을 뒷받침하는 근거를 두 가지 고르시오.
(,)

> 교실 청소를 점심시간에 하자.

① 집에 일찍 갈 수 있다.
② 점심을 여유롭게 먹을 수 있다.
③ 점심시간에 놀 시간이 부족하다.
④ 점심을 먹을 때 먼지가 많이 날린다.
⑤ 빠지는 사람 없이 함께 청소할 수 있다.

[19~20] 주장을 펼치고 싶은 문제 상황

19 그림에 나타난 문제 상황은 무엇입니까? ( )
① 분리배출이 잘되지 않는다.
② 지구 온난화 문제가 심각하다.
③ 화단에 쓰레기가 함부로 버려져 있다.
④ 버려지는 음식물 쓰레기의 양이 많다.
⑤ 미세 먼지 때문에 바깥 활동을 하기 어렵다.

서술형·논술형 문제

20 이 그림의 문제 상황을 해결할 수 있는 주장과 주장을 뒷받침하는 근거를 쓰시오.

속담을 활용해요

5

그럼 오늘은 속담을 넣은 말을 많이 해 보기로 할까요?

속담을 사용하여 말을 하니까 더 재미있는데요?

하하, 그렇죠?

"금강산도 식후경"이란 아무리 좋은 것이라도 식사를 한 뒤에 시작하는 것이 좋다는 뜻의 속담이지요.

 개념 웹툰

속담을 사용하면 어떤 점이 좋을까요? 스마트폰에서 확인하세요!

개념 1 속담을 사용하는 까닭

속담의 뜻	예로부터 민간에 전해 오는 쉬운 격언이나 잠언으로 우리 민족의 지혜와 해학, 교훈이 담겨 있음. 가르쳐서 훈계하는 말
속담을 사용하면 좋은 점	• 자신의 생각을 효과적으로 드러낼 수 있습니다. • 주장의 논리를 뒷받침해 쉽게 설득할 수 있습니다. • 재미있는 말을 사용해 듣는 사람이 흥미를 느낄 수 있습니다.

활동 속담을 쓰면 좋은 점

➡ 속담을 사용하면 듣는 사람이 재미있게 받아들일 수 있습니다.

개념 2 다양한 상황에서 쓰이는 속담의 뜻 알기

① 여러 상황에 쓸 수 있는 속담이 아주 많습니다.
② 상황을 알아보고, 하고 싶은 말에 어울리는 속담을 사용해야 합니다.
③ 하고 싶은 말을 먼저 한 뒤에 속담을 사용해도 되고, 순서를 바꾸어도 됩니다.

활동 다양한 상황에서 쓰이는 속담의 뜻

뒤늦게 후회하는 상황	
속담	소 잃고 외양간 고친다
뜻	일이 이미 잘못된 뒤에는 손을 써도 소용이 없다.

말조심을 해야 하는 상황	
속담	가는 말이 고와야 오는 말이 곱다
뜻	남에게 말이나 행동을 좋게 하여야 남도 좋게 한다.

개념 3 주제를 생각하며 글 읽기

① 글 속에 속담이 나온 상황을 살펴봅니다.
  인물이 처한 상황도 함께 살펴봅니다.
② 글 속에 속담과 함께 말한 내용을 확인합니다.
③ 사용된 속담과 비슷한 속담을 찾아보고 그 뜻을 짐작합니다.
④ 글의 교훈이나 주제가 무엇인지 떠올려 봅니다.

지문 속담을 활용한 글 「속담 하나 이야기 하나」

> 독장수가 독을 사고팔며 부자가 될 것이라고 즐거운 상상을 하다가 독을 깨뜨림.

⬇

속담	독장수구구는 독만 깨뜨린다
뜻	실현성이 없는 허황된 계산은 도리어 손해만 가져온다.

➡

글의 주제
헛된 욕심을 부리면 도리어 손해를 본다.

개념 4 속담 사전 만들기

① 모둠별로 탐구 주제를 정합니다.
② 탐구 주제와 관련된 속담을 찾아 써 봅니다.
③ 속담 사전에 들어갈 내용을 정해 봅니다.
④ 속담 사전의 모양을 정합니다.

활동 우리나라의 열두 띠 동물을 주제로 속담 모으기 예

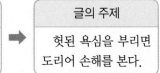
호랑이

호랑이도 제 말 하면 온다
➡ 어떤 사람에 대한 이야기를 하는데 공교롭게도 그 사람이 나타나는 상황.

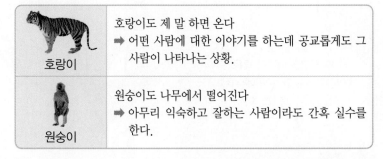
원숭이

원숭이도 나무에서 떨어진다
➡ 아무리 익숙하고 잘하는 사람이라도 간혹 실수를 한다.

① 와, 교실이 깨끗하게 정리 정돈되었네요.

② 선생님, 우리나라 속담에 ㉠"백지장도 맞들면 낫다."라는 말이 있는데, 친구들과 함께 청소하니 쉬웠어요.

그랬군요! 여러분이 협동의 힘을 알았군요.

③ 그러면 협동을 말한 속담에는 또 무엇이 있을까요?

④ " ㉡ "라는 속담이 있어요.

📍 속담이 가진 특징

비유성	다른 것에 빗대어 표현한 속담이 있습니다. 예 새 발의 피
교훈성	속담을 통해 배울 점이 있습니다. 예 우물 안 개구리
풍자성	사회의 모습을 우스꽝스럽게 비꼬아서 나타낸 속담이 있습니다. 예 돈이 양반이라

정돈(整 가지런할 **정** 頓 정리할 **돈**) 어지럽게 흩어진 것을 가지런히 바로잡아 정리함.

협동(協 도울 **협** 同 같을 **동**) 서로 마음과 힘을 하나로 합함.

📖 교과서 문제

1 ㉠의 뜻으로 알맞은 것은 무엇인가요? (　　　)

① 쉬운 일이라도 협동해서 하면 훨씬 쉽다.

② 한 가지 일을 꾸준히 해야 성공할 수 있다.

③ 미운 사람일수록 잘해 주어야 엇나가지 않는다.

④ 작은 것이라도 모이고 모이면 나중에 큰 것이 된다.

⑤ 위급한 상황이라도 정신만 차리면 위기를 벗어날 수 있다.

2 속담 ㉠을 쓰기에 알맞은 상황의 기호를 쓰세요.

> ㉮ 저금통에 모인 돈이 생각보다 많은 상황.
> ㉯ 집에 도둑이 들고 나서야 문단속을 하는 상황.
> ㉰ 다른 사람의 험담을 누가 몰래 듣고 있는 상황.
> ㉱ 혼자서 힘들게 요리를 하다가 온 가족이 도와서 금방 끝난 상황

(　　　　)

📖 교과서 문제

3 ㉡ 에 들어갈 속담으로 알맞은 것은 무엇인가요?

(　　　)

① 개밥에 도토리

② 가는 날이 장날

③ 손이 많으면 일도 쉽다

④ 소 잃고 외양간 고친다

⑤ 발 없는 말이 천 리 간다

4 '속담'에 대하여 잘못 설명한 친구는 누구인가요?

> 영주: 우리에게 교훈을 주는 속담들이 있습니다.
> 연주: 다른 것에 빗대어 표현한 속담들이 있습니다.
> 지윤: 우리들도 속담을 만들어서 사전에 등록할 수 있습니다.
> 수현: 예로부터 전해 내려오는 말로 조상의 지혜를 알 수 있습니다.

(　　　　)

[5~7] 다음 글을 읽고 물음에 답하세요.

영주네 가족은 이삿짐 싸는 차례를 서로 다르게 생각했어요.

할머니와 이모께서는 깨지기 쉬운 항아리나 유리그릇부터 싸라고 하셨고, 삼촌께서는 텔레비전이나 컴퓨터부터 옮기라고 하셨어요. "사공이 많으면 배가 산으로 간다."라는 속담처럼 서로 의견을 굽히지 않아 시간만 흘러갔어요.

5 파란색 글자로 쓴 속담의 뜻은 무엇인가요? (   )

① 따돌림을 받아서 여럿에 끼지 못하다.
② 애써 하던 일이 실패해서 어찌할 방법이 없다.
③ 어떤 일을 하려다가 그 일을 저절로 하게 된다.
④ 아무리 재미있는 일이라도 배가 고파서는 흥이 나지 않는다.
⑤ 여러 사람이 자기주장만 내세우면 일이 제대로 되지 않는다.

6 파란색 글자로 쓴 속담과 바꾸어 쓸 수 있는 속담은 어느 것인가요? (   )

① 엎드려 절받기
② 엎어지면 코 닿을 데
③ 찬물도 위아래가 있다
④ 하나를 보고 열을 안다
⑤ 목수가 많으면 기둥이 기울어진다

📋 서술형·논술형 문제

7 이와 같이 글을 쓸 때 속담을 사용하면 좋은 점을 쓰세요.

_____

_____

[8~10] 다음을 보고 물음에 답하세요.

8 그림 ❶의 우진이와 같이 속담을 쓰면 좋은 점에 ○표 하세요.

(1) 듣는 사람의 기분이 상할 수 있다. (   )
(2) 듣는 사람이 흥미를 느낄 수 있다. (   )
(3) 듣는 사람의 마음을 짐작할 수 있다. (   )

🎓 교과서 문제

9 그림 ❶에 나온 속담의 뜻입니다. 빈칸에 들어갈 알맞은 말은 무엇인가요? (   )

바늘이 가는 데 실이 항상 뒤따른다는 뜻으로, 사람의 [   ] 관계를 비유적으로 이르는 말.

① 어려운   ② 긴밀한   ③ 답답한
④ 어긋난   ⑤ 복잡한

10 그림 ❷를 통해 알 수 있는, 속담을 쓰면 좋은 점은 무엇인가요?

• (   )의 논리를 뒷받침해 상대를 쉽게 설득할 수 있다.

가

어제 뉴스 봤니? 퓨마가 탈출했던 동물원에서 안전 관리 실태를 점검하고 있대.

미리 점검하지 않고, 소 잃고 외양간 고치는 격이구나.

나

그래? 티끌 모아 태산이라더니 그 말이 맞네.

일 년 동안 모은 동전이 20만 원이나 돼.

다

피아노를 배우다 그만두고, 태권도도 힘들어 그만두고, 이제 수영을 배우려고 해.

우물을 파도 한 우물을 파라는 말이 있듯이 이번에는 수영을 끝까지 배우면 좋겠어.

라

영주에게 태권도 겨루기를 하자고 했어.

하룻강아지 범 무서운 줄 모른다더니, 한 달 배운 네가 태권도 대표 선수인 영주를 이길 수 있겠니?

📍 **여러 가지 속담 예!**

태산
• 갈수록 태산
• 태산이 평지 된다

소
• 소 닭 보듯
• 황소 뒷걸음치다가 쥐 잡는다

우물
• 우물 안 개구리
• 우물에 가 숭늉 찾는다

실태 있는 그대로의 상태. 또는 실제의 모양.

점검 낱낱이 검사함. 또는 그런 검사.

5
단원

11 다음 뜻의 속담이 쓰인 그림의 기호와 속담을 쓰세요.

> 일을 그르친 뒤에는 후회해도 소용이 없으므로 미리 준비해야 한다.

(1) 그림의 기호: (   )

(2) 속담: _____

12 그림 **나**에 쓰인 속담을 바르게 사용한 친구의 이름을 쓰세요.

> 성희: 티끌 모아 태산이라더니 친구와 금방 화해할 수 있었어.
> 성규: 티끌 모아 태산이라더니 이제 태권도 피아노도 모두 잘하게 되었어.
> 지우: 티끌 모아 태산이라더니 용돈을 조금씩 모았는데 어느새 100만 원이 되었어.

(   )

🐚 **교과서 문제**

13 그림 **다**에 나타난 속담을 찾고 그 뜻과 쓸 수 있는 다른 상황을 정리하여 쓰세요.

(1) 속담	
속담의 뜻	어떤 일이든 한 가지 일을 끝까지 해야 성공할 수 있다.
(2) 쓸 수 있는 다른 상황	( ) 일을 하다 보니 아무것도 이룬 것이 없는 상황

14 다음 상황에 쓸 수 있는 속담이 나타난 그림의 기호를 쓰세요.

> 나: 선생님, 저랑 팔씨름해요.
> 선생님: 팔씨름? 선생님은 어른인데 괜찮겠니?
> 나: 그럼요, 선생님. 저 힘이 아주 세요!

그림 (   )

가 만 원을 주고 장난감을 샀습니다. 그런데 가지고 놀다가 고장 나서 고치러 갔더니 수리비가 만오천 원이라고 합니다. 장난감 가격보다 수리비가 더 비쌉니다.

나 우리 반 지우는 야구를 좋아하고 야구 선수가 되고 싶어 합니다. 그래서 지우가 가는 곳에는 언제나 야구공과 야구 장갑이 있습니다.

15 글 **가** 는 어떤 상황인지 선으로 이으세요.

글 **가** ·

· ① 해야 할 일을 미루었다가 후회하는 상황

· ② 장난감 값보다 고치는 값이 더 비싼 상황

· ③ 말을 함부로 하였다가 다툼이 생긴 상황

교과서 문제

16 글 **가** 와 같은 상황에 쓸 수 있는 속담을 두 가지 고르세요. (,   )

① 바늘 가는 데 실 간다
② 얼굴보다 코가 더 크다
③ 배보다 배꼽이 더 크다
④ 가는 말이 고와야 오는 말이 곱다
⑤ 깨물어서 아프지 않은 손가락 없다

17 글 **나** 는 어떤 상황인지, 그에 알맞은 속담은 무엇인지 보기 에서 골라 기호를 쓰세요.

보기
㉠ 바늘보다 실이 굵다
㉡ 바람 가는 데 구름 간다
㉢ 지우가 야구를 하느라 공부를 하지 않는 상황
㉣ 지우가 늘 야구 용품을 함께 갖고 다니는 상황

(1) 상황: (   )   (2) 속담: (   )

가 사랑하는 영주야!

처음에는 어렵다고 느껴지는 책도 두세 번씩 읽다 보면, 어느덧 담긴 뜻을 생각하며 쉽게 읽을 수 있단다. 그러니 힘든 일이 있더라도 꿋꿋하게 견디며 희망을 가졌으면 좋겠다.
<u>글쓴이가 하고 싶은 말</u>

나 지난주에 내 자랑 발표 대회가 있었습니다. 그런데 친구들과 놀고 싶은 마음에 말할 내용을 준비하지 않아서 더듬거리며 발표했습니다. 좀 더 노력하지 않은 제 모습이 후회가 됩니다.

18 **가** 의 글쓴이가 영주에게 쓸 속담으로 알맞지 <u>않은</u> 것은 무엇인가요? (   )

① 고생 끝에 낙이 온다
② 쥐구멍에도 볕 들 날 있다
③ 응달에도 햇빛 드는 날이 있다
④ 마룻구멍에도 볕 들 날이 있다
⑤ 낮말은 새가 듣고 밤말은 쥐가 듣는다

19 글 **나** 의 글쓴이가 후회하는 일은 무엇인가요? (   )

① 평소에 군것질을 너무 많이 한 일
② 조금만 힘이 들어도 쉽게 포기한 일
③ 운동을 열심히 하지 않아서 살이 찐 일
④ 발표 준비를 하느라 친구들을 멀리한 일
⑤ 놀고 싶은 마음에 발표 준비를 하지 않은 일

서술형·논술형 문제

20 글 **나** 에 어울리는 속담입니다. 속담의 뜻을 완성하여 쓰세요.

속담	콩 심은 데 콩 나고 팥 심은 데 팥 난다
속담의 뜻	모든 일은 근본에 따라 _____

속담 하나 이야기 하나

- 글쓴이: 임덕연
- 글의 종류: 옛이야기
- 글의 특징: 속담의 유래가 담긴 옛이야기입니다.

독장수구구

❶ 옛날 어느 마을에 독을 만들어 파는 독장수가 있었습니다. 옛날에는 <u>간장이나 된장을 담거나 곡식을 보관할 때</u> 또는 <u>술을 담글 때 독을 사서 썼습니다. 어느 마을에서는 독을 무덤으로 쓰기도 했습니다.</u>
<small>독의 쓰임새 ①</small>
<small>독의 쓰임새 ②</small>

독은 잘만 팔면 큰 부자가 될 수 있었지만 워낙 크고 무거워서 많이 가지고 다니지 못했습니다.

하루는 독장수가 지게에 큰독 세 개를 지고 독을 팔러 나섰습니다. / 그러나 하루 종일 지고 다녀도 독은 팔리지 않고 어깨만 빠지도록 아팠습니다. 땀이 목덜미를 타고 내려 등줄기를 적셨습니다.

"아이고, 어깨야. 어째 오늘은 독을 사는 사람이 하나도 없네."

독장수는 고갯길을 힘겹게 올랐습니다. 숨을 헐떡거리며 높은 고개턱을 겨우 올라왔습니다. ㉠혹시라도 몸을 잘못

독   간장, 김치 등을 담가 두는 데에 쓰는 그릇.
  ㉲ 독에 넣어 두었던 김치가 잘 익었습니다.
담글   김치나 술 등의 재료를 그릇에 넣고 물을 부어 익힘.

<u>가누면</u> 독이 굴러떨어져 산산조각이 나고 맙니다. 독장수는 너무 힘들어 눈앞이 핑핑 돌 지경이었습니다.

"아이고, 저 나무 밑에서 좀 쉬었다 가야겠다."

독장수는 고개를 다 오르고는 나무 그늘 밑에다 지겟작대기로 지게를 받쳐 세워 놓았습니다. 독장수는 허리춤에 찼던 수건을 꺼내 이마와 얼굴의 땀을 닦았습니다.

"아, 이제 살 것 같다. 아이고, 그놈의 고개 오지기도 해라."

📝 중심 내용 ❶ 독장수가 고갯길에 올라 지게를 세워 두고 쉬었습니다.

❷ 독장수는 지게 옆에 벌렁 누웠습니다.

"야, 정말 시원하구나. 저 독 둘은 팔아 빚을 갚는 데 쓰고, 나머지 독을 팔면 다른 독 두 개는 살 수 있겠지? 그 독 둘을 다시 팔면 독 네 개를 살 수 있고, 넷을 팔면 가만있자, ㉡이 이는 사, 이 사 팔. 그래 여덟 개를 살 수 있구나. 그다음에 여덟 개를 팔면, 가만있자……." →독이 잘 팔릴 것이라는 헛된 상상만 함.

가누면   몸을 바른 자세로 하면.
  ㉲ 아파서 몸을 못 가누면 집에 돌아가야 합니다.
오지기도(오달지기도)   허술한 데가 없이 알차기도.

---

21 이 이야기를 읽고 알 수 <u>없는</u> 내용은 어느 것인가요?
(   )
① 옛날에는 곡식을 독에 담아 보관하였다.
② 독을 잘만 팔면 돈을 많이 벌 수 있었다.
③ 독장수는 독을 마차에 싣고 팔러 다녔다.
④ 독을 만들어 파는 사람을 독장수라고 불렀다.
⑤ 독은 크고 무거워 많이 가지고 다닐 수가 없었다.

22 독장수가 독을 많이 가지고 다니지 못한 까닭은 무엇인가요? (   )
① 독이 귀해서   ② 독이 잘 깨져서
③ 독이 잘 안 팔려서   ④ 독이 크고 무거워서
⑤ 독장수가 욕심이 없어서

23 ㉠과 같은 상황을 나타내는 속담으로 알맞은 것은 무엇인가요? (   )
① 바람 앞의 등불
② 개도 주인을 알아본다
③ 사공이 많으면 배가 산으로 간다
④ 구슬이 서 말이라도 꿰어야 보배라
⑤ 가지 많은 나무에 바람 잘 날이 없다

24 '독장수구구'는 무엇을 나타낸 말인지, ㉡ 부분을 참고하여 알맞은 것의 기호를 쓰세요.

> ㉲ 독장수가 구구단을 외는 것
> ㉴ 독장수가 수학을 공부하는 것
> ㉳ 독장수가 자신의 욕심을 버리는 것

(   )

이렇게 계산해 나가니 열여섯 개가 서른두 개가 되고, 서른두 개면 예순네 개가 되고, 예순네 개는 백스물여덟 개가 되었습니다.

"야, 이렇게 계산해 보니 며칠 안 가 독이 천만 개나 되겠는걸. 그럼 그 돈으로 논과 밭을 사는 거야. 그러고 남는 돈으로는 고래 등 같은 기와집을 짓는 거야."
→ 속담: 김칫국부터 마신다

독장수는 너무 기쁜 나머지 팔을 번쩍 들었습니다. 그러다가 팔로, 지게를 받치던 지겟작대기를 밀어 버렸습니다. 지게는 기우뚱하더니 옆으로 팍 쓰러졌습니다. 지게에 있던 독들도 와장창 깨지고 말았습니다.

"아이고, 망했다. 이걸 어쩐다?"

독장수는 눈물을 뚝뚝 흘리며 박살 난 독 조각들을 쓰다듬었습니다.

이와 같이 허황된 것을 궁리하고 미리 셈하는 것을 '독장수구구'라고 하고, ［ ㉮ ］ 뜻으로 "독장수구구는 독만 깨뜨린다."라는 속담이 쓰입니다.

중심 내용 ② 독장수가 헛된 상상만 하다가 독을 팔지도 못하고 모두 깨뜨렸습니다.

고래 등 같은 주로 기와집이 덩그렇게 높고 큼을 나타내는 관용어.
예) 놀부는 고래 등 같은 기와집에서 살았습니다.

까마귀 고기를 먹었나

① "여봐라, 게 아무도 없느냐?"

저승의 염라대왕이 소리치자 까마귀가 냉큼 달려왔습니다.

"네, 까마귀 여기 대령했습니다."

"급히 인간 세상에 다녀오너라."

"네, 인간 세상에 무슨 일이라도 났습니까?"

까마귀가 놀란 얼굴로 물었습니다.

"아무 말 말고 어서 이 편지를 강 도령에게 전해 줘라."

염라대왕이 말했습니다.

"강 도령요?"

"그래, 이 녀석아, 인간 세상의 모든 일을 맡아보는 강 도령을 모른단 말이냐!"

"아, 그 강 도령요. 알고말고요. 어서 편지나 주세요. 휭하니 다녀오겠습니다."

까마귀가 머리를 긁적이며 말했습니다.

"가다가 딴전 부리지 말고 곧장 강 도령에게 전해야
어떤 일을 하는 데 그 일과는 전혀 관계없는 행동.
한다. 아주 중요한 편지야."

염라대왕 지옥에 온 사람들이 착한지 악한지 심판하는 왕.
휭하니 중간에 늦추지 않고 곧장 빠르게 가는 모양.

---

25 독장수가 독을 팔아서 하고 싶어 한 것 두 가지에 ○표 하세요.

(1) 논과 밭을 사고 싶다. ( )

(2) 고래 등 같은 기와집을 짓고 싶다. ( )

(3) 좋은 지게와 지겟작대기를 사고 싶다. ( )

🍘교과서 문제

26 ㉮ 에 들어갈 내용으로 알맞은 것은 무엇인가요?
( )

① 아주 먼 옛날이야기를 말하는

② 이익을 얻으러 갔다가 오히려 손해를 보는

③ 실수를 저질러 놓고 얕은꾀로 속이려 하는

④ 신기한 꾀를 내거나 감쪽같은 일이 일어나는

⑤ 실현성이 없는 허황된 계산은 도리어 손해만 가져 온다는

27 「까마귀 고기를 먹었나」 글 **①**의 배경은 어디인지, 두 글자의 낱말을 찾아 쓰세요.

( )

28 염라대왕은 까마귀에게 무엇을 시켰나요?

• (1) ( )으로 가서

(2) ( )에게 편지를 전해라.

29 '강 도령'은 어떤 일을 하나요? ( )

① 저승의 모든 일을 맡아본다.

② 인간 세상의 모든 일을 맡아본다.

③ 저승에서 까마귀와 함께 일을 한다.

④ 저승에서 염라대왕의 심부름을 한다.

⑤ 인간 세상에서 까마귀로 변하여 저승을 관찰한다.

염라대왕이 몇 번씩 다짐을 받았습니다.

"네, 네. 심부름 한두 번 해 보나요. 전 심부름 하나는 틀림없다니까요."

중심 내용 1 염라대왕이 까마귀를 시켜 강 도령에게 편지를 전해 주라고 하였습니다.

2 까마귀는 염라대왕이 준 편지를 물고 인간 세상에 내려왔습니다. 한참 맴을 돌며 내려오는데 어디선가 아주 고소한 냄새가 났습니다.

"이야, 참 고소하다. 어디서 고기 냄새가 날까?"

까마귀는 그만 고기 냄새에 넋을 잃었습니다.
                    제정신을 잃고 멍해졌습니다.
"앗, 저기다. 아니, 말이 쓰러져 있잖아. 어디 가까이 가 볼까."

까마귀는 메밀밭가에 죽어 쓰러져 있는 말에게 날아 갔습니다.

"꼴깍!"

까마귀는 침을 삼키며 강 도령에게 빨리 편지를 전하고 와서 배불리 먹어야겠다고 생각했습니다.

'아냐, 그새 누가 와서 다 먹어 버리면 어떡하지? 조금만 먹고 빨리 갔다 와야지.'

까마귀는 생각을 바꿔 말고기를 먹고 가기로 했습니다. 까마귀가 말고기를 먹으려고 입을 벌리는 순간, 입에 문 편지가 바람에 날려 어디론가 사라졌습니다. 그래도 까마귀는 정신없이 말고기를 먹었습니다.

"후유, 정말 잘 먹었다. 인간 세상은 참 좋아. 나도 여기서 살았으면 좋겠다. 배불리 먹고 나니 부러울 게 하나도 없구나."

까마귀는 좀 쉬고 난 뒤 편지를 찾았습니다. 그러나 편지는 온데간데없었습니다.

㉠"아니, 편지가 없어졌네. 이거 큰일 났다." → 염라대왕께서 혼내실 것이므로

까마귀는 높이 날아올라 이리저리 편지를 찾았습니다. 지나가는 새들을 붙잡고 물어보았지만 편지를 본 새가 아무도 없었습니다.

㉡"하는 수 없다. 아무렇게나 꾸며 댈 수밖에!"

중심 내용 2 까마귀가 말고기를 먹느라 강 도령에게 전할 편지를 잃어버렸습니다.

30 말고기에 대한 까마귀의 마음은 어떻게 바뀌었는지 빈칸에 들어갈 알맞은 내용을 써넣으세요.

> 강 도령에게 (1) (   )를 전하고 와서 먹어야겠다.

↓

> 그새 누군가가 와서 다 먹어 버릴 수 있으니까 (2) (   )만 먹고 가야겠다.

31 까마귀가 편지를 잃어버린 까닭은 무엇인가요? (   )

① 달콤한 냄새를 오랫동안 맡아서
② 잃어버린 물건을 열심히 찾아서
③ 강 도령과 중요한 이야기를 해서
④ 염라대왕이 한 말을 곰곰이 생각해서
⑤ 말고기를 먹으려고 입을 벌리는 순간 편지가 바람에 날려 사라져서

교과서 문제

32 ㉠의 상황에서 까마귀의 마음은 어떠했을까요? (   )

① 행복했을 것이다.
② 흐뭇했을 것이다.
③ 화가 났을 것이다.
④ 걱정스러웠을 것이다.
⑤ 기분이 좋았을 것이다.

33 ㉡에서 알 수 있는 까마귀의 성격은 어떠한지 두 가지 고르세요. (,   )

① 착하고 성실하다.
② 인색하고 욕심이 많다.
③ 뻔뻔하게 거짓말을 잘한다.
④ 수줍음이 많고 말수가 적다.
⑤ 맡은 일에 대한 책임감이 없다.

5 단원

3 까마귀는 편지 찾는 걸 포기하고 강 도령에게 갔습니다.

"강 도령님, 염라대왕께서 보내서 왔습니다."

"그런데 왜 이리 늦었느냐?"

"네, 염라대왕께서 다른 곳에도 심부름을 시켜 거기 먼저 다녀오느라 늦었습니다."

까마귀가 시치미를 떼고 말했습니다.
　　　　　　　알고도 모르는 체하고

"그건 그렇고, 어디 편지를 보자꾸나."

강 도령이 손을 내밀며 말했습니다.

"편지는 안 주시고 그냥 아무나 빨리 끌어 올리라고 하셨습니다."

"뭐, 아무나 끌어 올리라고? 그럴 리가 없을 텐데."

강 도령은 고개를 갸우뚱했습니다.

"저는 염라대왕께서 말씀하신 대로 전하는 것입니다."

"그래, 알았다. 어서 가 봐라."

강 도령이 말했습니다.

까마귀는 강 도령과 헤어지고 한숨을 내쉬었습니다.

"어휴, 간이 콩알만 해졌네. 이럴 줄 알았으면 편지 내
　　　몹시 두려워지거나 무서워졌네.
용을 한번 보는 건데. 그러나저러나 큰일이네. 하늘에 올라가면 분명 염라대왕께서 이 사실을 알고 호통을 치실 텐데. 할 수 없지, 인간 세상에 눌러앉는 수밖에.
　　　　　　　　　　속담: 호미로 막을 것을 가래로 막는다
여기서는 누가 뭐라는 사람도 없겠지." / 까마귀는 하늘로 올라가는 것을 포기하고 말고기가 있는 자리로 갔습니다.

강 도령은 갑자기 바빠졌습니다. 아무나 되는대로 저승으로 보내야 했기 때문입니다. / 그전까지는 나이 많은 순서대로 저승에 보내졌습니다. 그래서 사람들은 죽음을 슬픔이 아닌 당연한 일로 받아들였습니다. 본디 왔던 곳으로 돌아간다고 생각했기 때문입니다.

그러나 까마귀가 염라대왕의 뜻을 잘못 전한 뒤부터는 어른, 아이 할 것 없이 아무나 먼저 죽게 되었답니다. 이때부터 나이에 상관없이 사람들이 죽게 되었지요.

"까마귀 고기를 먹었나."라는 속담은 이런 경우와 같이 | ㉠ |을 가리켜 사용됩니다.

✏️**중심 내용 3** 까마귀가 염라대왕의 뜻을 잘못 전하여서 아무나 먼저 죽게 되었습니다.

📝**서술형·논술형 문제**

34 편지를 찾지 못한 까마귀는 강 도령에게 무엇이라고 전하였는지 쓰세요.

_____

_____

🪶**교과서 문제**

35 까마귀가 하늘로 올라가는 것을 포기한 상황에 어울리는 속담은 무엇인가요? (　　　)

① 백지장도 맞들면 낫다

② 소 잃고 외양간 고친다

③ 우물을 파도 한 우물을 파라

④ 가랑잎으로 눈 가리고 아웅 한다

⑤ 하룻강아지 범 무서운 줄 모른다

36 까마귀가 염라대왕의 뜻을 잘못 전한 결과로 생긴 일은 무엇인가요?

• (1) (　　　　　　　)이 아무나 저승으로 보내기 시작해서 (2) (　　　　　　)에 상관없이 사람들이 죽게 되었다.

37 | ㉠ |에 들어갈 내용을 이 글의 주제와 관련지어 바르게 설명한 친구의 이름을 쓰세요.

> 지우: '잘못을 하고도 바로잡으려고 하지 않는 사람' 이 들어가야 해.
>
> 희철: 까마귀의 행동으로 보아 '거짓말로 위기를 모면하려는 사람'이 알맞아.
>
> 미희: 까마귀처럼 중요한 일을 잊으면 안 되니, '무엇인가를 잘 잊어버리는 사람'이 잘 어울려.

(　　　　　　　　　)

5
단원

정답 11쪽

국어 교과서 162쪽

3. 「독장수구구」와 「까마귀 고기를 먹었나」의 주제를 생각해 봅시다.

(1) 인물의 말이나 행동에서 짐작할 수 있는 인물의 마음을 말해 보세요.

지게에 있던 독들도 와장창 깨지고 말았습니다.
"아이고, 망했다. 이걸 어쩐다?"
독장수는 눈물을 뚝뚝 흘리며 박살 난 독 조각들을
쓰다듬었습니다.

독장수 마음	(예시 답안) 헛된 생각을 하다 실수로 독들을 깨뜨려 속상해하는 마음

까마귀가 말고기를 먹으려고 입을 벌리는 순간, 입에 문 편지가 바람에 날려 어디론가 사라졌습니다. 그래도 까마귀는 정신없이 말고기를 먹었습니다.
"후유, 정말 잘 먹었다. 인간 세상은 참 좋아. 나도 여기서 살았으면 좋겠다. 배불리 먹고 나니 부러울 게 하나도 없구나."
까마귀는 좀 쉬고 난 뒤 편지를 찾았습니다. 그러나 편지는 온데간데없었습니다.
"아니, 편지가 없어졌네. 이거 큰일 났다."

까마귀 마음	(예시 답안) 정신없이 말고기를 먹느라 중요한 편지를 잃어버려서 걱정하는 마음

(풀이) 독장수는 독들이 깨져서 슬프고 속상했을 것입니다. 까마귀는 중요한 편지를 잃어버려서 놀라고 걱정스러웠을 것입니다.

국어 교과서 163쪽

(3) 이야기를 읽고 알게 된 속담의 뜻과 속담을 사용할 수 있는 다른 상황을 생각해 보세요.

속담	속담의 뜻
독장수구구는 독만 깨뜨린다	(예시 답안) 실속 없이 허황된 것을 궁리하고 미리 셈하는 것을 비유하는 말
사용할 수 있는 다른 상황	(예시 답안) 친구가 노력은 하지 않고 욕심만으로 헛된 장래 희망을 꿈꾸는 상황

속담	속담의 뜻
까마귀 고기를 먹었나	(예시 답안) 무엇인가를 잘 잊어버리는 사람을 가리키는 말
사용할 수 있는 다른 상황	(예시 답안) 친구가 알림장을 쓰지 않고 자주 준비물을 챙겨 오지 않는 상황

자습서 확인 문제

1 「독장수구구」에서 독장수가 깨뜨린 것은 무엇인가요?

(   )

2 「까마귀 고기를 먹었나」의 까마귀가 편지를 잃어버린 까닭으로 알맞은 것의 기호를 쓰세요.

> ㉠ 헛된 상상을 하느라
> ㉡ 밥을 너무 배불리 먹어서
> ㉢ 말고기를 먹으려고 입을 벌리는 순간 편지가 바람에 날라가서

(   )

5
단원

3 "독장수구구는 독만 깨뜨린다."라는 속담의 뜻은 무엇인가요?

· ☐☐ 없이 허황된 것을 궁리

하고 미리 셈하는 것을 비유하는 말

4 속담 "까마귀 고기를 먹었나"를 쓸 수 있는 모습으로 알맞은 것의 기호를 쓰세요.

> ㉠ 동생이 버릇없이 행동하는 모습
> ㉡ 친구들이 사소한 일로 말다툼을 하는 모습
> ㉢ 친구가 선생님께서 시킨 청소를 매번 잊어버려서 꾸중을 듣는 모습

(   )

1 모둠별로 탐구 주제를 정하고, 주제와 관련된 다양한 속담 찾기

동물과 관련된 속담 예

소	소 잃고 외양간 고친다 ➡ 일이 이미 잘못된 뒤에는 손을 써도 소용이 없는 상황
호랑이	호랑이도 제 말 하면 온다 ➡ 다른 사람에 대한 이야기를 하는 데 공교롭게도 그 사람이 나타나는 상황
토끼	그물에 걸린 토끼 신세 ➡ 잡혀서 옴짝달싹 못하는 상황
원숭이	원숭이도 나무에서 떨어진다 ➡ 아무리 익숙하고 잘하는 사람이라도 간혹 실수하는 상황
닭	닭 쫓던 개 지붕 쳐다보듯 ➡ 하던 일이 실패로 돌아가거나 남보다 뒤떨어져 어찌할 도리가 없는 상황

2 모둠별로 만들 속담 사전에 들어갈 내용과 속담 사전의 모양 생각하기

속담 사전에는 속담 뜻과 함께 어떤 내용이 들어가면 좋을까?

병풍책이나 달력책 모양으로 속담 사전을 만들면 어떨까?

3 모둠별로 정한 내용과 모양으로 간단한 속담 사전 만들기

우리 모둠은 병풍책 모양으로 만들고 싶습니다.

우리 모둠은 달력책 모양으로 만들겠습니다.

팝업책이나 아코디언책 모양도 좋을 것 같습니다.

4 모둠별로 만든 속담 사전을 소개하기

---

38 주제를 정하여 속담을 모았습니다. 빈칸에 들어갈 수 <u>없는</u> 속담은 어느 것인가요? (   )

꿩 대신 닭	개천에서 용 난다
소 잃고 외양간 고친다	

① 고양이 목에 방울 달기
② 닭 잡아먹고 오리 발 내놓기
③ 원숭이도 나무에서 떨어진다
④ 세 살 적 버릇이 여든까지 간다
⑤ 하룻강아지 범 무서운 줄 모른다

39 '말조심'과 관련된 속담으로 알맞지 <u>않은</u> 것에 ×표 하세요.
(1) 말 위에 말을 얹는다   (   )
(2) 가는 말이 고와야 오는 말이 곱다   (   )
(3) 낮말은 새가 듣고 밤말은 쥐가 듣는다 (   )

40 다음은 어떤 동물을 주제로 속담을 모은 것일까요?

• 호랑이도 제 말 하면 온다
• 호랑이 굴에 가야 호랑이 새끼를 잡는다

(   )

41 속담 (1)~(3)의 뜻을 보기 에서 찾아 기호를 쓰세요.

보기
㉠ 늘 말하던 것이 마침내 사실대로 됨.
㉡ 부모님 말씀을 잘 들으면 좋은 일이 생김.
㉢ 상황이 어떻든지 말은 언제나 바르게 해야 함.

(1) 말이 씨가 된다   (   )
(2) 입은 비뚤어져도 말은 바로 해라   (   )
(3) 부모 말을 들으면 자다가도 떡이 생긴다 (   )

5 단원

1 다음과 같은 말을 무엇이라고 합니까? (   )

> • 돌다리도 두들겨 보고 건너라
> • 궁지에 빠진 쥐가 고양이를 문다

① 훈화　　② 민담　　③ 속담
④ 면담　　⑤ 경험담

[2~3]

와, 교실이 깨끗하게 정리 정돈되었네요. ①

선생님, 우리나라 속담에 "백지장도 맞들면 낫다."라는 말이 있는데, 친구들과 함께 청소하니 쉬웠어요. ②

그랬군요! 여러분이 협동의 힘을 알았군요.

그러면 ⊙ 을 말한 속담에는 또 무엇이 있을까요? ③

"_____"라는 속담이 있어요. ④

2 ⊙ 에 들어갈 알맞은 말은 무엇입니까? (   )
① 공부　　② 청소　　③ 운동
④ 협동　　⑤ 친구

3 그림 ④에 들어갈 속담으로 알맞지 <u>않은</u> 것에 ×표 하시오.

(1) 손이 많으면 일도 쉽다 　　　　 (　　)
(2) 하나만 알고 둘은 모른다 　　　 (　　)
(3) 종이도 네 귀를 들어야 바르다 　 (　　)

[4~5]

① 윤경아, 내가 청소 도와줄게.

우진아, 괜찮아. 혼자서도 할 수 있어.

"바늘 가는 데 실 간다." 라고 했어. 우리는 짝이니까 함께하자.

재미있는 말이네. 고마워!

② 친구들이 바른 몸가짐으로 항상 웃으며 인사하면 좋겠어. "하나를 보고 열을 안다." 라는 말이 있듯이 작은 행동 하나에 그 사람의 많은 것이 드러나게 돼.

친구의 의견이 옳은 것 같아.

4 그림 ①과 같이 속담을 사용해서 말을 하면 좋은 점의 기호를 쓰시오.

> ⊙ 듣는 사람이 흥미를 느끼게 할 수 있다.
> ⓒ 듣는 사람 앞에서 지식을 자랑할 수 있다.
> ⓒ 자신이 쓰는 글의 주제를 잘 드러낼 수 있다.

(　　　　　　　　)

🗒 서술형·논술형 문제

5 그림 ②와 같이 속담을 사용하면 좋은 점을 쓰시오.

_____

_____

[6~7]

6 그림 ①에서 사용한 속담의 뜻은 무엇입니까? (   )
① 철없이 함부로 덤빈다.
② 상황이 이치에 맞지 않는다.
③ 한 가지 일을 끝까지 해야 성공할 수 있다.
④ 일이 이미 잘못된 뒤에는 손을 써도 소용이 없다.
⑤ 어려운 일이 계속되어 고생이 심해도 언젠가는 좋은 날이 올 수 있다.

7 그림 ②에 나온 속담을 사용하기에 알맞은 상황은 언제입니까? (   )
① 숙제를 하지 않고 놀다가 후회하였다.
② 용돈을 꾸준히 모아서 부모님께 선물을 드렸다.
③ 어릴 때의 좋지 않은 버릇을 커서 고치지 못했다.
④ 여러 가지 운동을 동시에 배워서 놀 시간도 없다.
⑤ 친구가 친절하게 도와줘서 나도 나중에 도와줬다.

8 다음 빈칸에 들어갈 속담으로 가장 알맞은 것은 어느 것입니까? (   )

> 세진: 운동부 하나를 고르기 힘들었지만 결국 축구부에 들어갔거든? 매일 늦게까지 연습을 열심히 했더니 드디어 주전 선수로 뽑혔어.
> 우진: [   ]더니, 잘됐구나. 축하해!

① 쥐구멍에도 볕 들 날 있다
② 지렁이도 밟으면 꿈틀한다
③ 우물을 파도 한 우물을 파라
④ 말 한마디에 천 냥 빚도 갚는다
⑤ 하룻강아지 범 무서운 줄 모른다

[9~10]

> 사랑하는 영주야!
> 처음에는 어렵다고 느껴지는 책도 두세 번씩 읽다 보면, 어느덧 담긴 뜻을 생각하며 쉽게 읽을 수 있단다. 그러니 힘든 일이 있더라도 꿋꿋하게 견디며 희망을 가졌으면 좋겠다.

9 글쓴이가 영주에게 전하고 싶은 말은 무엇입니까?
• 영주야, (1) (   )이 있더라도 꿋꿋하게 견디며 (2) (   )을 가졌으면 좋겠다.

10 글쓴이가 사용할 수 있는 속담으로 알맞은 것의 기호를 쓰시오.

> ㉠ 가재는 게 편
> ㉡ 언 발에 오줌 누기
> ㉢ 응달에도 햇빛 드는 날이 있다

(   )

[11~14] 속담 하나 이야기 하나

"아이고, 저 나무 밑에서 좀 쉬었다 가야겠다."

독장수는 고개를 다 오르고는 나무 그늘 밑에다 지겟작대기로 지게를 받쳐 세워 놓았습니다. 독장수는 허리춤에 찼던 수건을 꺼내 이마와 얼굴의 땀을 닦았습니다.

"아, 이제 살 것 같다. 아이고, 그놈의 고개 오지기도 해라."

독장수는 지게 옆에 벌렁 누웠습니다.

"야, 정말 시원하구나. 저 독 둘은 팔아 빚을 갚는 데 쓰고, 나머지 독을 팔면 다른 독 두 개는 살 수 있겠지? 그 독 둘을 다시 팔면 독 네 개를 살 수 있고, 넷을 팔면 가만있자, 이 이는 사, 이 사 팔. 그래 여덟 개를 살 수 있구나. 그다음에 여덟 개를 팔면, 가만있자……."

이렇게 계산해 나가니 열여섯 개가 서른두 개가 되고, 서른두 개면 예순네 개가 되고, 예순네 개는 백스물여덟 개가 되었습니다.

㉠"야, 이렇게 계산해 보니 며칠 안 가 독이 천만 개나 되겠는걸. 그럼 그 돈으로 논과 밭을 사는 거야. 그러고 남는 돈으로는 고래 등 같은 기와집을 짓는 거야."

독장수는 너무 기쁜 나머지 팔을 번쩍 들었습니다. 그러다가 팔로, 지게를 받치던 지겟작대기를 밀어 버렸습니다. 지게는 기우뚱하더니 옆으로 팍 쓰러졌습니다. 지게에 있던 독들도 와장창 깨지고 말았습니다.

"아이고, 망했다. 이걸 어쩐다?"

독장수는 눈물을 뚝뚝 흘리며 박살 난 독 조각들을 쓰다듬었습니다.

이와 같이 허황된 것을 궁리하고 미리 셈하는 것을 '독장수구구'라고 하고, 실현성이 없는 허황된 계산은 도리어 손해만 가져온다는 뜻으로 ㉡"독장수구구는 독만 깨뜨린다."라는 속담이 쓰입니다.

11 ㉠에 대답할 속담으로 가장 알맞은 것은 무엇입니까? ( )

① 마른하늘에 날벼락
② 소 잃고 외양간 고친다
③ 천 리 길도 한 걸음부터
④ 똥 묻은 개가 겨 묻은 개 나무란다
⑤ 떡 줄 사람은 꿈도 안 꾸는데 김칫국부터 마신다

12 독장수가 독을 깨뜨리게 된 과정에 맞게 번호를 쓰시오.

(1) 지게가 옆으로 쓰러지면서 지게에 있던 독들도 와장창 깨짐. ( )

(2) 독장수가 지게 옆에 누워서 독을 팔아 무엇을 할지 생각에 빠짐. ( )

(3) 독장수가 기뻐하다가 지게를 받치던 지겟작대기를 실수로 밀어 버림. ( )

(4) 독장수가 힘들게 고개를 올라와서 나무 그늘 밑에다 지겟작대기로 지게를 받쳐 놓음. ( )

13 속담 ㉡의 뜻은 무엇입니까? ( )

① 앞날을 걱정하며 무서워한다.
② 밝은 미래를 꿈꾸고 노력한다.
③ 자기의 처지를 인정하고 만족한다.
④ 허황된 계산은 도리어 손해만 일으킨다.
⑤ 거만하게 행동하다가 일을 그르치고 후회한다.

🗂 **서술형·논술형 문제**

14 이 이야기를 읽고 얻을 수 있는 교훈을 쓰시오.

_____

_____

15 다음 상황에 어울리는 속담은 무엇입니까? ( )

> 다른 친구들의 간식까지 모두 빼앗아 혼자서만 먹으려는 친구가 있을 때

① 금강산도 식후경
② 발 없는 말이 천 리 간다
③ 낫 놓고 기역 자도 모른다
④ 닭 잡아먹고 오리 발 내놓기
⑤ 바다는 메워도 사람의 욕심은 못 채운다

[16~18] 속담 하나 이야기 하나

㉮ 까마귀는 메밀밭가에 죽어 쓰러져 있는 말에게 날아 갔습니다.

"꼴깍!"

까마귀는 침을 삼키며 강 도령에게 빨리 편지를 전하고 와서 배불리 먹어야겠다고 생각했습니다.

'아냐, 그새 누가 와서 다 먹어 버리면 어떡하지? 조금만 먹고 빨리 갔다 와야지.'

까마귀는 생각을 바꿔 말고기를 먹고 가기로 했습니다. 까마귀가 말고기를 먹으려고 입을 벌리는 순간, 입에 문 편지가 바람에 날려 어디론가 사라졌습니다. 그래도 까마귀는 정신없이 말고기를 먹었습니다.

"후유, 정말 잘 먹었다. 인간 세상은 참 좋아. 나도 여기서 살았으면 좋겠다. 배불리 먹고 나니 부러울 게 하나도 없구나."

까마귀는 좀 쉬고 난 뒤 편지를 찾았습니다. 그러나 편지는 온데간데없었습니다.

"아니, 편지가 없어졌네. 이거 큰일 났다."

㉯ "까마귀 고기를 먹었나."라는 속담은 이런 경우와 같이 무엇인가를 잘 잊어버리는 사람을 가리켜 사용됩니다.

5
단원

진도 완료
체크

16 까마귀가 편지를 잃어버리게 된 까닭은 무엇입니까?

( )

① 갑자기 편지가 찢어져서
② 말고기에 정신이 팔려서
③ 염라대왕이 다시 가져가서
④ 인간 세상이 너무 복잡해서
⑤ 다른 새가 편지를 가져가서

17 속담을 올바르게 사용한 친구의 이름을 쓰시오.

민재: 일을 그르치고 나서는 되돌리기가 힘이 들어. "까마귀 고기를 먹었나."라는 말도 있잖아?
혜림: 나도 까마귀 고기를 먹었나? 요즘 자꾸 할 일을 깜빡깜빡 잊곤 해.

( )

18 이 이야기의 주제는 무엇입니까? ( )

① 다른 사람의 부탁을 잘 들어주자.
② 자신의 잘못을 솔직하게 인정하자.
③ 일을 시작하기 전에 준비를 잘하자.
④ 중요한 일을 잊어버리지 않도록 노력하자.
⑤ 아무리 중요한 일이 있어도 식사를 거르지 말자.

19 다음 속담의 빈칸에 공통으로 들어갈 알맞은 말은 무엇입니까? ( )

• 입은 비뚤어져도 ☐ 은/는 바로 해라
• 살은 쏘고 주워도 ☐ 은/는 하고 못 줍는다
• 가루는 칠수록 고와지고 ☐ 은/는 할수록 거칠어진다

① 일   ② 말   ③ 돈
④ 공부   ⑤ 운동

20 왼쪽 주제에 어울리는 속담을 찾아 선으로 이으시오.

(1) 띠 동물 •

    • ① 호랑이도 제 말 하면 온다

    • ② 지위가 높을수록 마음은 낮추어 먹어야

    • ③ 돼지에 진주 목걸이

(2) 겸손함 •

    • ④ 벼 이삭은 익을수록 고개를 숙인다.

내용을 추론해요

6

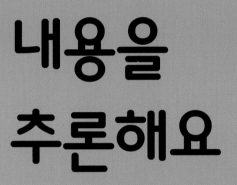

평양냉면 먹을 사람?

함흥냉면 먹을 사람?

드디어 우리 차례다!

개념 웹툰
성남이는 무엇을 추론했을까요?
스마트폰에서 확인하세요!

6 단원

개념❶ 말이나 행동에서 드러나지 않은 내용 짐작하기

① 영상이나 그림을 보고 내용을 파악합니다.
② 자신의 경험을 떠올립니다.
③ 말이나 행동에서 단서를 확인합니다.
④ 영상이나 그림에서 의도를 추론해 봅니다.
⑤ 드러나지 않은 내용을 짐작해 보면 좀 더 깊고 넓게 내용이나 상황을 이해할 수 있습니다.

> 어떤 일이나 사건이 일어난 까닭을 풀 수 있는 실마리

활동 그림 「야묘도추」를 보고 추론할 수 있는 내용 예

> 이미 아는 정보를 근거로 삼아 다른 판단을 이끌어 내는 것

고양이가 병아리를 물고 달아나자 남자가 깜짝 놀라 급한 마음에 쓰러질 듯 달려 나가고 있어.

개념❷ 이야기를 읽고 추론하는 방법 알기

① 이야기에서 찾을 수 있는 단서를 확인합니다.
② 평소에 아는 사실과 경험한 것을 떠올려 보고 무엇을 더 알 수 있는지 생각해 봅니다.
③ 글에 쓰인 다의어나 동형어가 어떤 뜻인지 정확히 이해하려면 국어사전을 찾아봅니다.

다의어	여러 가지 뜻이 있는 낱말
동형어	형태가 같지만 뜻이 다른 낱말

④ 이야기의 특정 부분을 바탕으로 하여 알 수 있는 내용과 더 추론할 수 있는 사실을 살펴봅니다.

지문 「수원 화성을 어떻게 만들었을까」에서 추론할 수 있는 사실

건물 하나만 보는 것보다는 주변 경치를 함께 감상하는 것이 더 좋아. 정조 임금이 엄격하게 고른 좋은 자리에 지었으니까.

알 수 있는 내용	추론한 사실
수원 화성은 정조 임금이 엄격하게 고른 좋은 자리에 지었다.	정조 임금은 수원 화성을 건축하는 데 많은 관심을 가졌다.

개념❸ 내용을 추론하며 글 읽기

① 글 내용과 관련해 이미 아는 사실에는 무엇이 있는지 정리해 봅니다.
> 배경 지식

② 글 내용과 관련한 경험이 있는지 떠올려 봅니다.
③ 글에서 다의어 또는 동형어로 예상되는 낱말을 찾아보고 국어사전에서 그 뜻을 확인해 봅니다.
④ 글을 읽고 새롭게 안 점에는 어떤 것이 있는지 정리합니다.
⑤ 글쓴이의 생각을 추론해 봅니다.

활동 글 내용과 관련한 경험 떠올리기 예

아, 4학년 때 궁궐이 넓어 힘들었어. 천천히 돌아봐야겠어.

➡ 궁궐에 다녀온 경험을 떠올리며 글의 내용을 추론해 봅시다.

우리는 이미 하나

1999년 10월 탈북
└ 오른쪽 부분이 가려져 있어 궁금증을 불러일으킴.

2006년 8월 탈북

2006년 8월 탈북
선생님 김선경

건강하세요!

2007년 8월 탈북
봉사단 방은화

1999년 10월 탈북
한의사 정일경

같은 일상을 살아가는
우리는 이미 하나입니다

└ 자막에 제목을 알 수 있는 내용이 있음.

· 제재의 종류: 공익 광고
· 제재의 특징: ❶과 ❷의 오른쪽 부분을 추측하게 해서 우리가 북한 이탈 주민에 대해 얼마나 편견을 가지고 있는지 깨닫게 합니다.

💡 영상의 내용 추론하기

2006년 8월 탈북하여 초등학교 선생님으로 일함.

1999년 10월 탈북하여 한의사로 일함.

↓

북한 이탈 주민들은 여러 가지 직업을 가지고 우리 사회의 구성원으로 함께 살아가고 있음.

🧢 교과서 문제

1 영상에 나오는 사람들의 직업은 무엇인지 쓰세요.
(   ), 봉사단 단원, (   )

2 ❸~❻의 영상에 나오는 사람들의 공통점은 무엇인가요? (   )
① 혼자 일한다.   ② 어렵게 생활한다.
③ 북한 이탈 주민이다.   ④ 남을 위해 희생한다.
⑤ 특이한 직업을 가지고 있다.

3 「우리는 이미 하나」라는 제목을 이해하려고 떠올린 생각입니다. 어떤 방법으로 생각했는지 번호를 쓰세요.
(   )

> 표정이나 행동을 보면 모두 즐겁게 자신의 일을 하시는 것 같아.

① 자신의 경험 떠올리기
② 말이나 행동에서 단서 확인하기

4 「우리는 이미 하나」라는 제목의 의미에 ○표 하세요.
(1) 북한 이탈 주민과 우리는 똑같이 생겼다.
                               (   )
(2) 북한 이탈 주민도 우리와 똑같아지는 것을 원한다.
                               (   )
(3) 우리 주변의 북한 이탈 주민들이 모두 같은 민족이자 하나의 겨레라는 뜻이다.   (   )

📒 서술형·논술형 문제

5 오른쪽 그림을 보고 추론할 수 있는 내용을 쓰세요.

_____

_____

기본

수원 화성을 어떻게 만들었을까

• 글의 종류: 설명하는 글
• 글의 특징: 수원 화성을 쌓는 과정을 세세하게 기록해 놓은 『화성성역의궤』의 의의와 가치, 수원 화성의 볼거리에 대해 설명한 글입니다.

6단원

1 『화성성역의궤』는 수원 화성에 성을 쌓는 과정을 기록한 책인 의궤야. 수원 화성은 일제 강점기를 거치면서 성곽일대가 훼손되기 시작하고 [성곽 일대가 훼손되기 시작한 때] 6.25 전쟁 때 크게 파괴되었는 [수원 화성이 크게 파괴된 때] 데, 『화성성역의궤』를 보고 원래의 모습대로 다시 만들어졌단다. 덕분에 수원 화성이 1997년에 유네스코 세계 문화유산으로 등록될 수 있었어.

📝**중심 내용 1** 『화성성역의궤』는 수원 화성에 성을 쌓는 과정을 기록한 책인 의궤입니다.

2 『화성성역의궤』는 정조 임금이 갑자기 세상을 떠나는 [『화성성역의궤』가 순조 때 만들어진 까닭] 바람에 다음 임금인 순조 때 만들어졌는데, 건축과 관련된 의궤 가운데에서도 가장 내용이 많아. 수원 화성 공사와 관련된 공식 문서는 물론, 참여 인원, 사용된 물품, 설계 등의 기록이 그림과 함께 실려 있는 일종의 보고서인 셈이야. 내용이 아주 세세하고 치밀해서 공사에 참여한 기술자 1800여 명의 이름과 주소, 일한 날수와 받은 임금까지 적혀 있어. 공사에 사용된 모든 물건의 크기와 값은 또 얼마나 상세히 적었는지 입이 떡 벌어질 정도라니까. [매우 놀랄] 당시에 이렇게 자세한 공사 보고서를 남긴 나라는 우리나라밖에 없다고 해.

📝**중심 내용 2** 『화성성역의궤』는 건축과 관련된 의궤 가운데에서 가장 내용이 많습니다.

3 수원 화성은 정조 임금의 원대한 꿈이 담긴 곳으로 볼거리가 많아. 건물 하나만 보는 것보다는 주변 경치를 함께 감상하는 것이 더 좋아. ㉠정조 임금이 엄격하게 고른 좋은 자리에 지었으니까. 수원 화성은 규모가 커서 다 돌아보려면 꽤 시간이 걸려. 다리가 아프면 화성 열차를 타는 것도 좋겠지. 화성 열차는 수원 화성 구경을 하러 온 사람들을 위해 마련한 열차야.

📝**중심 내용 3** 수원 화성은 건물만 보는 것보다는 주변 경치를 함께 감상하는 것이 좋습니다.

4 더 둘러보고 싶은 친구가 있다면 근처에 있는 융건릉과 용주사에 가 볼 것을 추천할게. 융

✿ 수원 화성

건릉은 사도 세자의 무덤인 융릉과 정조 임금의 무덤인 건릉을 합쳐서 부르는 이름이고, 용주사는 사도 세자의 명복을 빌려고 지은 절이야.

📝**중심 내용 4** 근처에 있는 융건릉과 용주사에 가 볼 것을 추천합니다.

---

6 『화성성역의궤』에 대해 설명한 것의 기호를 쓰세요.

㉮ 수원 화성에 성을 쌓는 과정을 기록한 책이다.
㉯ 수원 화성을 지은 지역이 지리적으로 좋은 점을 설명한 책이다.

( )

7 『화성성역의궤』에 실려 있는 기록이 아닌 것은 어느 것인가요? ( )

① 수원 화성 공사의 참여 인원
② 수원 화성 공사에 사용된 물품
③ 수원 화성 공사에 사용된 물건의 크기와 값
④ 수원 화성 공사가 환경에 끼친 영향과 대책
⑤ 수원 화성 공사에 참여한 기술자의 이름과 주소

8 ㉠을 읽고 추론할 수 있는 내용으로 알맞은 것에 ○표 하세요.

(1) 정조 임금은 수원 화성 건축을 반대했다.

( )

(2) 정조 임금은 수원 화성을 건축하는 데 많은 관심을 가졌다.

( )

🎓 교과서 문제

9 수원 화성 근처에는 어떤 문화유산이 더 있는지 이 글에서 찾아 쓰세요.

(,)

서울의 궁궐

① 현재 서울에 남아 있는 조선 시대의 궁궐은 모두 다섯 곳으로 경복궁, 창덕궁, 창경궁, 경희궁, 경운궁이다.

✏️ **중심 내용 ①** 현재 서울에 남아 있는 조선 시대의 궁궐은 모두 다섯 곳입니다.

궁궐의 건물

② 궁궐에는 왕과 왕비뿐만 아니라 왕실의 가족과 관리, 군인, 내시, 나인 등 많은 사람이 살았다. 이 사람들은 각자 자신의 신분에 알맞은 건물에서 생활했고, 건물의 명칭 또한 주인의 신분에 따라 달랐다. 예컨대 궁궐에는 강녕전이나 교태전과 같이 '전' 자가 붙는 건물이 있는데, 이러한 건물에는 궁궐에서 가장 신분이 높은 왕과 왕비만 살 수 있었다. 왕실 가족이나 후궁들은 주로 '전'보다

'당' 자가 붙은 건물에 살 수 있는 사람들

한 단계 격이 낮은 '당' 자가 붙는 건물을 사용했다. 그 밖의 궁궐 사람들은 주로 '각', '재', '헌'이 붙는 건물에서 생활했다. 그러나 경우에 따라서는 왕도 '전'이 아닌 다른 건물을 사용했다.

'전' 자가 붙은 건물에 살 수 있는 사람

○ 서울의 궁궐

✏️ **중심 내용 ②** 궁궐에 사는 많은 사람은 자신의 신분에 알맞은 건물에서 생활했습니다.

- **글의 종류**: 설명하는 글
- **글의 특징**: 현재 서울에 남아 있는 조선 시대의 궁궐 다섯 곳의 주요 건물과 그 건물의 쓰임, 특징, 그와 관련된 이야기 등을 설명한 글입니다.

6 단원

📍 글의 내용 추론하기

'전' 자가 붙은 건물: 왕과 왕비만 살 수 있었음.

⬇️

각자 자신의 신분에 알맞은 건물에서 생활했습니다.

⬇️

조선 시대에는 신분에 따른 차이가 아주 명확했습니다.

---

10 현재 서울에 남아 있는 조선 시대의 궁궐이 <u>아닌</u> 것은 무엇인가요? (   )

① 경복궁
② 창덕궁
③ 창경궁
④ 경희궁
⑤ 인경궁

11 궁궐에 대한 설명으로 알맞지 <u>않은</u> 것에 ×표 하세요.

(1) 궁궐에는 왕과 왕비, 왕실 가족만 살았다.
(   )

(2) 궁궐에 사는 사람들은 각자 자신의 신분에 알맞은 건물에서 생활했다. (   )

(3) 왕실 가족이나 후궁들은 주로 '전'보다 한 단계 격이 낮은 '당' 자가 붙는 건물을 사용했다.
(   )

12 궁궐에서 '전' 자가 붙은 건물을 사용했던 사람들은 누구였는지 쓰세요.

- 강녕전이나 교태전과 같이 '전' 자가 붙는 건물에는 궁궐에서 가장 신분이 높은 [   ]만 살 수 있었다.

🍞 교과서 문제

13 이 글을 읽고 추론할 수 있는 내용은 무엇인가요?
(   )

① 궁궐에는 왕과 왕비만 살았다.
② 왕은 '당' 자가 붙는 건물에 주로 살았다.
③ 조선 시대에는 신분에 관계없이 살았다.
④ 조선 시대에는 신분에 따른 차이가 아주 명확했다.
⑤ 현재 서울에는 조선 시대의 궁궐이 남아 있지 않다.

경복궁

❸ '큰 복을 누리며 번성하라'는 뜻을 가진 경복궁은 조선 시대 최초의 궁궐이면서 여러 궁궐 가운데 가장 대표적인 것이다. 경복궁은 태조 이성계가 조선을 세운 뒤에 한양, 즉 지금의 서울에 세운 조선의 법궁이다.

경복궁의 건물은 7600여 칸으로 규모가 어마어마하다. 경복궁에서 가장 웅장한 건물은 '부지런히 나라를 다스리라'는 뜻을 지닌 근정전이다. 근정전은 왕의 ㉠즉위식, 왕실의 혼례식, 외국 사신과의 만남과 같은 나라의 중요한 행사를 치르던 곳이다.

경복궁에서 안쪽에 자리 잡은 교태전은 왕비가 생활하던 곳이다. 교태전은 중앙에 대청마루를 두고 왼쪽과 오른쪽에 온돌방을 놓은 구조로 되어 있다. 교태전 뒤쪽으로
교태전의 특징
는 아미산이라는 작고 아름다운 후원이 있다.

'경사스러운 연회'라는 뜻의 경회루는 커다란 연못 중앙에 섬을 만들고 그 위에 지
경회루의 특징
은, 우리나라에서 가장 큰 누각이다. 이곳은 왕이 외국 사신을 접대하거나 신하들에게 연회를 베풀던 장소이다.

✏️**중심 내용 ❸** 경복궁은 조선의 법궁으로 근정전, 교태전, 경회루 등이 있습니다.

창덕궁

❹ 창덕궁은 경복궁 동쪽에 있다고 하여 창경궁과 함께 '동궐'로도 불렸다. 건물과 후원이 잘 어우러져 아름다우며 유네스코 세계 문화유산으로 기록되었다. 산이 많은 우리나라답게 산자락에 자연스럽게 배치한 건물이 인상적이다. 넓은 후원의 정자와 연못들은 우리나라 전통 정원의 모습을 잘 보여 주고 있다.

📍 **경복궁 근정전과 교태전의 특징**

근정전	• 경복궁에서 가장 웅장한 건물 • 왕의 즉위식, 왕실의 혼례식과 같은 나라의 중요한 행사를 치르던 곳
교태전	• 왕비가 생활하던 곳 • 중앙에 대청마루를 두고 왼쪽과 오른쪽에 온돌방을 놓은 구조

📍 **글의 내용 추론하기**

• 근정전: 부지런히 나라를 다스리라
• 경회루: 경사스러운 연회

↓

건물의 쓰임이나 건축을 하는 의미에 어울리게 이름을 지었습니다.

법궁 나라의 공식적인 궁궐.
후원 대궐 안에 있는 동산.

🐚**교과서 문제**

14 ㉠'즉위식'의 뜻을 알맞게 추론한 사람의 이름을 쓰세요.

> 지은: '즉위식' 앞에는 '왕의'라는 말이 있으므로 왕이 외국 사신을 접대하거나 신하들에게 연회를 베풀던 장소를 뜻하는 낱말일 거야.
>
> 순규: '즉위식' 앞에는 '왕의'라는 말이 있고, 그 뒷부분에는 "왕실의 혼례식, 외국 사신과의 만남과 같은 나라의 중요한 행사를 치르던 곳이다."라는 문장이 있으므로 결혼식을 뜻하는 낱말일 거야.
>
> 민정: '즉위식' 앞에는 '왕의'라는 말이 있고, 그 뒷부분에는 "왕실의 혼례식, 외국 사신과의 만남과 같은 나라의 중요한 행사를 치르던 곳이다."라는 문장이 있으므로 왕위에 오르는 식을 뜻하는 낱말일 거야.

( )

15 다음에서 설명하는 건물의 이름을 쓰세요.

> • 경복궁에서 왕비가 생활하던 곳이다.
> • 중앙에 대청마루를 두고 왼쪽과 오른쪽에 온돌방을 놓은 구조로 되어 있다.

( )

16 창덕궁에 대한 설명으로 잘못된 것은 어느 것인가요?

( )

① '동궐'로도 불렸다.
② 경복궁의 동쪽에 있는 궁궐이다.
③ 건물과 후원이 잘 어우러져 있다.
④ 유네스코 세계 문화유산으로 기록되었다.
⑤ 창덕궁의 후원은 중국식 정원을 잘 보여 주는 것으로 유명하다.

특히 부용지는 '하늘은 둥글고 땅은 네모나다'는 전통적 사상을 반영하여, 땅을 나타내는 네모난 연못 가운데 하늘을 뜻하는 둥근 섬을 띄워 놓은 형태이다. 연못 가장자리에 있는 부용정은 십자(+) 모양의 정자로, ㉠단청이 화려하고 **처마** 끝 곡선이 무척 아름답다.

❖ 부용지와 부용정

✎**중심 내용 ④** 창덕궁은 건물과 후원이 잘 어우러져 아름다우며 유네스코 세계 문화유산으로 기록되었습니다.

창경궁

5 창경궁은 성종이 할머니들을 모시려고 지은 궁궐로, 효자로 유명한 정조가 태어난 곳이기도 하여 효와 인연이 깊다. 창경궁은 임진왜란 때 불탔다가 광해군 때 제 모습을 찾았으나, 그 뒤로도 큰 화재를 겪는 <u>수난</u>을 당했다. 문정전 앞
<small>창경궁이 겪은 수난</small>

❖ 창경궁 명정전

뜰은 사도 세자가 목숨을 잃은 비극이 일어난 곳으로 유명하다. 왕비가 생활하던 통명전 서쪽에는 아름다운 연못이 있고, 뒤쪽에는 '열천'이라는 우물이 남아 있다.
<small>사도 세자가 목숨을 잃은 곳</small>

한편 일제 강점기에는 일본 사람들이 창경궁에 동물원과 식물원을 만들면서 많은 건물을 헐고, 이름도 '창경원'으로 바꾸었다. 1983년에 동물원과 식물원 일부를 옮기고 창경궁이라는 이름을 되찾았다.

✎**중심 내용 ⑤** 창경궁은 많은 수난을 당한 궁궐로 일제 강점기에는 일본 사람들이 이름도 '창경원'으로 바꾸었습니다.

📍 **창덕궁 부용지와 부용정의 특징**

부용지	• '하늘은 둥글고 땅은 네모나다'는 전통적 사상 반영 • 네모난 연못 가운데 둥근 섬을 띄워 놓은 형태
부용정	• 십자 모양의 정자 • 단청이 화려하고 처마 끝 곡선이 아름다움.

📍 **추론하며 글 읽기**

일제 강점기에 창경궁의 이름이 '창경원'으로 바뀜.

↓

추론한 사실
일제 강점기에 왕실이 힘을 잃으면서 일본 사람들은 조선 왕실의 격을 낮춤.

처마 지붕의 바깥쪽으로 나와 있는 부분.
㉠ 한옥은 <u>처마</u>가 있어 아름답습니다.

수난(受 받을 수 難 어려울 난) 견디기 힘든 어려운 일을 당함.

---

17 빈칸에 알맞은 말을 쓰세요.

> 창덕궁의 후원에는 전통적 사상을 반영하여 네모난 연못 가운데 둥근 섬을 띄운 (   )가 있다.

🗂 서술형·논술형 문제

18 ㉠'단청'의 앞뒤 문장에서 추론한 뜻과 그렇게 생각한 까닭을 쓰세요.

(1) 추론한 뜻	(2) 그렇게 생각한 까닭

19 성종이 창경궁을 지은 목적은 무엇인가요? (   )
① 할머니들을 모시기 위해서
② 자신이 여가를 즐기기 위해서
③ 신하들과 나랏일을 의논하기 위해서
④ 대군이나 군 등 자손들이 살 곳이 없어서
⑤ 궁궐을 지키는 군인들이 머물 공간이 필요해서

20 이 글을 읽고 새롭게 안 내용이 <u>아닌</u> 것을 찾아 기호를 쓰세요.

> ㉮ 창경궁에서 사도 세자가 목숨을 잃었다.
> ㉯ 부용지에 전통적 사상이 반영되어 있다.
> ㉰ 광복 후에 창경궁이 창경원으로 이름을 바꾸었다.

(   )

경희궁

6 경희궁의 처음 이름은 경덕궁이었으나, 영조 때 경희궁으로 고쳐 불렀다. 인조
이후 철종에 이르기까지 10대에 걸쳐 왕들이 머물렀다. 특히 영조는 25년 동안이나
_{경희궁의 처음 이름}
이곳에 머물렀다고 한다. 경희궁은 경복궁 서쪽에 있다고 하여 '서궐'로도 불렸다. 궁
_{경희궁이 '서궐'로 불린 까닭}
궐의 원래 규모는 1500칸에 이르렀으나, 일제 강점기에 강제로 헐려 터만 남아 있다
가 최근에 옛 모습의 일부를 되찾았다.

이 궁궐 안에는 왕이 신하들과 나랏일을 논의하거나 사신을 접대하는 등의 행사를
치르던 숭정전과 영조의 어진을 모신 태령전이 있다.
_{숭정전의 쓰임}　　　_{태령전의 쓰임}

✏️ 중심 내용 6 경희궁은 일제 강점기에 강제로 헐려 터만 남아 있다가 최근에 옛 모습의 일부를 되찾았습니다.

경운궁

7 지금의 덕수궁은 원래 경운궁이라고 불렸는데, 성종의 형인 월산 대군의 집이었
다. 선조가 임진왜란이 끝난 뒤에 서울로 돌아오니 궁궐이 모두 불타 버려서 이곳을
넓혀 행궁으로 만들었다고 한다. 선조가 죽고 광해군이 왕위에 오른 뒤에 이 행궁을
경운궁이라고 했다. 그러다가 조선 왕조 말기에 고종이 강한 나라들의 정치적 ㉠소용
돌이에 휘말리면서 거처를 경운궁으로 옮긴 뒤, 비로소 궁궐다운 모습을 갖추었다.

경운궁 안에는 중화전과 같은 전통적 건물, 석조전이나 정관헌과 같은 서양식 건물
이 함께 들어서 있다. 중화전은 국가적 의식을 치르던 곳이고, 석조전은 왕이 일상생
_{전통적 건물}　　　　　　　　　　_{서양식 건물}
활을 하던 곳이다. 정관헌은 고종 황제가 커피를 마시며 여가를 즐기거나 손님을 맞
이하던 곳이다.

✏️ 중심 내용 7 지금의 덕수궁은 원래 경운궁이라고 불렸는데, 임진왜란 뒤에 행궁이 되었다가 고종 때 궁궐다운 모습을 갖추었습니다.

📍 추론하며 글 읽기

> 경희궁의 원래 규모는 1500칸에 이르렀으나 일제 강점기에 강제로 헐려 터만 남게 됨.

⬇️

추론한 사실

> 조선 시대에는 왕권이 강했으나 일제 강점기에 왕실이 힘을 잃음.

> 경운궁 안에는 중화전과 같은 전통적 건물, 석조전이나 정관헌과 같은 서양식 건물이 함께 들어서 있음.

⬇️

추론한 사실

> 고종 임금 때에는 서양 문물을 받아들임.

어진(御 거느릴 어 眞 참 진) 임금의 얼굴 그림이나 사진.
행궁(行 다닐 행 宮 집 궁) 임금이 나들이 때에 머물던 궁궐.
㉠ 화성 행궁은 정조 임금 때 지었습니다.
소용돌이 힘이나 사상, 감정 따위가 서로 뒤엉켜 요란스러운 상태를 비유적으로 이르는 말.

---

21 경희궁에 대한 설명으로 알맞지 않은 것에 ✕표 하세요.
(1) 경복궁의 서쪽에 위치해 있다. (　　　)
(2) 왕들이 잠깐씩만 머물던 궁궐이다. (　　　)
(3) 원래 1500칸의 규모였는데 일제 강점기에 강제로 헐려 터만 남아 있었다. (　　　)

22 다음 문장에서 '소용돌이'가 ㉠과 같은 뜻으로 쓰인 것은 어느 것인가요? (　　　)
① 물의 소용돌이가 매우 강하다.
② 울돌목은 해류의 소용돌이로 유명하다.
③ 혼란의 소용돌이 속을 지혜롭게 헤쳐 나왔다.
④ 갑자기 강한 바람에 의한 소용돌이가 일어났다.
⑤ 빨간색 색연필로 소용돌이 모양을 그려 나갔다.

🏫 교과서 문제

23 「서울의 궁궐」을 읽고 추론한 내용으로 알맞은 것의 기호를 쓰세요.

> ㉮ 조선 시대에는 신분에 따른 차이가 매우 명확했다.
> ㉯ 조선 시대에는 왕권이 약했으나 일제 강점기에 강해졌다.

(　　　　　　　)

24 다음은 「서울의 궁궐」을 읽고 새롭게 안 내용입니다. 빈칸에 알맞은 말을 쓰세요.

> 지금의 덕수궁은 원래 (　　　　　)이라고 불렸는데, 임진왜란 뒤에 행궁이 되었다가 고종 때 궁궐다운 모습을 갖추었다.

정답 13쪽

국어 교과서 227쪽

2. 「서울의 궁궐」을 읽고 물음에 답해 봅시다.

(1) 현재 서울에 남아 있는 조선 시대의 궁궐은 무엇무엇인가요?

예시 답안 경복궁, 창덕궁, 창경궁, 경희궁, 경운궁입니다.

풀이 현재 서울에 남아 있는 궁궐은 모두 다섯 곳으로 경복궁, 창덕궁, 창경궁, 경희궁, 경운궁입니다.

(2) '전' 자가 붙은 건물에는 누가 살 수 있었나요?

예시 답안 궁궐에서 가장 신분이 높은 왕과 왕비입니다.

풀이 강녕전이나 교태전과 같이 '전' 자가 붙는 건물에는 궁궐에서 가장 신분이 높은 왕과 왕비만 살 수 있었습니다.

(3) 건물과 후원이 잘 어우러져 유네스코 세계 문화유산으로 기록된 궁궐은 어느 것인가요?

예시 답안 창덕궁입니다.

풀이 창덕궁은 건물과 후원이 잘 어우러져 유네스코 세계 문화유산으로 기록되었습니다.

3. 「서울의 궁궐」에서 뜻을 알지 못하는 낱말이나 문장의 뜻을 추론해 봅시다.

(1) 다음 낱말의 앞뒤 문장에서 추론한 뜻과 그렇게 생각한 까닭은 무엇인가요?

낱말	추론한 뜻	그렇게 생각한 까닭
즉위식	예시 답안 임금의 자리에 오르는 것을 백성과 조상에게 알리기 위해 치르는 식	예시 답안 낱말 앞에 '왕의'라고 되어 있고, 낱말 뒤에 '왕실의 혼례식, 외국 사신과의 만남과 같은 나라의 중요한 행사'라고 했으므로 왕위에 오르는 식일 것 같다.
단청	옛날식 건물에 그린 그림이나 무늬	단청이 화려하다고 했기 때문에 그림이나 무늬를 말하는 것으로 생각했다.
소용돌이	예시 답안 서로 엉켜 혼란스러운 상태	예시 답안 낱말 뒤에 '휘말리면서'라는 말이 있고, 낱말에 '돌이'라는 표현이 있어 돌아가는 모습을 생각해 보니 혼란스러운 상태일 것 같다.

(2) 글에서 뜻을 알지 못하는 낱말이나 문장을 어떻게 이해할 수 있었나요? 친구들과 이야기해 보세요.

예시 답안 앞뒤 문장에서 알 수 있는 사실을 바탕으로 하여 그 뜻을 추론할 수 있었습니다.

풀이 앞뒤 문장에서 알 수 있는 사실을 바탕으로 하여 뜻을 알지 못하는 낱말이나 문장의 뜻을 추론할 수 있습니다.

자습서 확인 문제

6 단원

진도 완료 체크

1 현재 서울에 남아 있는 조선 시대의 궁궐은 모두 몇 개인가요?

( )

2 궁궐에서 가장 신분이 높은 왕과 왕비는 어떤 건물에서 살았는지 기호를 쓰세요.

> ㉠ '당' 자가 붙은 건물
> ㉡ '전' 자가 붙은 건물
> ㉢ '헌' 자가 붙은 건물
> ㉣ 가장 이름이 긴 건물

( )

3 '서로 엉켜 혼란스러운 상태'를 뜻하는 낱말의 기호를 쓰세요.

> ㉠ 단청
> ㉡ 즉위식
> ㉢ 소용돌이

( )

4 글에서 뜻을 알지 못하는 낱말을 어떻게 이해할 수 있나요?

• 앞뒤 문장에서 알 수 있는 사실을 바탕으로 하여 그 뜻을 □□ 할 수 있습니다.

[25~27] 다음 주제를 보고 물음에 답하세요.

| 지구 | 교복 | 미세 먼지 | 평등 | 소비 |
| 스마트폰 | 공공시설 | 전통문화 | 스포츠 정신 | |

25 다음을 읽고 영수가 관심 있는 분야는 무엇인지 찾아 쓰세요.

> 영수: 경복궁 교태전에는 아름다운 꽃 담장이 있다는 교육 방송의 내용을 보고 조선 시대 집의 담장의 여러 형태가 궁금해졌어.

(   )

26 '스마트폰'이라는 분야의 주제에 대해 알리고 싶은 문장으로 알맞지 <u>않은</u> 것은 어느 것인가요? (   )
① 스마트폰 사용을 줄이자.
② 스마트폰 사용을 알맞게 하자.
③ 초등학생의 스마트폰 사용은 유익하다.
④ 전화기의 원리와 발달 과정을 연구하자.
⑤ 길을 걸을 때에는 스마트폰 사용을 하지 말자.

27 다음에서 수지는 어떤 주제와 관련 있는 경험을 이야기했는지 찾아 쓰세요.

> 수지: 옆 반과 축구 시합을 할 때 옆 반의 친구가 우리 반 친구를 밀어서 넘어뜨린 일이 있었어.

(   )

[28~30] 영상 광고 만들기에 대한 내용을 보고 물음에 답하세요.

> ㉮ 역할 나누기
> ㉯ 장면 촬영하기
> ㉰ 편집 도구로 자막 넣기
> ㉱ 촬영 도구와 편집 도구 준비하기
> ㉲ 영상 광고 주제, 내용과 분량 정하기
> ㉳ 완성한 영상 광고를 함께 보며 고치기

28 ㉮'역할 나누기'를 할 때 주의할 점으로 알맞은 것을 두 가지 고르세요. (,   )
① 어려운 역할은 모두 선생님께 부탁한다.
② 역할을 나눌 때 모두 선생님 의견대로 한다.
③ 친구들의 능력과 선호도를 고려해 역할을 나눈다.
④ 재능이 많은 친구에게만 여러 가지 역할을 맡긴다.
⑤ 서로 의견이 맞지 않을 때에는 민주적인 절차를 거쳐 역할을 나눈다.

29 다음은 ㉮~㉳ 가운데 어느 단계를 표현한 그림인지 기호를 쓰세요.

자막은 이렇게 넣는 게 좋겠어.

(   )

30 ㉮~㉳를 영상 광고를 만드는 순서에 맞게 기호를 쓰세요.
㉲ → ㉮ → (   ) → (   ) → (   ) → ㉳

🗄 서술형·논술형 문제

31 다음 주제와 친구들이 만든 영상 광고를 보고 알맞은 제목을 붙여 보세요.

| 주제 |
| 스포츠 정신 |

[1~3] 우리는 이미 하나

1 ❶의 오른쪽 가려진 부분에는 어떤 직업을 가진 사람이 있겠습니까? (　　　)

① 한의사　　② 선생님　　③ 미용사
④ 변호사　　⑤ 판매원

2 다음과 같은 의미를 가지고 있는 말은 무엇인지 영상에서 찾아 쓰시오.

> 우리 주변의 북한 이탈 주민들이 모두 같은 민족이자 하나의 겨레라는 뜻이다.

(　　　　　　　　　　　　　　　)

3 다음은 영상을 보고 제목을 이해하려고 떠올린 생각입니다. 어떤 방법으로 생각했는지 줄로 이으시오.

(1) 표정이나 행동을 보면 모두 즐겁게 자신의 일을 하시는 것 같아.　　•

•㉮ 자신의 경험 떠올리기

(2) 낯선 곳을 잠깐 여행하는 것도 힘든 점이 많던데 잘 적응하며 사시는 게 놀라워.　　•

•㉯ 말이나 행동에서 단서 확인하기

[4~5] 야묘도추

4 이 그림을 보고 알 수 있는 사실을 **잘못** 말한 것은 어느 것입니까? (　　　)

① 남자가 막대를 뻗으며 뛰쳐나가고 있다.
② 암탉이 날개를 펴고 고양이에게 달려가고 있다.
③ 남자가 하던 일거리가 마당에 떨어진 것에서 다급한 마음이 느껴진다.
④ 남자 뒤의 여자는 고양이를 잡는 남자에게 화가 나서 남자를 노려보고 있다.
⑤ 이 그림은 병아리를 물고 달아나는 고양이와 그 고양이를 잡으려는 사람의 모습을 순간적으로 포착해 재미있게 나타냈다.

5 이 그림을 보고 자신의 경험을 떠올린 사람은 누구인지 쓰시오.

> 진성: 할머니 댁에서 개를 본 적이 있는데 강아지를 다섯 마리나 데리고 다녔어.
> 민아: 달아나는 고양이나 고양이를 쫓아 뛰쳐나가는 남자의 마음은 모두 급할 거야.
> 유진: 고양이가 내 신발을 물고 달아나서 깜짝 놀란 적이 있는데 남자의 마음도 같았을 거야.

(　　　　　　　　　　　　　　　)

서술형·논술형 문제

6 오른쪽 그림을 보고 알 수 있는 사실을 추론하여 쓰시오.

_____

_____

7 추론하며 글을 읽을 때의 좋은 점을 두 가지 고르시오. (,)

① 글에 대해 생각을 너무 오래 하게 된다.
② 좀 더 깊고 넓게 내용을 이해할 수 있다.
③ 글에 직접 드러나지 않은 내용을 생각할 수 있다.
④ 사람마다 생김새가 다르다는 것을 이해할 수 있다.
⑤ 글쓴이가 글을 쓸 때의 마음을 정확하게 알 수 있다.

[8~11] 수원 화성을 어떻게 만들었을까

『화성성역의궤』는 수원 화성에 성을 쌓는 과정을 기록한 책인 의궤야. 수원 화성은 일제 강점기를 거치면서 성곽 일대가 훼손되기 시작하고 6.25 전쟁 때 크게 파괴되었는데, 『화성성역의궤』를 보고 원래의 모습대로 다시 만들어졌단다. 덕분에 수원 화성이 1997년에 유네스코 세계 문화유산으로 등록될 수 있었어.

『화성성역의궤』는 정조 임금이 갑자기 세상을 떠나는 바람에 다음 임금인 순조 때 만들어졌는데, 건축과 관련된 의궤 가운데에서도 가장 내용이 많아. 수원 화성 공사와 관련된 공식 문서는 물론, 참여 인원, 사용된 물품, 설계 등의 기록이 그림과 함께 실려 있는 일종의 보고서인 셈이야. 내용이 아주 세세하고 치밀해서 공사에 참여한 기술자 1800여 명의 이름과 주소, 일한 날수와 받은 임금까지 적혀 있어.

8 수원 화성이 수난을 겪은 때는 언제인지 두 가지 고르시오. (,)

① 6.25 전쟁
② 조선 후기
③ 일제 강점기
④ 3·1 운동
⑤ 정조가 세상을 떠난 날

9 다음은 어떤 방법으로 내용을 짐작했는지 알맞은 방법에 ○표 하시오.

> 일제 강점기를 거치면서 성곽 일대가 훼손되기 시작했다.

> 6.25 전쟁 때 수원 화성이 크게 파괴되었다.

추론한 내용

수원 화성은 여러 위기를 거치면서 원래의 모습을 잃었다.

(1) 자신의 경험 떠올리기 ( )
(2) 이야기에서 찾을 수 있는 단서 확인하기 ( )

10 파괴된 수원 화성을 원래의 모습대로 만들 수 있었던 가장 알맞은 까닭은 무엇입니까? ( )

① 성을 쌓은 벽돌이 부서지지 않아서
② 정조 임금 때 『화성성역의궤』를 만들어서
③ 순조 임금이 수원 화성을 복원하도록 명령을 해서
④ 정조실록에 수원 화성 공사에 대한 기록이 있어서
⑤ 『화성성역의궤』에 수원 화성 공사에 사용된 물품, 설계 등의 기록이 자세히 실려 있어서

11 이 글을 읽고 추론할 수 있는 글쓴이의 생각으로 알맞은 것은 무엇입니까? ( )

① 『화성성역의궤』는 아주 두껍다.
② 『화성성역의궤』는 소중해서 보기 어렵다.
③ 수원 화성은 잘 파괴되므로 보호해야 한다.
④ 유네스코 세계 문화유산으로 등록되는 문화재는 대단하다.
⑤ 수원 화성은 세계적인 문화유산으로 인정받을 만큼 훌륭한 건축물이다.

[12~16] 서울의 궁궐

궁궐의 건물

궁궐에는 왕과 왕비뿐만 아니라 왕실의 가족과 관리, 군인, 내시, 나인 등 많은 사람이 살았다. ㉠이 사람들은 각자 자신의 신분에 알맞은 건물에서 생활했고, 건물의 명칭 또한 주인의 신분에 따라 달랐다. 예컨대 궁궐에는 강녕전이나 교태전과 같이 '전' 자가 붙는 건물이 있는데, 이러한 건물에는 궁궐에서 가장 신분이 높은 왕과 왕비만 살 수 있었다. 왕실 가족이나 후궁들은 주로 '전'보다 한 단계 격이 낮은 '당' 자가 붙는 건물을 사용했다. 그 밖의 궁궐 사람들은 주로 '각', '재', '헌'이 붙는 건물에서 생활했다. 그러나 경우에 따라서는 왕도 '전'이 아닌 다른 건물을 사용했다.

경복궁

'큰 복을 누리며 번성하라'는 뜻을 가진 경복궁은 조선 시대 최초의 궁궐이면서 여러 궁궐 가운데 가장 대표적인 것이다. 경복궁은 태조 이성계가 조선을 세운 뒤에 한양, 즉 지금의 서울에 세운 조선의 법궁이다.

경복궁의 건물은 7600여 칸으로 규모가 어마어마하다. 경복궁에서 가장 웅장한 건물은 '부지런히 나라를 다스리라'는 뜻을 지닌 근정전이다. 근정전은 왕의 즉위식, 왕실의 혼례식, 외국 사신과의 만남과 같은 나라의 중요한 행사를 치르던 곳이다.

경복궁에서 안쪽에 자리 잡은 교태전은 왕비가 생활하던 곳이다. 교태전은 중앙에 대청마루를 두고 왼쪽과 오른쪽에 온돌방을 놓은 구조로 되어 있다. 교태전 뒤쪽으로는 아미산이라는 작고 아름다운 후원이 있다.

'경사스러운 연회'라는 뜻의 경회루는 커다란 연못 중앙에 섬을 만들고 그 위에 지은, 우리나라에서 가장 큰 누각이다. 이곳은 왕이 외국 사신을 접대하거나 신하들에게 연회를 베풀던 장소이다.

12 다음에서 가장 격이 높은 건물은 어느 것입니까?

( )

① '전' 자가 붙은 건물　② '당' 자가 붙은 건물
③ '각' 자가 붙은 건물　④ '재' 자가 붙은 건물
⑤ '헌' 자가 붙은 건물

13 ㉠의 예로 알맞지 <u>않은</u> 것은 어느 것입니까? ( )

① '당' 자가 붙은 건물에는 후궁이 살았다.
② 왕도 '전'이 아닌 다른 건물을 사용했다.
③ '전' 자가 붙은 건물에는 왕과 왕비가 살았다.
④ '당' 자가 붙은 건물에는 왕실의 가족이 살았다.
⑤ 내시나 나인 들은 '각', '재', '헌'이 붙은 건물에서 생활했다.

14 경복궁에 대한 설명으로 알맞은 것을 두 가지 고르시오.

(,)

① 조선의 법궁이다.
② 건물이 7600여 칸이다.
③ 근정전은 왕실 가족이 만찬을 즐기던 곳이다.
④ 교태전은 경복궁에서 가장 오른쪽에 자리 잡고 있다.
⑤ 근정전은 '큰 복을 누리며 번성하라'는 뜻을 가지고 있다.

15 다음에서 설명하는 건물은 무엇인지 쓰시오.

> • '경사스러운 연회'라는 뜻을 가졌다.
> • 우리나라에서 가장 큰 누각이다.
> • 왕이 외국 사신을 접대하거나 신하들에게 연회를 베풀던 장소이다.

( )

16 이 글을 읽고 알게 된 사실을 <u>잘못</u> 말한 사람의 이름을 쓰시오.

> 지원: 궁궐에는 왕과 왕비 그리고 왕실 가족만이 살았어.
> 인정: 궁궐에서 가장 신분이 높은 사람은 왕과 왕비였어.
> 미래: 경복궁에서 가장 웅장한 건물은 나라의 중요한 행사를 치르던 근정전이야.

( )

[17~18] 서울의 궁궐

(가) 창경궁은 성종이 할머니들을 모시려고 지은 궁궐로, 효자로 유명한 정조가 태어난 곳이기도 하여 효와 인연이 깊다. 창경궁은 임진왜란 때 불탔다가 광해군 때 제 모습을 찾았으나, 그 뒤로도 큰 화재를 겪는 수난을 당했다. 문정전 앞뜰은 사도 세자가 목숨을 잃은 비극이 일어난 곳으로 유명하다. 왕비가 생활하던 통명전 서쪽에는 아름다운 연못이 있고, 뒤쪽에는 '열천'이라는 우물이 남아 있다.

한편 일제 강점기에는 일본 사람들이 창경궁에 동물원과 식물원을 만들면서 많은 건물을 헐고, 이름도 '창경원'으로 바꾸었다. 1983년에 동물원과 식물원 일부를 옮기고 창경궁이라는 이름을 되찾았다.

(나) 경희궁의 처음 이름은 경덕궁이었으나, 영조 때 경희궁으로 고쳐 불렀다. 인조 이후 철종에 이르기까지 10대에 걸쳐 왕들이 머물렀다. 특히 영조는 25년 동안이나 이곳에 머물렀다고 한다. 경희궁은 경복궁 서쪽에 있다고 하여 '서궐'로도 불렸다. 궁궐의 원래 규모는 1500칸에 이르렀으나, 일제 강점기에 강제로 헐려 터만 남아 있다가 최근에 옛 모습의 일부를 되찾았다.

17 창경궁이 효와 인연이 깊다고 한 까닭을 두 가지 고르시오. (,   )

① 효자로 유명한 정조가 태어난 곳이어서
② 문정전 앞뜰에서 사도 세자가 목숨을 잃어서
③ 광해군이 아버지를 위해 건물을 다시 지어서
④ 성종이 할머니들을 모시려고 지은 궁궐이어서
⑤ 일본 사람들이 창경궁에 동물원과 식물원을 지어서

18 글 (가)와 (나)에서 알 수 있는 우리나라 궁궐의 수난으로 알맞은 것은 어느 것입니까? (   )

① 창경궁과 경희궁의 이름이 바뀌었다.
② 창경궁과 경희궁의 후원이 없어졌다.
③ 창경궁과 경희궁이 헐리고 동물원이 들어섰다.
④ 일본 사람들이 창경궁과 경희궁에 식물원을 지었다.
⑤ 일제 강점기에 일본 사람들이 창경궁과 경희궁의 건물을 헐었다.

[19~20] 서울의 궁궐

지금의 덕수궁은 원래 경운궁이라고 불렸는데, 성종의 형인 월산 대군의 집이었다. 선조가 임진왜란이 끝난 뒤에 서울로 돌아오니 궁궐이 모두 불타 버려서 이곳을 넓혀 행궁으로 만들었다고 한다. 선조가 죽고 광해군이 왕위에 오른 뒤에 이 행궁을 경운궁이라고 했다. 그러다가 조선 왕조 말기에 고종이 강한 나라들의 정치적 ⊙소용돌이에 휘말리면서 거처를 경운궁으로 옮긴 뒤, 비로소 궁궐다운 모습을 갖추었다.

경운궁 안에는 중화전과 같은 전통적 건물, 석조전이나 정관헌과 같은 서양식 건물이 함께 들어서 있다. 중화전은 국가적 의식을 치르던 곳이고, 석조전은 왕이 일상생활을 하던 곳이다. 정관헌은

○ 덕수궁 석조전

고종 황제가 커피를 마시며 여가를 즐기거나 손님을 맞이하던 곳이다.

📋 서술형·논술형 문제

19 ⊙'소용돌이'의 앞뒤 문장에서 추론한 뜻과 그렇게 생각한 까닭을 쓰시오.

(1) 추론한 뜻	(2) 그렇게 생각한 까닭

20 이 글을 읽고 새롭게 안 내용이 <u>아닌</u> 것은 어느 것입니까? (   )

① 덕수궁은 원래 경운궁이라고 불렸다.
② 임진왜란 때 궁궐이 모두 불타 버렸다.
③ 경운궁은 광해군 때 행궁으로 만든 곳이다.
④ 고종이 거처를 경운궁으로 옮기면서 궁궐다운 모습을 갖추었다.
⑤ 경운궁의 특이한 점은 서양식 건물과 전통적 건물이 함께 들어서 있다는 것이다.

7 우리말을 가꾸어요

개념 웹툰

왜 올바른 우리말을 사용해야 할까요?
스마트폰에서 확인하세요!

7단원

개념① 우리말 사용 실태 알아보기

① 여러 가지 매체나 주변에서 우리말을 어떻게 사용하는지 알아봅니다.
② '언어생활 자기 점검표'를 바탕으로 하여 친구들의 우리말 사용 실태를 조사해 봅니다.
③ 친구들의 우리말 사용 실태를 한눈에 보기 쉽게 도표로 나타냅니다.
④ 도표를 보고 친구들의 언어생활에서 바람직한 면과 고칠 부분을 이야기해 봅니다.

활동 친구들의 우리말 사용 실태 알아보기 예

(×) (○)

○ 잘못된 언어생활을 하는 경우와 바른 언어생활을 하는 경우 비교하기

개념② 우리말 사용 실태 조사하기

① 우리말 사용 실태를 다룬 자료를 살펴봅니다.
② 우리말 사용 실태를 어떻게 조사하면 좋을지 조사 계획을 세웁니다.
③ 계획에 따라 조사합니다.
④ 조사 주제, 조사 내용, 조사 결과와 출처, 조사한 뒤 드는 생각이나 느낌 등을 정리합니다.
⑤ 조사한 내용을 효과적으로 발표할 수 있도록 적절한 자료를 선택해 정리합니다.
⑥ 발표할 때 주의할 점을 생각하며 친구들 앞에서 발표합니다.

활동 우리말 사용 실태를 다룬 자료

○ 거리의 간판

○ 뉴스

○ 사전

○ 텔레비전 프로그램

개념③ 올바른 우리말 사용을 주제로 글 쓰기

① 조사한 우리말 사용 실태를 떠올려 본 뒤에 올바른 우리말 사용에 대해 글을 쓰려면 어떻게 해야 할지 알아봅니다.
② 조사한 실태를 바탕으로 하여 올바른 우리말 사용을 주제로 글을 쓰기 위해 주장과 근거를 정합니다.
③ 제목과 서론, 본론, 결론으로 나누어 글로 쓸 내용을 정리합니다.
④ 올바른 우리말 사용을 주제로 글을 씁니다.

활동 올바른 우리말 사용을 주제로 글 쓰기 예

① 아빠, 이번 생선은 뭐예요?

생선이라니?

② 생일 선물요.

우리말을 그렇게 줄여서 말하면 어떡하니?

→ 아빠는 여자아이가 올바른 우리말을 사용하기를 바람.

③ 친구들이 다 그렇게 말해요. 그렇게 안 하면 핵노잼이란 말이에요.

?

④ 헐, 이것도 못 알아들으세요?

• **그림의 내용**: 아빠와 여자아이가 대화할 때 여자아이가 줄임 말과 신조어, 비속어 등을 사용하자 아빠가 여자아이의 말을 잘 이해하지 못해 의사소통이 제대로 이루어지지 않았습니다.

🔍 여자아이가 사용한 말 알아보기

줄임 말	낱말의 일부분을 줄여 만든 말로, 일상에서 굳은 말 외에 우리말 뜻을 쉽게 이해할 수 없게 줄여 쓴 말을 뜻함. 예 생선
신조어	새로 생겨난 말이나 새로 귀화한 외래어를 말함. 예 핵노잼
비속어	격이 낮고 속된 말을 뜻함. 예 헐

7 단원

---

1 ①에서 여자아이가 아빠께 궁금해하는 것은 무엇인지 ○표 하세요.

(1) 아빠가 사 오신 물고기의 종류 ( )

(2) 자신의 생일에 아빠가 주실 선물 ( )

2 ①에서 여자아이가 말한 '생선'과 아빠가 생각한 '생선'의 뜻을 알맞게 줄로 이으세요.

(1)  • • ① 생일 선물.

(2)  • • ② 먹기 위해 물에서 잡아 올린 신선한 물고기.

3 아빠는 여자아이가 한 어떤 말이 잘 이해되지 않았는지 세 가지 쓰세요.

(, ,)

🍙 교과서 문제

4 여자아이가 3번 문제의 답과 같은 말을 사용한 까닭은 무엇일까요? ( )

① 아빠와 대화를 하고 싶지 않아서

② 신조어나 줄임 말이 뜻을 더 잘 전달해서

③ 신조어나 줄임 말을 아빠가 더 좋아하셔서

④ 줄임 말이나 신조어를 평소에 즐겨 사용해서

⑤ 줄임 말이나 비속어를 사용하면 아빠가 칭찬해 주셔서

5 ④에서 아빠의 마음은 어떠할까요? ( )

① 재미있다. ② 미안하다. ③ 안타깝다.

④ 지루하다. ⑤ 안심이 된다.

📋 서술형·논술형 문제

6 아빠와 여자아이가 말이 통하지 않은 까닭을 쓰세요.

_____

_____

- **생각할 점**: 경기에서 지고 있는 모둠의 친구가 비난하는 말과 격려하는 말을 각각 듣는 상황에서 그 친구들의 마음을 짐작해 보고, 자신의 언어생활은 어떠한지 반성해 봅니다.

♀ 자신의 언어생활에 대해 묻고 답하기

물음	답 예
자신의 언어생활에서 가장 바람직한 점은 무엇입니까?	다른 사람을 배려하며 말하고 있습니다.
자신의 언어생활에서 고칠 점은 무엇입니까?	욕설이나 비속어를 올바른 우리말로 바꾸어 사용하려고 노력해야겠습니다.

솔연아, 너희 모둠은 그 정도밖에 못하니? 그냥 기권하지 그래.

솔연

강민아, 끝까지 열심히 하는 모습이 멋지다. 힘내.

강민

7 ①의 상황에 대해 알맞게 말한 것은 어느 것인지 기호를 쓰세요.

> ㉮ 오른쪽 모둠이 지고 있다.
> ㉯ 양쪽 모둠의 점수가 똑같다.
> ㉰ 왼쪽 모둠이 크게 지고 있다.

( )

🎓 교과서 문제

8 이기고 있는 모둠의 친구가 ②처럼 말한 까닭은 무엇일까요? ( )

① 경기에서 지고 있는 모둠의 친구들을 무시하려고
② 경기에서 지고 있는 모둠의 친구들을 격려해 주려고
③ 경기에서 지고 있는 모둠의 친구들을 칭찬해 주려고
④ 자신의 모둠이 경기에서 이기고 있다는 것을 알려 주려고
⑤ 선생님께서 이기고 있는 자신의 모둠을 칭찬해 주시기를 바라서

9 ③에서 여자아이의 말을 들은 강민이의 마음은 어떠했을까요? ( )

① 미안하고 창피했을 것이다.
② 화가 나고 괘씸했을 것이다.
③ 듣기 싫고 짜증 났을 것이다.
④ 속상하고 기분이 나빴을 것이다.
⑤ 힘이 나고 기분이 좋았을 것이다.

10 언어 예절에 어긋나게 대화한 경험을 알맞게 말한 사람의 이름을 쓰세요.

> 설희: 경기를 잘하는 친구에게 진심과 존중의 말로 칭찬했어.
> 솔미: 친구가 우유를 쏟아 내 옷에 묻었을 때 비속어를 사용하면서 비난했어.
> 원준: 아픈 나를 친구가 부축해 주었을 때 고맙다는 말로 내 마음을 표현했어.

( )

사례 1 텔레비전 프로그램

평범한 중고등학생 네 명을 대상으로 욕 사용 실태를 관
 _{관찰 대상}
찰했더니 네 시간 동안 평균 500여 번의 욕설이 쏟아졌습
니다.

충격적인 것은 이 학생들이 문제아나 불량 청소년이 아니
 _{글쓴이가 충격적이라고 생각한 것}

라는 것입니다. 이제
욕은 많은 학생들의
입에서 거침없이 터
져 나오는 일상어가
되어 버렸습니다.

그렇다면 아이들이 최초로 욕을 대하는 때는 언제일까요?

대중 매체 환경이 빠르게 바뀌면서 욕설이나 비속어를 대
하는 나이가 더욱 어려지는 지금, 초등학교 교실을 찾아 그
들이 아는 욕설을 적어 보도록 했습니다.

그 결과, 절반 가까운 학생이 욕을 열 개 이상 버릇처럼
사용하고, 서른 개 이상 사용하는 아이도 있었습니다.
 → 초등학생도 욕을 많이 사용함.
 ■ 출처: 한국교육방송공사, 2011.

사례 2 교실에서 일어난 일

며칠 전 우리 반 교실
 _{일이 일어난 곳}
에서 일어난 일입니다.
준형이와 수진이가 교
실 뒤쪽을 걷다가 뜻하
지 않게 서로 부딪혔습
니다. 준형이와 수진이
는 서로 노려보면서 눈살을 찌푸렸습니다.

사례 3 카드 뉴스

 ■ 출처: 「한국일보」, 2017. 10. 9.

🧢 **교과서 문제**

11 사례 1 에서 우리말 사용과 관련한 문제점은 무엇인가요?
( )

① 학생들이 욕을 너무 많이 사용한다.
② 불량 청소년의 수가 너무 빨리 증가한다.
③ 평범한 학생들이 문제아들에게 욕설을 배운다.
④ 학생들이 대중 매체 환경에 그대로 노출되어 있다.
⑤ 대중 매체의 발달로 학생들의 인식이 빠르게 변한다.

12 사례 2 에서 다툼이 일어난 까닭은 무엇일까요? ( )
① 준형이가 수진이를 밀쳐서
② 수진이가 준형이의 발을 밟아서
③ 준형이가 수진이에게 시비를 걸어서
④ 수진이가 준형이의 물건을 떨어뜨려서
⑤ 준형이와 수진이가 서로 배려하는 말을 하지 않고
   비속어를 사용하며 비난해서

13 사례 3 에서와 같은 언어생활을 지속한다면 어떤 일이 벌
어질까요? ( )
① 우리말이 점점 발전할 것이다.
② 올바른 우리말이 점점 사라질 것이다.
③ 우리말을 사용하는 나라가 늘어날 것이다.
④ 고양이를 부르는 말이 훨씬 더 다양해질 것이다.
⑤ 우리말이 점점 긍정적인 방향으로 발전할 것이다.

14 실제 우리 주변에서 올바르지 못한 우리말을 사용하고
있는 예를 이야기한 사람의 이름을 쓰세요.

> 지수: 친구들이 사용하는 감탄사에 '헐, 쩔어' 같은
>   비속어가 많이 있어.
> 정효: 친구를 만나면 웃는 표정으로 반가운 마음을
>   표현하는 인사말을 나누어.

( )

욕설·비속어에 중독된 청소년들

제6편 욕설 습관 고쳐 보기

안녕 우리말

↳ 토박이말을 가려 내어 담은 사전

개선 다듬은 말

○○어린이 신문

우리말을 가꾸자
초등학교 어린이들의 언어생활

레알

므훗   ㅇㅈ

↳ 초등학생이 우리말을 잘못 사용하고 있는 예를 신문으로 꾸밈.

7 단원

• 생각할 점: 그림을 보고 자료를 어디에서 찾았는지 알아보고, 우리말을 바르게 또는 잘못 사용하는 실태를 조사하려면 어떻게 해야 할지 생각합니다.

📍 우리말 사용 실태를 다룬 자료 살펴보기

가	외국어 간판이 많은 모습
나	욕설이나 비속어를 사용하는 청소년들에 대한 뉴스
다	우리 토박이말을 다룬 사전
라	욕설을 하는 습관을 고치자는 텔레비전 프로그램
마	국립국어원 누리집의 순화어
바	○○어린이 신문

---

15 가 는 어떤 내용인가요? (   )

① 외국어를 사용한 간판이 많은 모습이다.

② 아름다운 건물이 많은 거리의 모습이다.

③ 거리에 전통적인 건물이 많아 유명해진 곳이다.

④ 아름다운 우리말을 사용한 간판이 많은 모습이다.

⑤ 우리 토박이말을 사용한 간판이 많은 거리의 모습이다.

🍞 교과서 문제

16 나 를 보고 생각한 내용은 무엇인가요? (   )

① 우리말을 사랑하는 사람이 많다.

② 외국인이 우리말을 배우는 것은 어렵다.

③ 우리가 우리말을 파괴하고 훼손하고 있다.

④ 욕설이나 비속어도 잘 사용하면 효과적이다.

⑤ 친구에게 비속어를 잘 사용하면 정이 느껴진다.

17 가 ~ 바 와 같은 자료를 사용할 때 주의할 점이 <u>아닌</u> 것을 찾아 번호를 쓰세요.

① 조사한 자료는 출처를 밝힌다.

② 내용을 설명하는 그림이나 사진 자료를 덧붙인다.

③ 알려지지 않은 매체에서 찾은 자료는 출처를 밝히지 않는다.

(   )

18 다음 지원이가 조사한 실태는 어떤 내용인지 쓰세요.

지원

나는 텔레비전 뉴스 기사를 인터넷에서 찾았어. 「초등학생 줄임 말, 신조어 '심각'」이라는 뉴스야.

초등학생이 가장 많이 사용하는 신조어와 줄임말	
핵노잼	23퍼센트
생선	22퍼센트
노답	18퍼센트
○○	18퍼센트
멘붕	16퍼센트

• (   ) 사용 실태

정답 16쪽

국어 교과서 248쪽

2. 지원이네 반 친구들의 우리말 사용 실태 조사 내용을 살펴보고 우리 반에서도 조사 계획을 세워 봅시다.

(2) 우리말 사용 실태를 어떻게 조사하면 좋을지 생각해 보고 모둠별로 계획을 세워 보세요.

예시 답안

- 조사 날짜와 시간: 20○○년 ○○월 ○○일, 방과 후
- 조사 장소: 학교 앞, 학교 도서관, 학교 컴퓨터실 등
- 준비물: 컴퓨터, 필기도구, 기록장
- 조사 방법: 직접 조사, 인터넷 검색
- 조사 자료: 뉴스 영상
- 주의할 점: 출처를 정확하게 밝힙니다.

3. 계획에 따라 조사해 봅시다.

(1) 우리말 사용 실태를 조사한 내용을 정리해 보세요.

예시 답안

조사 주제	욕설·비속어에 중독된 청소년들
조사 내용	우리말을 잘못 사용하는 실태
조사 결과와 출처	• 조사 결과: 욕설·비속어에 중독된 청소년들 • 출처: 한국방송공사(2013.10.24.), 「KBS 아침 뉴스 타임: 욕설·비속어에 중독된 청소년들」, 한국방송공사.
조사한 뒤 드는 생각이나 느낌	우리말 사용 실태를 조사하고 나니 우리가 너무 우리말을 파괴하고 훼손하고 있다는 것을 알게 되었고, 올바른 우리말을 사용하고 바른 언어생활을 해야겠다고 느꼈습니다.

국어 교과서 249쪽

(2) 발표할 내용에는 어떤 자료가 어울릴까요?

예시 답안

부분	발표 내용	자료
처음	우리말 사용 실태의 하나로 욕설과 비속어에 중독된 학생들을 조사했습니다.	뉴스 사진
가운데	뉴스 기사에 따르면 초등학생의 97퍼센트가 비속어를 사용한 경험이 있는 것으로 나타났습니다. 욕설과 비속어에 중독된 청소년들의 통계를 나타낸 뉴스는 우리말이 훼손되고 있다는 것을 보여 주었습니다.	뉴스 동영상
끝	우리말을 올바르게 사용해야겠습니다.	사진

자습서 확인 문제

7
단원

진도 완료
체크

1 우리말 사용 실태 조사 계획을 세울 때 생각할 점이 <u>아닌</u> 것의 기호를 쓰세요.

> ㉠ 조사 자료
> ㉡ 조사 날짜와 시간
> ㉢ 조사한 뒤 드는 생각이나 느낌

(   )

2 우리말 사용 실태를 조사할 때 주제로 알맞은 것의 기호를 쓰세요.

> ㉠ 효과적인 외국어 학습 방법
> ㉡ 훈민정음의 창제 과정과 역사
> ㉢ 심한 줄임 말 사용으로 인한 소통의 어려움

(   )

3 우리말 사용 실태 조사에 관한 내용을 알맞게 이야기한 사람의 이름을 쓰세요.

> 영화: 욕설과 비속어를 사용하는 청소년들은 우리말을 잘못 사용하고 있는 실태를 보여 줘.
> 준우: 욕설과 비속어를 사용하는 청소년들의 실태를 조사하기에는 뉴스보다 사전이 적절한 자료야.

(   )

- 글의 종류: 주장하는 글
- 글의 특징: 긍정하는 말과 고운 우리말을 사용하자는 주장이 담긴 글입니다.

1 요즘 우리 반 친구들이 대화할 때 짜증 난다는 말이나 비속어, 욕설 따위를 사용합니다. 그런 말을 들으면 기분이 나빠지고 화가 나서 다툼도 일어납니다.

✏️중심 내용 1 요즘 우리 반 친구들이 짜증 난다는 말이나 비속어, 욕설 따위를 사용합니다.

2 우리 반에는 공놀이할 때마다 실수해서 같은 편이 되기를 꺼려 하는 친구가 있습니다. 대부분 그 친구와 같은 편이 되면 "짜증 나."라는 말이나 비속어, 욕설을 합니다. 그러던 어느 날, 그 친구가 안쓰러워서 "괜찮아, 넌 잘할 수 있어."라고 말했습니다. 그랬더니 신기하게도 그 친구가 승점을 냈습니다. 근거 ①

괜찮아, 넌 잘할 수 있어.

✏️중심 내용 2 친구에게 긍정하는 말을 해 주니 좋은 일이 생겼습니다.

비속어(卑 낮을 비 俗 풍속 속 語 말씀 어) 격이 낮고 속된 말.
예 비속어를 사용하는 것은 잘못된 언어생활입니다.
승점(勝 이길 승 點 점 점) 운동 경기 등에서 승패에 따라 계산하여 받는 점수.
예 옆 반보다 우리 반이 승점을 더 많이 냈습니다.

---

19 글 ①에서 문제 상황은 무엇인가요? (　　　)
① 친구들이 대화를 하지 않는다.
② 친구들이 공놀이를 못하는 친구를 자꾸 놀린다.
③ 친구들이 공놀이를 못하는 친구와는 놀지 않는다.
④ 친구들이 마음에 들지 않는 친구와는 놀지 않는다.
⑤ 친구들이 짜증 난다는 말이나 비속어, 욕설 등을 사용한다.

20 19번의 문제 상황 때문에 무슨 일이 일어난다고 하였나요? (　　　)
① 친구를 무시하게 된다.
② 대화할 시간이 줄어든다.
③ 친구들 사이에 다툼이 일어난다.
④ 기분이 나빠 학교에 가기 싫어진다.
⑤ 선생님께 혼이 나서 기분이 나빠진다.

21 공놀이할 때마다 실수하는 친구에게 용기를 준 긍정하는 말은 무엇인지 쓰세요.
(　　　　　　　　　　)

22 글 ②에서 글쓴이가 하고 싶은 말은 무엇인가요? (　　　)
① 친구들과 사이좋게 지내야 한다.
② 친구를 놀리는 것은 나쁜 행동이다.
③ 노력하면 무엇이든지 해낼 수 있다.
④ 긍정하는 말을 하니 좋은 일이 생겼다.
⑤ 공놀이할 때마다 실수하는 친구와 같은 편을 해야 한다.

📋 서술형·논술형 문제
23 친구에게 긍정하는 말을 해 준 경험을 떠올려 조건 에 알맞게 쓰세요.

조건
자신이 했던 긍정하는 말이 드러나게 쓴다.

_____

_____

3 이 일이 있은 뒤에 우리 반 친구들을 대상으로 조사해 보니 긍정하는 말이 부정하는 말보다 듣기가 좋다는 결과가 나왔습니다. 긍정하는 말을 하면 말하는 사람은 물론 듣는 사람도 마음이 편안해집니다. 예를 들면 "안 돼."보다는 "할 수 있어.", "짜증 나."보다는 "괜찮아.", "이상해 보여."보다는 "멋있어 보여.", "힘들어."보다는 "힘내자."와 같이 부정하는 말을 긍정하는 말로 고쳐 사용하면, 말하는 사람과 듣는 사람 모두 기분도 좋아지고 자신감도 생긴다는 것입니다. → 부정하는 말과 긍정하는 말을 예로 들어 설명함.

근거 ②

✏️**중심 내용 3** 긍정하는 말을 하면 말하는 사람은 물론 듣는 사람의 마음도 편안해집니다.

4 또 비속어나 욕설 같은 거친 말보다는 고운 우리말 사용이 자신과 상대의 마음을 아름답게 해 준다는 결과도 있습니다. 상대의 실수에는 너그러운 말을 하고, 내 잘못에는 미안하다는 말을 하며, 상대의 배려에는 고마운 말을 하는 것입니다. 비속어나 욕설을 사용하면 추한 마음이 생길 것인데 고운 우리말을 사용하면 너그러운 마음이 생기고, 미안한 마음이 생기며, 고마운 마음이 생기므로 아름다운 사람이 된다는 것입니다.

근거 ③

✏️**중심 내용 4** 고운 우리말을 사용하면 말하는 사람과 듣는 사람의 마음을 아름답게 해 줍니다.

5 긍정하는 표현은 자신은 물론 주변 사람들 마음에 긍정하는 힘을 줍니다. 그리고 고운 우리말 사용이 아름다운 소통을 이루고, 진정한 말맛을 느끼게 합니다. 그러므로 긍정하는 말과 고운 우리말을 사용해야 합니다.

✏️**중심 내용 5** 긍정하는 말과 고운 우리말을 사용해야 합니다.

📍 **글의 주장과 근거**

주장	긍정하는 말과 고운 우리말을 사용합시다.
근거	• 친구에게 긍정하는 말을 해 주니 좋은 일이 생겼습니다. • 긍정하는 말을 하면 말하는 사람은 물론이고 듣는 사람의 마음도 편안해집니다. • 고운 우리말 사용은 말하는 사람과 듣는 사람의 마음을 아름답게 해 줍니다.

추한 말이나 행동 따위가 지저분하고 더러운.
소통 뜻이 서로 통하여 오해가 없음.
말맛 말소리나 말투의 차이에 따른 느낌과 맛.

🎓 **교과서 문제**

24 이 글은 어떤 실태를 바탕으로 하여 글쓰기를 한 것인지 알맞은 것의 기호를 쓰세요.

> ㉮ 외국어를 주로 사용하는 실태를 조사했다.
> ㉯ 우리말이 앞으로 나아가야 할 방향에 대해 조사했다.
> ㉰ 긍정하는 말이 부정하는 말보다 좋다는 우리 반 친구들의 실태를 조사했다.

( )

25 글쓴이는 왜 이 글을 썼을까요? ( )
① 긍정하는 말의 종류에 대해 알려 주려고
② 들으면 마음이 편해지는 말을 알려 주려고
③ 친구 사이에 조심해야 할 말을 알려 주려고
④ 경기를 할 때 하지 말아야 할 말을 알려 주려고
⑤ 긍정하는 말과 고운 우리말을 사용하자는 주장을 하려고

26 이 글에서 말한 긍정하는 말의 효과로 알맞지 않은 것에 ×표 하세요.
(1) 듣는 사람의 기분이 좋아진다. ( )
(2) 듣는 사람의 마음만 편안해진다. ( )
(3) 듣는 사람에게 자신감이 생긴다. ( )

🖊️ **서술형·논술형 문제**

27 [ ]에 알맞은 제목과 그렇게 생각한 까닭을 쓰세요.

(1) 제목	(2) 그렇게 생각한 까닭

가

너무 줄여 말하는 낱말을 바르게 고쳐 쓴 사례를 영상 광고로…….

여러분에게는 어떤 의미가 떠오르시나요?
고답이
솔까
안물 ㅇㅇ

줄임 말이 떠오른다고요?
여러분에게는 올바른 우리말이 어울립니다!

나

국립국어원 우리말 다듬기 누리집에서 자료를 수집해 신문으로…….

다듬은 우리말 신문　　　20○○년 ○○월 호

우리말로 다듬어 새로운 낱말 탄생! ← 신문 기사 제목

국립국어원 우리말 다듬기 누리집에서는 들어온 지 얼마 안 된 어려운 외국어를 쉬운 우리말로 바꾼 사례를 볼 수 있다.

우리말 다듬기 누리집에 올라온 다듬은 말을 오른쪽 표와 같이 사례집으로 엮어 보았다.

앞으로 외국어를 우리말로 다듬은 낱말을 자주 사용해 올바른 우리말 사용의 터전을 닦아 나가야겠다. ← 주장

다듬을 말	다듬은 말
포스트잇	붙임쪽지
이모티콘	그림말
버킷 리스트	소망 목록
타임캡슐	기억상자
무빙워크	자동길

• 생각할 점: 올바른 우리말 사례집을 만들기 위해서는 어떤 매체를 활용해 어떤 형식으로 만드는 것이 좋을지 생각해 봅니다.

📍 올바른 우리말 사례집을 만들기 위해 의견 나누기 예

주제	• '심각한 말 줄임, 올바른 우리말 사용'은 어떨까? • '새로운 우리말' 사례집을 만들면 좋을 것 같아.
내용	• 뜻을 쉽게 이해할 수 없는 줄임 말을 설문으로 조사해서 바른 우리말로 고쳐 보는 건 어때? • 국립국어원 누리집에서 올바른 우리말을 조사해 보는 건 어때?
형식	• 신문 같은 자료 형식으로 만들면 어떨까? • 영상 광고나 만화 영화로도 좋을 것 같아.

탄생(誕 낳을 **탄** 生 날 **생**) 조직, 제도, 사업체 따위가 새로 생김.
사례집(事 일 **사** 例 법식 **례** 集 모을 **집**) 이전에 실제로 일어난 예를 모은 것.
터전 일의 바탕이 되는 기초.

---

28 **가**와 **나** 친구는 각각 어떤 형식으로 사례집을 만들었는지 쓰세요.

(1) **가**: (　　　　　　　　)

(2) **나**: (　　　　　　　　)

29 다음과 같은 주제를 담고 있는 사례집을 만든 친구의 기호를 쓰세요.

> 어려운 외국어보다는 쉬운 우리말로 다듬은 말을 사용한다.

(　　　　　　　　)

30 외국어를 우리말로 다듬은 말을 찾아 줄로 이으세요.

(1) 포스트잇　•　　•㉮ 자동길

(2) 무빙워크　•　　•㉯ 붙임쪽지

(3) 버킷 리스트　•　　•㉰ 소망 목록

31 올바른 우리말 사례집을 만들 때 조사할 자료로 알맞지 않은 것은 어느 것인가요? (　　　　)

① 책　　② 신문　　③ 영화
④ 간판　　⑤ 외국 뉴스

[1~3] 아빠와 여자아이의 대화

1 ①에서 아빠가 여자아이의 말을 이해하지 못한 까닭은 무엇입니까? (   )

① 아빠가 다른 일을 하고 있어서
② 여자아이가 줄임 말을 사용해서
③ 여자아이가 높임말을 쓰지 않아서
④ 여자아이가 너무 작은 목소리로 말해서
⑤ 여자아이가 그림을 너무 간단히 그려 보여 주어서

2 아빠는 여자아이의 언어생활에 대해 어떻게 생각하는지 기호를 쓰시오.

> ㉮ 관심이 없다.
> ㉯ 재미있어서 배우고 싶어 한다.
> ㉰ 우리말을 줄여서 말하면 안 된다고 생각한다.

(   )

3 여자아이는 '생선'과 같은 말을 사용하지 않으면 어떻다고 생각하는지 쓰시오.

• (   )고 생각한다.

[4~5] 경기할 때 생긴 일

4 ②에서 솔연이의 마음은 어떠했겠습니까? (   )

① 기쁘다.   ② 고맙다.   ③ 속상하다.
④ 흐뭇하다.   ⑤ 감격스럽다.

5 경기에서 이기고 있는 모둠의 친구가 ③처럼 말한 까닭은 무엇이겠습니까? (   )

① 경기에서 이기고 있는 것을 자랑하려고
② 경기에서 지고 있는 친구들을 무시하려고
③ 경기에서 지고 있는 친구들을 약 올리려고
④ 경기에서 이기고 있다는 사실이 믿어지지 않아서
⑤ 경기에서 지고 있는 친구들에게 힘을 내라고 격려해 주고 싶어서

📚 서술형·논술형 문제

6 자신의 언어생활에서 언어 예절을 지키며 대화한 경험을 쓰시오.

_____

_____

[7~8] 〈사례 1〉 텔레비전 프로그램

평범한 중고등학생 네 명을 대상으로 욕 사용 실태를 관찰했더니 네 시간 동안 평균 500여 번의 욕설이 쏟아졌습니다.

충격적인 것은 이 학생들이 문제아나 불량 청소년이  아니라는 것입니다. 이제 욕은 많은 학생들의 입에서 거침없이 터져 나오는 일상어가 되어 버렸습니다.

그렇다면 아이들이 최초로 욕을 대하는 때는 언제일까요?

대중 매체 환경이 빠르게 바뀌면서 욕설이나 비속어를 대하는 나이가 더욱 어려지는 지금, ㉠초등학교 교실을 찾아 그들이 아는 욕설을 적어 보도록 했습니다.

그 결과, 절반 가까운 학생이 욕을 열 개 이상 버릇처럼 사용하고, 서른 개 이상 사용하는 아이도 있었습니다.

7 네 명의 중고등학생을 관찰한 글쓴이가 충격적으로 느낀 것은 무엇입니까? (   )

① 평범한 학생들이 욕을 많이 사용하는 것
② 문제아들이 생각보다 욕을 많이 사용하는 것
③ 불량 청소년이 생각보다 고운 말을 사용하는 것
④ 남학생보다 여학생이 욕을 더 많이 사용하는 것
⑤ 평범한 학생들이 문제아보다 욕을 더 많이 사용하는 것

8 ㉠과 같은 일을 한 까닭은 무엇이겠습니까? (   )

① 교실에서 어떤 욕을 배우는지 알려고
② 욕을 많이 사용하는 사람의 성격을 알려고
③ 욕이 사람에게 어떤 영향을 미치는지 알려고
④ 초등학생들이 욕을 얼마나 사용하는지 알려고
⑤ 초등학생들이 욕을 배우는 곳이 어디인지 알려고

[9~10] 〈사례 2〉 교실에서 일어난 일

며칠 전 우리 반 교실에서 일어난 일입니다. 준형이와 수진이가 교실 뒤쪽을 걷다가 뜻하지 않게 서로 부딪  혔습니다. 준형이와 수진이는 서로 노려보면서 눈살을 찌푸렸습니다.

📚 서술형·논술형 문제

9 준형이와 수진이가 다투게 된 까닭을 쓰시오.

_____

_____

10 위 상황에서 준형이와 수진이가 해야 할 말에 대한 설명으로 바른 것의 기호를 쓰시오.

㉠ 서로 상대를 배려하며 말한다.
㉡ 아무 말도 하지 않고 지나간다.
㉢ 비속어를 사용해 상대의 사과를 받아낸다.

(   )

11 다음 ㉠, ㉡을 다듬은 우리말로 바꾸어 쓰시오.

• 추석 때 고향에 내려가 있는 동안 반려견을 ㉠펫시터에게 맡겨야겠어!
• 이번 여행은 반려견을 ㉡켄넬에 넣어서 이동해야지.

(1) ㉠: (   )
(2) ㉡: (   )

[12~13] 우리말 사용 실태 조사하기

12 가와 나를 보고 알 수 있는 문제점은 무엇입니까?
( )

① 우리말이 올바르게 사용되고 있다.
② 우리말을 지키기 위해 노력하고 있다.
③ 바르고 고운 우리말 사용이 이루어지지 않고 있다.
④ 텔레비전과 인터넷 때문에 우리말이 많이 파괴되고 있다.
⑤ 우리말을 지키지 않는 것은 문제아나 불량 청소년 뿐이다.

13 다~바의 자료를 찾은 곳을 줄로 이으시오.

(1) 다 • • ㉠ 신문

(2) 라 • • ㉡ 사전

(3) 마 • • ㉢ 인터넷

(4) 바 • • ㉣ 텔레비전

[14~15] 중화의 우리말 사용 실태 조사 내용

중화: 나는 선생님과 학생, 학생과 학생끼리도 서로
[㉠]을/를 사용하는 언어문화를 조사했어.

지원: 그랬구나. 중화야, 그 사례를 좀 더 자세히 이야기해 주겠니?

중화: ○○초등학교에서는 선생님과 학생, 학생과 학생끼리 공부 시간은 물론이고 학교에서 지내는 동안 높임말을 사용한대. 학생들이 서로 "진수 님, 창문 좀 닫아 줄 수 있을까요?"라고 존칭과 높임말을 쓰고, 선생님께서도 "연화 님, 연화 님은 배려심이 참 많아 칭찬해 주고 싶어요."처럼 존칭과 높임말을 사용하는 문화가 자리 잡았다고 해. 그래서 존중하고 배려하는 생활 공동체를 만들어 나가고 있대.

14 [㉠]에 알맞은 말은 무엇입니까? ( )

① 도구   ② 신호   ③ 인사말
④ 높임말   ⑤ 인터넷

15 중화가 조사한 내용에서 긍정적인 면에 ○표 하시오.

(1) 올바른 우리말을 배워 나가는 것 ( )
(2) 친구 관계의 소중함을 알게 된 것 ( )
(3) 존중하고 배려하는 생활 공동체를 만들어 나가는 것
( )

16 조사한 내용을 발표할 때 주의할 점이 <u>아닌</u> 것은 무엇입니까? ( )

① 바른 자세로 서서 발표한다.
② 중요한 부분은 강조하며 발표한다.
③ 항상 똑같은 크기의 목소리로 발표한다.
④ 사진이나 동영상 등의 자료를 사용해서 발표한다.
⑤ 듣는 사람이 이해하기 쉽도록 알맞은 목소리로 발표한다.

단원 평가

[17~19] 실태 조사를 바탕으로 하여 올바른 우리말 사용을 주제로 글 쓰기

(가) 요즘 우리 반 친구들이 대화할 때 짜증 난다는 말이나 비속어, 욕설 따위를 사용합니다. 그런 말을 들으면 기분이 나빠지고 화가 나서 다툼도 일어납니다.

우리 반에는 공놀이할 때마다 실수해서 같은 편이 되기를 꺼려 하는 친구가 있습니다. 대부분 그 친구와 같은 편이 되면 "짜증 나."라는 말이나 비속어, 욕설을 합니다. 그러던 어느 날, 그 친구가 안쓰러워서 "괜찮아, 넌 잘할 수 있어."라고 말했습니다. 그랬더니 신기하게도 그 친구가 승점을 냈습니다.

괜찮아, 넌 잘할 수 있어.

(나) 우리 반 친구들을 대상으로 조사해 보니 긍정하는 말이 부정하는 말보다 듣기가 좋다는 결과가 나왔습니다. 긍정하는 말을 하면 말하는 사람은 물론 듣는 사람도 마음이 편안해집니다. 예를 들면 "안 돼." 보다는 "할 수 있어.", "짜증 나."보다는 "괜찮아.", "이상해 보여."보다는 "멋있어 보여.", "힘들어."보다는 "힘내자."와 같이 부정하는 말을 긍정하는 말로 고쳐 사용하면, 말하는 사람과 듣는 사람 모두 기분도 좋아지고 자신감도 생긴다는 것입니다.

(다) 또 비속어나 욕설 같은 거친 말보다는 고운 우리말 사용이 자신과 상대의 마음을 아름답게 해 준다는 결과도 있습니다. 상대의 실수에는 너그러운 말을 하고, 내 잘못에는 미안하다는 말을 하며, 상대의 배려에는 고마운 말을 하는 것입니다. 비속어나 욕설을 사용하면 추한 마음이 생길 것인데 고운 우리말을 사용하면 너그러운 마음이 생기고, 미안한 마음이 생기며, 고마운 마음이 생기므로 아름다운 사람이 된다는 것입니다.

긍정하는 표현은 자신은 물론 주변 사람들 마음에 긍정하는 힘을 줍니다. 그리고 고운 우리말 사용이 아름다운 소통을 이루고, 진정한 말맛을 느끼게 합니다. 그러므로 긍정하는 말과 고운 우리말을 사용해야 합니다.

17 글 (가)와 (다) 중 문제 상황이 드러나 있는 글의 기호를 쓰시오.

글 ( )

18 글을 읽고 알 수 있는 사실로 알맞지 <u>않은</u> 것은 무엇입니까? ( )

① 긍정하는 말을 하면 자신감이 생긴다.
② 긍정하는 표현은 긍정하는 힘을 준다.
③ 고운 우리말을 사용하면 진정한 말맛을 느낄 수 있다.
④ 글쓴이의 반 친구들은 긍정하는 말이 부정하는 말보다 듣기 좋다고 생각한다.
⑤ 모든 일에 긍정하는 말만 하면 말하는 사람과 듣는 사람 모두 마음이 편안해진다.

19 글쓴이가 이 글을 통해 말하고자 하는 것으로 가장 알맞은 것은 무엇입니까? ( )

① 긍정하는 말과 고운 우리말을 사용하자.
② 고운 우리말을 사용해야 마음이 고와진다.
③ 고맙다고 말을 하면 고마운 마음이 생긴다.
④ 긍정하는 말은 주변 사람들에게 용기를 준다.
⑤ 고운 우리말을 사용하면 얼굴이 아름다워진다.

📝 서술형·논술형 문제

20 다음 영상 광고의 주제는 무엇일지 쓰시오.

여러분에게는 어떤 의미가 떠오르시나요?
고답이
솔까
안물
ㅇㅇ

줄임 말이 떠오른다고요?
여러분에게는 올바른 우리말이 어울립니다!

_____

_____

8

인물의 삶을 찾아서

고르게 섞이니
맛이 훌륭해!

기가 막히게
맛있군.

임금님의 뜻은
우리 모두가 하나로
화합하라는
것이로구나.

신하들이 모인 자리에서 영조는
탕평채 요리를 내왔어요.

흰색의
청포묵은
우리를 뜻하는
거군.

우리를
나타내는
검은색이
음식에 있어.

영조는 크게 후회하고 아들까지
죽게 한 당쟁을 바로잡기 위해서 인재를
두루 등용하는 정책을 시작했지요.

왕도탕탕
왕도ㅍ

개념 웹툰

글쓴이가 말하고자 하는 생각은
무엇일까요?
스마트폰에서 확인하세요!

개념 1 글쓴이가 말하고자 하는 생각 찾기

① 글의 제목을 통하여 파악합니다.
② 글에서 중요한 낱말을 통하여 파악합니다.
③ 글의 중심 문장을 통하여 파악합니다.

지문 「책이 주는 선물을 받고 싶은 어린이들에게」에서 글쓴이가 말하고자 하는 생각

글쓴이는 중심 문장에서 책을 읽으면 지혜롭게 살 수 있다고 했어.

글쓴이가 말하고자 하는 생각 ▶ "책을 읽자."

개념 2 인물이 추구하는 가치를 파악하기

① 인물이 처한 상황을 떠올려 봅니다.
② 인물이 처한 상황에서 인물이 한 말과 행동을 알아봅니다.
③ 인물이 처한 상황에서 그렇게 말하고 행동한 까닭을 생각해 봅니다.

지문 「제게 12척의 배가 있으니」에서 인물이 추구하는 가치

인물이 처한 상황

인물의 말이나 행동

❍ 수군을 포기하고 육군으로 싸우라는 나라의 명을 받음.
❍ 임금님께 글을 올려 12척의 배가 있으니 죽을힘을 다해 싸운다면 이길 수 있을 것이라고 말함.

인물이 추구하는 가치	어떤 고난도 포기하지 않고 극복하려는 의지를 추구함.

개념 3 인물이 추구하는 다양한 가치 비교하기

① 이야기 속 인물이 되어 보고 자신이라면 어떤 말이나 행동을 했을지 생각해 봅니다.
② 이야기 속 인물의 선택과 자신의 선택을 비교해 봅니다.
③ 이야기 속 인물이 추구하는 가치와 자신이 추구하는 가치를 비교해 봅니다.

지문 「버들이를 사랑한 죄」에 나온 인물이 되어 보기 예

몽당깨비가 처한 상황	내가 몽당깨비였다면
 샘을 기와집 뒤란으로 옮겨 줘.	→ 버들이를 위한 일이었으므로 버들이의 부탁을 들어주었을 것 같아.

"진심을 담아 상대를 대하는 것을 추구하는 몽당깨비와 남자아이가 추구하는 가치는 같아요."

책이 주는 선물을 받고 싶은 어린이들에게

이야기책을 좋아하니? 나는 이야기를 쓰는 작가야. 책을 읽고 작가가 되는 꿈을 꾸게 되었고 책을 읽으면서 그 꿈을 키웠단다. 너희에게 내가 기억하는 책들을 소개해 줄게.

내가 처음으로 재미있게 읽은 책은 발데마르 본젤스의 『꿀벌 마야의 모험』인데, 아기 꿀벌이 꿀을 모으러 바깥세상
작가가 되는 꿈을 갖게 해 준 책
에 나갔다가 모험을 시작하는 이야기야. 그 꿀벌이 여러 가지 경험을 하며 자신의 삶을 이끌어 가는 모습이 내게 꿈과 희망을 줬어. 이야기가 어찌나 흥미로웠던지 발데마르 본젤스처럼 작가가 되는 꿈을 갖게 되었지.

나는 책을 많이 읽었어. 누구보다 빅토르 위고 작품을 좋아했는데, 『레 미제라블』은 여러 번 읽었단다. 자신이 받은 도움을 생각하며 어려운 사람들을 돕는 인물 모습이 내 마음을 울렸거든. 이렇듯 빅토르 위고는 현실에서 소외된 사람들의 이야기에도 관심이 있었는데 빈민 구제를 주장하며 정치가로도 활동했어. 어니스트 헤밍웨이가 쓴 『노인과 바다』에서는 온갖 어려움에도 의지를 굽히지 않는 늙은 어부

의 용기와 도전을 만날 수 있었어. 『갈매기의 꿈』은 『꿀벌 마야의 모험』만큼 내게 특별한 책이었지. 단지 먹으려고 날았던 다른 갈매기와는 달리 자신만의 꿈을 이루려고 끊임없이 나는 법을 연습했던 특별한 갈매기 이야기였거든. 그 책은 내게 꿈을 이루려면 어떻게 해야 하는지 가르쳐 줬어. 그래서 작가라는 꿈을 이루려고 더 많은 책을 읽었단다.

책 속에는 많은 이야기가 숨어 있어. 그리고 이야기 속 인물들은 우리를 다양한 경험 세계로 데려다주지. 꿈과 희망, 소외된 사람들에 대한 관심, 용기와 도전같이 작가가 말하고자 하는 생각도 듣는단다. 그 많은 이야기에 공감하며 이야기 속 인물의 삶에서 내 삶을 돌아보는 기회가 되는 것도 책이 주는 선물이야. 그래서 책을 읽는 사람은 지혜롭게 세상을 살 수 있다고 해. 나는 책에서 꿈을 찾았고 꿈을 이루는 방법까지 배웠으니 책이 주는 더 특별한 선물을 받은 거지.

책이 주는 선물을 받고 싶니? 너희도 책을 읽어 봐.

8
단원

소외된 어떤 무리에서 꺼리고 피해 따돌림을 당하거나 밀어 내쳐진.
빈민(貧 가난할 빈, 民 백성 민) 가난한 백성.

구제(救 구원할 구, 濟 건널 제) 자연재해나 사회적인 피해를 당해 어려운 처지에 있는 사람을 도와줌.

---

1 글쓴이가 기억하는 책들의 공통점으로 알맞은 것의 번호를 쓰세요.

> ① 우리나라 작가가 쓴 작품들이다.
> ② 이야기의 배경이 특별한 곳이다.
> ③ 등장인물들이 글쓴이에게 특별하게 기억된다.

(   )

2 글쓴이가 책을 읽는 사람이 지혜롭게 세상을 살 수 있다고 한 까닭을 모두 고르세요. (,   ,   )
① 다양한 경험을 할 수 있다.
② 내 삶을 돌아보는 기회를 갖게 된다.
③ 경험하지 않고도 모든 것을 알게 된다.
④ 작가가 말하고자 하는 생각을 듣게 된다.
⑤ 남들에게 자랑할 만한 것을 많이 알게 된다.

🎓 교과서 문제

3 글쓴이가 글에서 말하고자 하는 생각을 알맞게 말한 사람의 이름을 쓰세요.

> 민지: 글쓴이는 '책'이라는 낱말을 자주 사용하고 있으므로 책을 읽자고 말하고 있어.
> 현정: 중심 문장인 '나는 이야기를 쓰는 작가야.'를 통하여 글을 쓰자고 말하고 있어.

(   )

📝 서술형·논술형 문제

4 글쓴이가 소개한 책 가운데에서 자신의 삶에 도움이 될 만한 책과 그 까닭을 쓰세요.

_____

_____

고려 말 상황

　　고려 말에 새로 등장한 정치 세력과 무인들은 고려 사회를 개혁하려고 했다. 그러나 그들 가운데에서 정몽주와 이성계가 생각하는 개혁 방법은 서로 달랐다. 정몽주는 고려를 유지하면서 개혁해야 한다고 생각했고, 이성계는 고려를 무너뜨리고 새로운 왕조를 세우고자 했다. 이러한 상황에서 이성계의 아들 이방원은 「하여가」를 썼고, 정몽주는 「단심가」를 썼다.

가　　　　　　　　　　　**하여가**　　　　　　　　이방원

㉠이런들 어떠하며 저런들 어떠하리 – 초장

만수산 드렁칡이 얽혀진들 어떠하리 – 중장

우리도 이같이 얽혀져 백 년까지 누리리 – 종장

나　　　　　　　　　　　**단심가**　　　　　　　　정몽주

㉡이 몸이 죽고 죽어 일백 번 고쳐 죽어 – 초장

㉢백골이 진토 되어 넋이라도 있고 없고 – 중장

㉣임 향한 일편단심이야 가실 줄이 있으랴 – 종장

- 글의 종류: 시조
- 글의 특징:

가	고려의 충신 정몽주의 진심을 떠보고 그를 설득하기 위하여 읊은 시조
나	정몽주가 이방원의 「하여가」에 답하여 읊은 시조

개혁하려고　제도나 기구 따위를 뜯어고치려고.
만수산　개성 북쪽에 있는 산. 송악산의 다른 이름.
드렁칡　드렁(두렁의 방언)에 있는 칡덩굴.
백골　죽은 사람의 몸이 썩고 남은 뼈.
진토(塵 티끌 진 土 흙 토)　티끌과 흙을 통틀어 이르는 말.
일편단심　한 조각의 붉은 마음이라는 뜻으로, 진심에서 우러나오는 변치 않는 마음을 이르는 말.
가실　어떤 상태가 없어지거나 달라질.

🎓 교과서 문제

5 이방원은 자신의 생각을 무엇에 빗대어 말하고 있는지 보기 에서 찾아 번호를 쓰세요.

보기
① 만수산 드렁칡　　　② 저런들 어떠하리

（　　　　　　　）

6 ㉠이 인상에 남는 표현인 까닭으로 알맞은 것의 번호를 쓰세요.

① 이방원이 포기하는 듯한 느낌이 들기 때문이다.
② 정몽주에게 자신과 뜻을 같이하는 일에 너무 큰 부담을 가지지 말라는 이방원의 생각이 특히 '–들'이라는 말에 잘 표현되었기 때문이다.

（　　　　　　　）

7 가 와 나 에 나온 낱말 중에서 이방원과 정몽주의 생각이 잘 드러난 낱말을 찾아 ○표 하세요.

(1) 가 : (우리 / 백 년)
(2) 나 : (넋 / 일편단심)

8 글 나 의 ㉡~㉣ 중, 정몽주의 생각이 가장 잘 드러난 장의 기호를 쓰세요.

（　　　　　　　）

9 고려 말 상황을 설명한 글을 읽고 가 와 나 에 대해 이야기한 것으로 알맞지 않은 것은 무엇인가요? （　　　　）

① 가 는 고려를 무너뜨리자는 의미를 담고 있다.
② 가 는 이방원이 정몽주를 설득하기 위해 지은 시조이다.
③ 가 에는 새로운 왕조를 세우려 하는 생각이 드러나 있다.
④ 나 에는 고려에 대한 충성을 지키겠다는 의지가 드러나 있다.
⑤ 나 는 이방원과 뜻을 함께하지 못해 아쉬워하는 정몽주의 마음이 드러나 있다.

제게 12척의 배가 있으니

• 글의 종류: 전기문
• 글의 특징: 이순신이 처한 상황에서 한 말과 행동을 통하여 추구하는 가치가 무엇인지 파악합니다.

❶ 이순신이 물러난 뒤 원균이 삼도 수군통제사가 되었습니다. 원균은 삼도 수군통제사가 되자마자 부산을 치라는 명령을 받았습니다. 원균 역시 처음에는 그렇게 할 수 없다고 했습니다. 그렇지만 계속해서 명령이 떨어지자 따를 수밖에 없었습니다. 결과는 뻔했습니다. 조선 수군은 무참하게 져서 원균은 죽고, 배는 부서졌으며, 싸움에 나갔던 병사들도 대부분 죽거나 포로가 되었습니다.

몹시 끔찍하고 참혹하게

1597년 8월, 나라에서는 이순신을 다시 삼도 수군통제사로 세웠습니다. 이순신은 전라도로 내려가면서 남은 배와 군사를 모았습니다. 그나마 여기저기 상한 배 12척과 120여 명의 군사를 모을 수 있었습니다. 나라에서는 아예 바다를 포기하고 육군으로 싸우라고 했습니다. 이순신은 임금님께 글을 올렸습니다.

"지난 5, 6년 동안 일본이 충청도와 전라도 쪽으로 공격해 오지 못한 것은 수군이 그 길목을 막고 있었기 때문입니다. 이제 제게 12척의 배가 있으니 죽을힘을 다해 싸운다면 이길 수 있을 것입니다."

이순신은 오랜 고민 끝에 '울돌목(명량 해협)'을 싸움터로 정했습니다. 울돌목은 육지와 육지 사이에 낀 아주 좁은 바다였습니다. 그 사이를 흐르는 물살이 어찌나 빠른지, 물 흘러가는 소리가 꼭 흐느껴 우는 소리 같다고 해서 그런 이름이 붙은 곳입니다. 또 물살 방향도 하루에 네 번씩이나 바뀌는 특이한 곳이었습니다.

이순신이 싸움터로 정한 곳

✏️ **중심 내용 ❶** 이순신은 다시 삼도 수군통제사가 되어 울돌목을 일본과의 싸움터로 정했습니다.

수군통제사 조선 시대에 바다에서 국방과 치안을 맡아보던 군대인 수군을 통솔하던 정이품 무관의 벼슬.

부산을 치라는 명령 임진왜란 당시 부산에 진을 치고 있던 일본군을 치라는 명령임.

---

10 이순신에 대한 설명으로 알맞은 것을 두 가지 고르세요. (,)

① 원균과 바다에서 싸웠다.
② 일본의 포로로 잡혀갔다.
③ 병사들과 함께 전라도로 도망쳤다.
④ 전라도로 내려가면서 배와 군사를 모았다.
⑤ 1597년에 다시 삼도 수군통제사가 되었다.

11 이순신이 다음 상황에 처했을 때 한 행동을 고르세요. ( )

• 나라에서 바다를 포기하고 육군으로 싸우라고 한 상황

① 임금님께 글을 올림.
② 삼도 수군통제사를 그만둠.
③ 원균에게 어떻게 할지 의논함.
④ 바다를 포기하고 육군으로 싸움.
⑤ 이길 수 없다고 생각해서 항복 준비를 함.

12 문제 11번의 행동과 함께 이순신이 한 말에서 알 수 있는 것으로 알맞지 않은 것은 무엇인가요? ( )

① 수군으로 싸울 것이다.
② 이제 12척의 배가 있다.
③ 수군이 일본이 공격해 올 길목을 막고 있었다.
④ 비록 승산은 없으나 끝까지 싸우는 것이 옳은 일이다.
⑤ 지난 5, 6년 동안 일본은 충청도와 전라도를 공격하지 못했다.

13 이순신이 정한 싸움터의 이름을 쓰세요.

• 물 흘러가는 소리가 흐느껴 우는 소리 같다고 해서 그런 이름이 붙은 곳입니다.
• 물살 방향도 하루에 네 번씩이나 바뀌는 특이한 곳이었습니다.

( )

2 이순신은 작전을 짰습니다.

"우리는 모든 것이 적다. 무기도 적고, 군사도 적고, 배도 적다. 적은 것을 갑자기 늘릴 방법은 없다. 그러나 많아 보이게 할 수는 있을 것이다."

이순신은 우선 고기잡이배와 피난 가는 배들을 판옥선처럼 꾸미게 했습니다. 비록 실제로 싸울 수 있는 배는 먼저 구한 12척과 나중에 구한 1척, 이렇게 총 13척밖에 안 되었지만, 멀리서 보면 수십 척의 판옥선이 갖추어진 것처럼 보이게 한 것입니다. 백성들에게는 바다가 보이는 육지의 산봉우리에서 계속 돌아다니게 했습니다. 마치 우리 군사의 수가 많은 것처럼 보이도록 한 것입니다.

이순신은 모든 준비를 끝낸 뒤 부하 장수들을 불러 모았습니다.

㉠"죽으려 하면 살고, 살려 하면 죽는다. 오늘 우리는 이 말처럼 죽기를 각오하고 싸워야 한다."

마침내 수많은 적선이 흐르는 물살을 타고 우리 수군 쪽
_{전쟁 상대국의 배}
으로 빠르게 쳐들어왔습니다. 그러나 이순신은 물살 방향이 조선 수군에게 유리해질 때까지 공격하지 못하게 했습니다. 드디어 물살 방향이 반대로 바뀌자 이순신은 일제히 공격하도록 지시했습니다. 단번에 30척이 넘는 적의 배가 부서져 버렸습니다. 일본 배들은 뒤로 물러나려고 했습니다. 그렇지만 물살이 너무 세서 배를 돌릴 수도 없고 앞으로 나아갈 수도 없었습니다. 우리 수군은 이때를 놓치지 않았습니다. 적의 배를 향해 총통을 쏘고 불화살을 날리며 총공격을 했습니다.

단 13척의 배로 133척의 배를 물리친 기적 같은 전투였습니다. 이 전투가 바로 '명량 대첩'입니다.

중심 내용 2 이순신은 13척의 배로 133척의 적의 배를 물리치고 명량 대첩을 승리로 이끌었습니다.

판옥선 조선 시대에 널빤지로 지붕을 덮은 전투선. 명종 때에 개발한 것으로 임진왜란 때 크게 활약함.
장수(將 장수 **장** 帥 장수 **수**) 군사를 이끄는 우두머리.

총통(銃 총 **총** 筒 대통 **통**) 화약의 힘으로 탄알을 쏘는, 전쟁에 쓰이는 기구를 통틀어 이르던 말.
대첩(大 큰 **대** 捷 이길 **첩**) 싸움에서 크게 이김.

---

14 이순신이 적은 수의 무기, 군사, 배로 전쟁에서 이기기 위해서 한 것에 ○표 하세요.

(1) 무기와 배를 많이 만들게 함. ( )
(2) 적은 것을 많아 보이게 하는 방법을 씀. ( )
(3) 항복하고 피난 가는 것처럼 위장하여 적들을 방심시킴. ( )

15 이순신이 적은 수의 배와 군사를 가졌지만 포기하지 않은 까닭을 알맞게 말한 사람의 이름을 쓰세요.

성희: 도와줄 사람이 있다고 생각했기 때문이야.
동철: 어려움도 극복할 수 있다고 생각하는 사람이었기 때문이야.

( )

교과서 문제

16 이순신은 어떤 상황에서 ㉠과 같이 말하였는지 알맞은 것의 번호를 쓰세요.

① 임금님을 뵈러 한양에 간 상황
② 일본군에게 포로로 끌려간 상황
③ 일본군과 울돌목에서 싸우는 상황

( )

17 명량 대첩을 기적 같은 전투라고 하는 까닭은 무엇인가요? ( )

① 육지에서 일어난 전투이기 때문이다.
② 적군을 모두 포로로 잡았기 때문이다.
③ 우리 군사가 한 명도 죽지 않았기 때문이다.
④ 이웃 나라에서 군사를 보내 도와주었기 때문이다.
⑤ 단 13척의 배로 133척의 배를 물리쳤기 때문이다.

3 백성들은 이순신을 믿고 다시 모여들기 시작했습니다.
명량 대첩을 승리로 이끈 후
오랜만의 평화였습니다. 그러나 이상하게도 이순신의 마음
은 불안하기만 했습니다. 꿈자리도 뒤숭숭했습니다. 말을
타고 언덕 위를 가다가 말에서 떨어졌는데 막내아들 면이
이순신이 꾼 꿈의 내용, 아들 면의 죽음을 예고함.
밑에서 이순신을 받는 꿈이었습니다. 참으로 이상했습니다.

나쁜 꿈은 바로 다음 날 현실로 드러났습니다. 면이 마을
을 기습해 온 일본군과 싸우다가 죽었다는 소식이 날아든
것입니다. 일본군이 이순신에 대한 분풀이로 이순신의 고향
마을을 공격한 것이 분명했습니다. 면은 이제 겨우 스물한
살의 젊디젊은 청년이었습니다. 이순신은 이 일이 자기 탓
처럼 여겨졌습니다.

> **뒤숭숭했습니다.** 느낌이나 마음이 어수선하고 불안했습니다.
> ㉔ 어제 벌어진 사건 때문에 분위기가 <u>뒤숭숭했습니다.</u>
> **기습해** 적이 생각지 않았던 때에, 갑자기 들이닥쳐 공격해.

㉠'내가 죽을 것을 그 애가 대신 죽었구나.'

마음속에서는 이런 소리가 터져 나왔습니다. 밤이면 몇
번씩 자다 깨다 했습니다. 그러다가 코피를 한 사발씩 쏟기
도 했습니다. 잠깐만 눈을 붙여도 아들 면의 모습이 보였습
니다. 이순신은 자기도 모르게 이를 악물었습니다.

㉡'이제는 끝내야만 해.'

"아직도 저에게는 12척의 배가 있습니다. 비록 배는 적지
만, 제가 죽지 않는 한 적이 감히 우리를 업신여기지 못
할 것입니다."

중심 내용 3 이순신은 아들 면이 죽었다는 소식을 듣고 슬펐으나 이를 악물고 일본
과의 전쟁을 끝내려고 다짐했습니다.

> **분풀이** 분하고 원통한 마음을 풀어 버리는 일.
> ㉔ 너무 화가 난 나머지 엉뚱한 사람에게 <u>분풀이</u>를 했습니다.
> **업신여기지** 교만한 마음에서 남을 낮추어 보거나 하찮게 여기지.

18 이순신이 ㉠과 같이 생각한 까닭은 무엇인가요?
(   )
① 이순신은 나이가 많기 때문이다.
② 이순신이 병에 걸렸기 때문이다.
③ 이순신은 잘못한 일이 많기 때문이다.
④ 이순신이 고향 마을에 돌아가지 않았기 때문이다.
⑤ 일본군이 이순신에 대한 분풀이로 이순신의 고향
마을을 공격한 것이 분명했기 때문이다.

19 ㉡과 같은 생각에서 어떤 느낌을 받았는지 알맞게 말한
사람의 이름을 쓰세요.

> 동미: 일어나는 모든 일에 대하여 흥미를 잃은 느낌
> 이 들었어.
> 민우: 아들을 잃은 슬픔 때문에 아무것도 신경 쓸 수
> 없는 것처럼 느껴졌어.
> 상현: 더는 일본군 때문에 죽는 사람들이 없도록 꼭
> 승리하겠다는 이순신의 의지가 느껴졌어.

(   )

서술형·논술형 문제

20 이순신이 다음과 같은 상황에서 그렇게 생각한 까닭을
쓰세요.

상황	생각
아들 면의 죽음	이제는 끝내야만 한다고 생각함.

_____

_____

21 다음 중 이순신이 추구하는 가치에 대해 가장 알맞게 설
명한 것은 무엇인가요? (   )
① 전투에서 살아남는 것을 추구한다.
② 백성들의 지지를 받는 것을 추구한다.
③ 패배할 싸움은 피하는 것을 추구한다.
④ 가족보다 나라를 사랑하는 마음을 추구한다.
⑤ 어떤 고난도 포기하지 않고 극복하려는 의지를 추
구한다.

정답 18쪽

국어 교과서 272쪽

7. 인물이 추구하는 가치를 파악하는 방법을 알아봅시다.

⑵ 각 상황에서 이순신이 어떤 말이나 행동을 했나요?

예시 답안

인물이 처한 상황	인물의 말이나 행동
수군을 포기하고 육군으로 싸우라는 나라의 명을 받은 상황	• 임금님께 글을 올림. • 12척의 배가 있으니 죽을힘을 다해 싸운다면 이길 수 있을 것이라고 말함.
일본군과 울돌목에서 싸우는 상황	• 배와 군사들을 많아 보이게 하려고 미리 작전을 짜고 물살을 이용해 적선을 공격함. • 죽으려 하면 살고, 살려 하면 죽으니 죽기를 각오하고 싸워야 한다고 말함.
아들 면의 죽음	• 이를 악묾. • 이제는 끝내야만 한다고 생각함.

⑶ 이순신이 왜 그렇게 말하고 행동했을지 생각해 보세요.

• 이순신은 군사와 배가 적었지만 쉽게 포기하지 않았어.
 어떤 어려움도 극복할 수 있다고 생각하는 사람이기 때문에 그렇게 행동했을 거야.

예시 답안 이순신은 아들 면이 죽었을 때 싸움을 끝내야만 한다고 생각했어. 아들의 죽음이라는 큰 고난 앞에서도 흔들리지 않고 자신과 나라가 처한 상황을 극복하려고 생각했기 때문에 그렇게 했을 거야.

풀이 이야기에서는 인물이 처한 상황에서 한 말과 행동으로 인물이 추구하는 가치를 파악할 수 있습니다.

국어 교과서 273쪽

8. 이순신이 처한 상황에서 한 말과 행동으로 보아 그가 추구하는 가치가 무엇인지 써 봅시다.

예시 답안 어떤 고난도 포기하지 않고 극복하려는 의지를 추구한다. / 용기를 추구한다. / 자신감을 추구한다.

풀이 이순신은 불리한 상황과 아들의 죽음에도 포기하지 않았습니다.

9. 이순신이 추구하는 가치가 자신의 삶에 어떤 질문을 던지는지 생각해 봅시다.

• 나에게 비슷한 상황이 일어난다면 어떻게 생각하고 행동할 것인가?

예시 답안

• 나는 주어진 일에 최선을 다했는가?

• 나는 내 생각을 자신 있게 말할 수 있는가?

풀이 이야기 속 인물의 생각이나 교훈을 얻을 수 있습니다.

자습서 확인 문제

1 육군으로 싸우라는 나라의 명에 이순신은 어떻게 행동했는지 빈칸에 알맞은 말을 쓰세요.

임금님께 ☐ 을 올려 12척의 배가

있으니 ☐☐☐ 을 다해

싸운다면 이길 수 있을 것이라고 말함.

2 다음 중 이순신이 한 말로 알맞은 것을 찾아 기호를 쓰세요.

> ㉠ 일본과의 싸움에서 죽을힘을 다해 싸운다면 이길 수 있을 것이라고 말함.
> ㉡ 모든 것이 적어서 반드시 질 수밖에 없는 싸움이니까 죽기를 각오해야 한다고 말함.

(   )

3 다음 말에서 알 수 있는 이순신이 추구하는 가치는 무엇인지 빈칸에 알맞은 말을 쓰세요.

> "죽으려 하면 살고 살려 하면 죽는다."

어떤 고난도 ☐☐ 하지 않고

☐☐ 하려는 의지를 추구한다.

버들이를 사랑한 죄

• 글쓴이: 황선미
• 글의 내용: 몽당깨비는 버들이를 위하여 샘물줄기를 바꾼 죄로 은행나무 뿌리에 천 년 동안 얽매여 있는 벌을 받게 됩니다.

❶ 몽당깨비는 버들이가 있는 샘마을에 가려고 합니다.

❷ 몽당깨비는 버들이를 위해서라면 무엇이든 하였습니다.

❸ 몽당깨비는 샘물줄기를 바꾼 죄로 벌을 받았습니다.

❹ 몽당깨비는 자유의 몸이 되어 기와집으로 가고 싶었습니다.

❶ 은행나무 뿌리에 갇혀 삼백 년 동안 잠자던 도깨비가 깨어났습니다. 대낮이나 위험할 때면 몽당빗자루로 변하기 때문에 몽당깨비라는 이름이 붙었습니다. _{몽당깨비라는 이름이 붙은 까닭} 키는 열세 살쯤 된 사내아이만 한데, 손등이며 얼굴에 털이 덥수룩하게 나 있고, 옛날 영화를 촬영하다가 온 사람처럼 차림새도 괴상 _{몽당깨비의 모습} 했습니다. / 환경미화원 아저씨는 아침 햇살을 받으며 서서히 몽당빗자루로 변한 몽당깨비를 쓰레기 봉지에 담았습니다. 그러고 나서 몽당깨비가 도착한 곳은 쓰레기 소각장입니다. 몽당깨비는 그곳에서 생각하는 인형 미미를 만났습니다.

"너는 어쩌다 여기까지 왔니?" / "나? 나는……."

몽당깨비는 대답 대신 눈을 감아 버렸습니다. 오랜 세월 가슴에 묻어 둔 사연이 바로 어제 일처럼 떠올랐습니다. _{일의 앞뒤 사정과 까닭}

"갈 데라도 있는 거야?"

"기와집으로 가야지, 샘마을 기와집."

"샘마을은 여기에서 멀어? 처음 듣는 이름이야."

"강안이마을에서 여우 고개를 넘어가면 샘마을이 나오지.

병도 나을 만큼 물맛이 달고 향기로운 샘. 일 년 내내 마르지 않는 샘이 거기에 있단다. 난 거기로 꼭 돌아갈 거야."

몽당깨비가 혼잣말처럼 중얼거리자 미미가 알 수 없다는 표정을 지었습니다.

"여우 고개? 샘마을? 강안이마을이라고?"

"세상이 달라졌어. 하지만 밤이 되면 문제없이 찾아갈 수 있을 거야."

"왜 그곳에 가야 하지?" / 몽당깨비가 빙그레 웃었습니다.

"샘마을에는 버들이가 살거든. 나는 버들이를 위해 큰 기와집을 지었단다. 버들이랑 같이 사람으로 살고 싶어서. 그런데……."

갑자기 몽당깨비 얼굴이 어두워졌습니다. 미미가 활짝 웃으며 말했습니다.

"너도 사람이 되고 싶었니? 우린 공통점을 가졌구나. 그래서?"

중심 내용 ❶ 몽당깨비는 버들이가 살고 있는 샘마을에 가려고 합니다.

---

22 몽당깨비와 미미가 만난 곳은 어디인가요? ( )

① 꽃밭　　　　② 모래밭
③ 우주 비행장　④ 학교 운동장
⑤ 쓰레기 소각장

23 몽당깨비가 샘마을에 가려는 까닭은 무엇일지 빈칸에 알맞은 말을 쓰세요.

• [　　　　　　　　　　　　] 이
있는 곳이기때문이다.

24 몽당깨비에 대한 설명으로 알맞은 것의 기호를 쓰세요.

> ㉮ 몽당빗자루로 변하는 도깨비이다.
> ㉯ 은행나무로 만든 생각하는 인형이다.

(　　　　　　)

25 몽당깨비와 미미의 공통점에 ○표 하세요.

(1) 사람이 되고 싶어 한다. (　　)
(2) 강안이마을이 고향이다. (　　)
(3) 밤에는 숲에 숨어야 한다. (　　)

❷ "버들이는 강안이마을에서 늙고 병든 어머니와 둘이 살았어. 가난했지만 누구보다 예쁜 아가씨였단다. ㉠새벽마다 도깨비 샘물을 뜨러 왔었지. 가장 먼저 샘물을 길어 마셔야 효험이 있다니까 어머니 병을 낫게 하려고 새벽마다 온 거였어. 도깨비들은 그때쯤이면 숲으로 숨기 시작하는데 나는 버들이를 보려고 늘 남아 있었지."

"너 같은 인형이 많았어? 숲에 숨을 수도 있고?"

몽당깨비는 미미를 보고 조용히 웃어 주었습니다.

"우리는 친구가 되었지. 나는 숲에서 버섯이랑 산딸기, 머루를 구해 주고 버들이는 내게 음식을 주었어. 잔칫집에서 일하는 날에는 떡이랑 메밀묵도 가져다주었단다. 버들이는 참 좋은 아가씨였어. 버들이를 좋아할수록 내가 사람이 아니고 도깨비라는 사실이 참 슬펐어."

"와! 도깨비는 대단하다. 하지만 사람이 될 수 없다는 건 정말 고통이지."

"언제부터인가 버들이가 고생하는 게 가엾어지기 시작했어. 그래서 ㉡재주를 부려 가랑잎으로 돈을 만들어다 주고 부잣집 돈을 훔쳐 내기도 했지. 나는 풋내기 도깨비라서 큰 재주를 못 부리니까 도둑질하는 날이 많았단다."

"쯧쯧, 그건 옳지 않아. 버들이는 뭐라던?"

"버들이는 몰랐을 거야. 내가 도깨비라서 재주를 부린다고 믿었겠지. 버들이를 위해서라면 뭐든지 할 수 있었어. 파랑이가 나한테 정신 나간 도깨비라고 했을 정도로 버들이가 좋았으니까. 다른 도깨비들과 달리 나는 유난히 사람을 좋아했어. 지금도 사람이 좋아."
〔몽당깨비가 좋아하는 것〕

"파랑이?"

"내 친구야. 묘지를 지키는 도깨비불이지."
〔파랑이〕

"그래? 도깨비는 할 수 있는 게 많구나. 인형도 그렇게 되면 좋겠다."

"어느 날, 버들이가 울면서 어머니가 위독하다고 했어. ㉢어머니께 샘물을 좀 더 드리고 싶은데 샘이 너무 멀어서 조금밖에 못 길어 가니까 샘가에 오두막을 짓고 살겠다더군. 하지만 그건 위험한 생각이었어. 그 물은 산에 사는 온갖 동물들도 마시거든. 밤이면 여우도 나오고 호랑이도 나오는 곳이야. 밤마다 도깨비들까지 모였으니 사람이 얼씬거릴 곳이 아니었지."
〔버들이의 말이 위험하다고 한 까닭〕

미미는 더 물을 수가 없었습니다. 왠지 도깨비는 인형과 뭔가 다를 것 같았기 때문입니다.

효험 일에서 느끼는 보람. 또는 어떤 작용의 결과.
유난히 말, 행동이나 상태가 보통과 아주 다르게.

위독하고 병이 매우 중하여 생명이 위태롭다고.
  예 할머니가 위독하다고 연락을 받았지만 갈 수 없었습니다.

---

26 버들이가 ㉠과 같은 행동을 한 까닭은 무엇인가요?

(   )

① 도깨비를 쫓아내려고
② 몽당깨비를 만나려고
③ 샘물을 길어다 팔려고
④ 음식을 만드는 데 쓰려고
⑤ 어머니 병을 낫게 하려고

27 버들이가 몽당깨비를 위해 한 일은 무엇인가요? (   )
① 음식을 주었다.　　② 보물을 주었다.
③ 책을 읽어 주었다.　④ 노래를 불러 주었다.
⑤ 옷을 만들어 주었다.

28 몽당깨비가 ㉡의 행동을 한 까닭의 번호를 쓰세요.

> ① 버들이가 부탁해서
> ② 버들이가 고생하는 것이 가엾어서

(   )

🏫 교과서 문제

29 ㉢의 버들이의 말을 통해 알 수 있는 버들이가 추구하는 가치로 알맞은 것의 번호를 쓰세요.

> ① 사랑과 평화를 추구한다.
> ② 현실적인 이익을 추구한다.
> ③ 친구와의 의리를 추구한다.

(   )

"파랑이와 의논했어. 파랑이는 펄쩍 뛰더군. 사람이 샘가에서 살기 시작하면 결국 도깨비들은 샘을 뺏기고 떠나야 한다고 했어. 버들이는 착한 여자라 그럴 리가 없다고 했지만 소용없었어. 버들이가 나를 꾐에 빠뜨리고 있다고 파랑이는 걱정만 했지. 대왕님이 알기 전에 버들이를 모른 체하라고 야단쳤어. 정말 화가 났단다."

몽당깨비 몸이 부르르 떨렸습니다. 온몸의 털이 부스스 일어서는 걸 보면서 미미는 조용히 고개를 끄덕거렸습니다.

"샘가에 집을 지으면 우리가 더 오래 만날 수 있다고 버들이가 말했을 때에는 아주 행복했단다. 그래서 결심했어. 샘가에서 살 수 없다면 조금 떨어진 곳에 집을 짓기로. 파랑이도 더 반대하지 못했지. 그때부터 나는 재주를 한껏 발휘해 돈을 만들었단다. 부자들의 보물도 훔쳐 냈어. 버들이에게 오두막이 아닌 대궐 같은 기와집을 지어 주고 싶어서 말이야. 낮에는 사람들이 집을 지었지만 밤에는 내가 지었지. 아주 튼튼하게. 대왕님이 알고 호통쳤지만 하나도 무섭지 않았어. 그런데……."

"그런데?"

"버들이가 이번에는 샘을 기와집 뒤란으로 옮겨 달라고 하잖아. 그러면 집에서 샘물을 긷게 될 거라고."

버들이의 말

"이제 보니 버들이는 욕심쟁이구나. 샘을 옮기다니! 그러면 다른 동물들은 샘물을 못 마시잖아?"

"파랑이도 그렇게 말했어. 하지만 나도 그걸 원했으니까 버들이를 탓하지는 마. 나도 어느새 버들이랑 똑같은 생각을 하게 되었던 거야." / "그래서 샘을 옮겨 주었니?"

"땅속의 샘물줄기를 기와집 뒤란으로 흐르도록 해 주겠다고 약속했어. 그때 버들이가 기뻐하던 모습이라니, 지금도 잊을 수가 없어."

✏️**중심 내용 2** 몽당깨비는 버들이를 위하여 무엇이든 하였습니다.

3 미미는 허공을 향해 빙그레 웃는 몽당깨비가 못마땅해서 고개를 저었습니다. 그런데 이내 몽당깨비의 표정이 어두워졌습니다.

"버들이가 묻더군. 도깨비가 제일 무서워하는 게 뭐냐고."

버들이의 말

"무서운 거?"

"말 머리와 말 피를 무서워한다고 했지. 그랬더니 그걸로 도

도깨비가 제일 무서워하는 것

깨비들이 집 안에 얼씬거리지 못하도록 수를 써야 한다고 했어. 내가 샘물줄기를 바꾸고 나면 틀림없이 도깨비들이 노여워할 거라고 말이야. 샘물줄기를 찾아 물길을 바꾸고 며칠 뒤에 가 보니까 기와집 앞은 온통 아수라장이었어."

"왜?"

뒤란 집 뒤 울타리 안. 예 집 뒤란에 목련이 피었습니다.

허공(虛 빌 허 **空** 빌 공**)** 텅 빈 공중.

---

30 몽당깨비가 처한 상황을 빈칸에 쓰세요.

• 버들이가 샘을 [   ]으로 옮겨 달라고 한다.

🎓**교과서 문제**

31 몽당깨비가 한 말과 행동이 <u>아닌</u> 것의 기호를 쓰세요.

㉮ "버들이를 탓하지는 마."
㉯ 파랑이에게 기와집을 만들어 달라고 했다.
㉰ 땅속의 샘물줄기를 기와집 뒤란으로 흐르도록 해 주었다.

(   )

32 몽당깨비가 문제 **31**번에서처럼 말하고 행동한 까닭을 알맞게 말한 사람의 이름을 쓰세요.

진영: 버들이에게 혼날까 봐 무서웠기 때문이야.
혜미: 버들이를 사랑하기 때문에 무엇이든지 해 주고 싶었기 때문이야.

(   )

📋**서술형·논술형 문제**

33 몽당깨비가 추구하는 가치는 무엇인지 쓰세요.

_____

_____

"샘이 마른 이유를 알아내고 동물과 도깨비 들이 모두 그
_{몽당깨비가 샘물줄기를 버들이네 기와집 뒤란으로 옮겼기 때문임.}
곳으로 모인 거야. 대왕님은 나를 잡아 오라고 불호령을
내렸지. 하지만 아무도 기와집은 건드리지 못했어. 기와
집 담에는 빈틈없이 말 피가 뿌려져 있었고 대문에는 말
머리가 높이 올려져 있었던 거야. 끔찍한 광경이었어."

"너는? 너는 어떻게 들어갔어?"

"나도 도깨비야. 나도 지금까지 그 기와집에 들어가 보지
_{몽당깨비도 도깨비이기 때문임.}
못했단다. 그게 마지막이야."

"저런! 너무 늦게 돌아왔구나."

"그래. 나는 대왕님한테 잡혀 벌을 받았단다. 대왕님은
기와집 담 밖에 구덩이를 파고 은행나무 한 그루를 심었
지. 나도 그 속에 묻고. 나는 천 년 동안 은행나무 뿌리에
얽매여 있어야 하는 벌을 받았단다. 버들이 곁에 있으면
서도 만날 수 없는 끔찍한 벌이었지……."

몽당깨비가 말끝을 흐렸습니다.

📝 **중심 내용 3** 몽당깨비는 버들이네 집으로 샘물줄기를 바꾼 죄로 천 년 동안 은행나무 뿌리에 얽매여 있어야 하는 벌을 받았습니다.

4 "가엾어라!"

미미는 자기도 모르게 눈물을 흘리고 말았습니다.

"이럴 수가! 너 때문에 내가 눈물을 흘렸어. 내게도 마음
이 생겼나 봐."

미미는 눈물을 손가락으로 찍어 신기한 듯 들여다보았습
_{미미는 인형이기 때문에 눈물을 흘려 본 적이 없었기 때문임.}
니다.

"천 년이라니! 버들이를 사랑한 죄가 그렇게 큰 거야? 지
독한 형벌이구나. 샘을 건드린 벌이라! 그럼 너는 천 년
만에 세상에 나왔니?" / "아니, 삼백 년 만에 자유가 됐
어. 어쩐 일인지 은행나무가 없어졌거든. 벌을 받았으니
이제는 기와집으로 가도 될 거야."

"하지만 너무 오래전 일인걸. 기와집이 지금까지 있기나
하겠어?" / "기와집은 있었어. 그곳에 가고 싶어."

"나도 주인에게 돌아가고 싶어. 강이 보이는 동네야. 강
_{미미가 살던 곳}
변이라고. 날 데려다주겠니? 나 혼자서는 어렵없거든."

몽당깨비가 벌떡 일어났습니다. 날이 어두워지기 시작했
기 때문입니다. 미미는 몽당깨비가 혼자 가 버릴까 봐 은근
히 걱정이 되었습니다. / "나를 두고 혼자 가지 않을 거지?"

몽당깨비는 몸을 굽혀 미미를 손바닥에 올려놓았습니다.

📝 **중심 내용 4** 몽당깨비는 자유의 몸이 되어 기와집으로 가고 싶었습니다.

불호령 몹시 심하게 하는 꾸지람. 예 아버지가 불호령을 내렸습니다.

광경(光 빛 광 景 경치 경) 벌어진 일의 형편과 모양.

---

34 아무도 기와집을 건드리지 못한 까닭을 두 가지 고르세
요. (,)

① 기와집 문이 고장났기 때문이다.
② 대문에 말 머리가 올려져 있어서이다.
③ 몽당깨비가 못 들어오게 했기 때문이다.
④ 대왕님이 기와집 문을 닫았기 때문이다.
⑤ 기와집 담에 말 피가 뿌려져 있어서이다.

36 이 이야기의 주제는 무엇인가요? ( )
① 인류의 발전   ② 세계의 평화
③ 자유와 평등   ④ 독서의 중요성
⑤ 진정한 사랑과 용서

📘 **서술형·논술형 문제**

37 다음과 같은 상황에서 자신이 버들이라면 어떤 말이나
행동을 했을지 쓰세요.

샘물줄기를 바꾸면
도깨비들이 노여워할 테니 도깨비들이
집 안에 얼씬거리지 못하도록 수를
써야겠어.

35 대왕 도깨비가 몽당깨비에게 내린 벌은 무엇인지 쓰세요.

• 천 년 동안 [   ]에 얽매여

있어야 하는 벌

정답 18쪽

국어 교과서 **279쪽**

2. 「버들이를 사랑한 죄」를 읽고 질문을 만들어 친구들과 묻고 답해 봅시다.

(1) 이야기 내용을 확인하는 질문을 만들어 친구들과 묻고 답해 보세요.

〔예시 답안〕 고생하는 버들이를 위해 몽당깨비가 한 일은 무엇인가요?

(2) 친구들의 다양한 생각을 들을 수 있는 질문을 만들어 친구들과 묻고 답해 보세요.

〔예시 답안〕 몽당깨비와 미미의 공통점은 무엇인가요? / 앞으로 어떤 이야기가 이어질 것 같나요?

〔풀이〕 글의 내용과 인물의 특성을 파악할 수 있는 질문을 만들어 봅니다.

국어 교과서 **280쪽**

3. 「버들이를 사랑한 죄」를 다시 읽고 사건 흐름을 말해 봅시다.

〔예시 답안〕

> 몽당깨비는 어머니의 병을 낫게 하려고 도깨비 샘물을 뜨러 오는 버들이를 사랑하게 되었다.

▼

> 몽당깨비는 샘가에 집을 짓고 싶어 하는 버들이에게 샘가에서 조금 떨어진 곳에 기와집을 지어 주고 샘물이 기와집 뒤란으로 흐르도록 물길을 바꾸어 주었다.

▼

> 샘이 마른 까닭을 알게 된 동물과 도깨비 들이 기와집에 몰려들었지만, 버들이가 미리 준비한 말 피와 말 머리 때문에 기와집을 건드릴 수 없었다.

▼

> 대왕 도깨비는 기와집 담 밖에 은행나무를 심어 몽당깨비에게 천 년 동안 은행나무 뿌리에 얽매여 있게 하는 벌을 주었다.

▼

> 은행나무가 없어지면서 몽당깨비가 삼백 년 만에 세상에 나오게 되었다.

▼

> 몽당깨비는 쓰레기 소각장에서 미미를 만났고 기와집에 찾아가기로 했다.

자습서 확인 문제

1 버들이가 한 일은 무엇인가요?

어머니를 낫게 하기 위해서

☐ ☐ ☐ ☐ ☐ 을 뜨러 다녔다.

8 단원

2 샘가에 집을 짓고 살고 싶어 하는 버들이에게 몽당깨비가 지어준 것은 무엇인지 쓰세요.

( )

3 다음 중 「버들이를 사랑한 죄」를 읽고 알맞게 말한 사람의 이름을 쓰세요.

> 해진: 몽당깨비는 은행나무가 너무 싫어서 세상에 나올 수 없었어.
> 정훈: 대왕 도깨비는 물길을 바꾼 몽당깨비에게 천 년 동안 은행나무 뿌리에 얽매여 있는 벌을 주었어.

( )

정답 18쪽

4. 「버들이를 사랑한 죄」의 인물들이 추구하는 다양한 가치를 비교해 봅시다.

(1) 몽당깨비와 버들이가 한 말과 행동을 정리해 보고 인물들이 추구하는 가치가 무엇인지 파악해 보세요.

예시 답안

	몽당깨비	버들이
인물의 말	• "버들이는 착한 여자라 그럴 리가 없어." • "버들이를 탓하지는 마."	• "위독하신 어머니께 샘물을 좀 더 드리고 싶으니 샘가에 오두막을 짓고 살겠어." • "도깨비가 제일 무서워하는 게 뭐야?"
인물의 행동	• 버들이에게 기와집을 만들어 주려고 돈을 만들고 부자들의 보물도 훔쳤다. • 땅속의 샘물줄기를 기와집 뒤란으로 흐르도록 해 주었다.	• 점점 더 샘물을 쉽게 얻을 수 있는 방법을 원했다. • 기와집 담에 말 피를 뿌리고 대문에 말 머리를 올려놓았다.
인물이 추구하는 가치	• 진심을 담아 상대를 대하는 것을 추구한다. • 믿음과 사랑을 추구한다.	• 현실적인 이익을 추구한다. • 효를 추구한다.

5. 「버들이를 사랑한 죄」에 나오는 인물이 되어 자신이라면 인물이 처한 상황에서 어떻게 했을지 생각하며 역할극을 해 봅시다.

(2) 자신이 버들이었다면 어떤 말이나 행동을 했을까요?

예시 답안

버들이가 처한 상황	내가 버들이었다면
 샘물줄기를 바꾸면 도깨비들이 노여워할 테니 도깨비들이 집 안에 얼씬거리지 못하도록 수를 써야겠어.	• 몽당깨비에게 앞으로 어떻게 해야 할지 함께 방법을 찾아보자고 했을 것 같습니다. • 도깨비들이 노여워하는 것은 당연하므로 어머니의 병이 나을 때까지만 도깨비들이 자신의 기와집에 와서 샘을 이용하면 어떻겠느냐고 도깨비들을 설득했을 것 같습니다.

자습서 확인 문제

4 버들이가 도깨비들이 무서워하는 것을 물어본 이유를 찾아 기호를 쓰세요

> ㉠ 도깨비들을 지켜 주려고
> ㉡ 겁 많은 몽당깨비를 놀리려고
> ㉢ 도깨비들이 자신의 집에 들어오지 못하게 하려고

( )

5 다음의 가치를 추구하는 인물은 몽당깨비와 버들이 중 누구인지 쓰세요.

> • 진심으로 상대를 대한다.
> • 믿음과 사랑을 추구한다.

( )

6 버들이가 추구하는 가치는 무엇인지 빈칸에 알맞은 말을 쓰세요.

버들이는 현실적인 ☐☐을 을 추구한다.

나무를 심는 사람

•글의 내용: 왕가리 마타이는 그린벨트 운동에 대한 공로를 인정받아 아프리카 여성 최초로 노벨 평화상을 받았습니다.

❶ 왕가리 마타이는 좋은 성적을 거두어 외국에서 공부할 수 있었다.

❷ 왕가리 마타이는 파괴된 환경을 보고 나무를 심어 주는 회사를 세웠다.

❸ 왕가리 마타이는 나무 심기 운동을 전파하였다.

❹~❺ 왕가리 마타이는 우후루 공원을 지켰고, 노벨 평화상을 받았다.

❶ 1940년, 아프리카 케냐 중앙 고원 지역 이히테의 작은 마을에서 왕가리 마타이가 태어났다.

집안의 맏딸인 왕가리 마타이는 어머니를 도와 집안일을 하고 동생들을 보살폈다. 그 당시 케냐에서는 여자아이를 <u>당시 케냐 여자아이의 생활</u> 학교에 보내는 경우가 매우 드물었다. 왕가리 마타이도 자신이 학교에 다니게 될 것이라고는 생각하지 못했다. 그러던 어느 날, 오빠 은데리투가 어머니에게 왕가리 마타이는 왜 학교에 다니지 않느냐고 물었고, 어머니는 고민 끝에 왕가리 마타이를 학교에 보내기로 결심했다.

왕가리 마타이는 학교에서 성실하게 공부해 좋은 성적을 거두었다. 선생님들은 왕가리 마타이의 남다른 총명함과 성실함을 눈여겨보고 그녀가 장학금을 받아 외국에서 공부할 수 있도록 도와주었다.

✏️ **중심 내용 ❶** 왕가리 마타이는 학교에 다니며 좋은 성적을 거두었고, 총명하고 성실하여 외국에서 공부할 수 있었습니다.

❷ 외국에서 공부를 마치고 케냐로 돌아온 왕가리 마타이는 ㉠황폐해진 케냐의 마을 풍경을 보고 깜짝 놀랐다. 케냐의 새로운 지도자들이 돈벌이를 위해 숲을 없애고 차나무와 커피나무를 심은 것이었다. 울창했던 숲은 벌목으로 벌거벗은 모습이 되었고, 비옥했던 토양은 영양분이 고갈되어 동물과 식물을 제대로 길러 낼 수 없는 상태가 되었다. 이러한 변화로 사람들은 땔감을 구하기 어려웠고, 작물이 잘 자라지 않아 가난과 굶주림 속에서 고통받게 되었다. <u>논밭에 심어 가꾸는 곡식이나 채소</u>

드물었다　어떤 일이 일어나는 일이 자주 있지 않았다.
　📙 선생님께서 화를 내시는 일은 <u>드물었다</u>.
벌목(伐 벨 **벌** 木 나무 **목**)　숲의 나무를 벰.
비옥　땅이 기름지고 영양분이 많음.

---

38 왕가리 마타이가 태어난 나라는 어디인지 쓰세요.

（　　　　　　　）

39 이 글의 내용으로 알맞지 <u>않은</u> 것은 무엇인가요?

（　　）

① 왕가리 마타이는 외국에서 공부하였다.
② 왕가리 마타이는 어머니를 도와 집안일을 하였다.
③ 왕가리 마타이는 학교에서 좋은 성적을 거두었다.
④ 왕가리 마타이는 어머니께 학교에 보내 달라고 졸랐다.
⑤ 당시 케냐에서는 여자아이를 학교에 보내는 경우가 드물었다.

🎓 **교과서 문제**

40 ㉠은 왕가리 마타이가 어떤 상황에 처했을 때 한 행동인가요? （　　）

① 외국으로 여행을 갔다 돌아온 상황
② 이웃 동네에 일을 하러 갔다 온 상황
③ 외국에서 봉사 활동을 하고 돌아온 상황
④ 시골 마을에서 농사를 짓고 돌아온 상황
⑤ 외국에서 공부를 마치고 케냐로 돌아온 상황

41 케냐의 새로운 지도자들이 숲을 없앤 까닭에 ○표 하세요.

(1) 돈벌이를 위해서이다.　（　　）
(2) 자연환경을 보호하기 위해서이다.　（　　）

파괴된 환경이 그녀와 그녀의 아이들 그리고 케냐의 모든 이에게 고통을 주고 있다는 것을 깨달은 왕가리 마타이는 자신이 할 수 있는 일이 무엇인지 생각해 보았다.

'나무를 심는 거야.'

왕가리 마타이는 나무를 심기로 마음먹고, 방법을 고민한 끝에 나무를 심어 주는 회사를 세웠다. 그녀는 이 회사가 헐벗고 삭막한 도시를 풍요롭게 만들 뿐만 아니라, 가난한 사람들에게 나무를 심고 관리하는 일자리를 제공할 것이라고 생각했다. 그러나 사업은 적자를 면하기 어려웠고, 누구도 그녀를 도와주지 않았다.

✏️**중심 내용 2** 케냐의 파괴된 환경을 본 왕가리 마타이는 나무를 심어 주는 회사를 세웠지만 적자를 면하지 못하였습니다.

③ 회사 운영이 어려워지자 왕가리 마타이는 묘목 장사를 해서 회사를 살리기로 하고, 1975년 나이로비에서 열린 국제 전람회에 참석해 묘목을 전시했다. 그러나 묘목을 사는 사람은 아무도 없었다. 실망스러웠지만 왕가리 마타이는 포기하지 않았다. 때마침 그녀는 국제연합 해비탯 회의에 참

석할 수 있는 기회를 얻었다. 왕가리 마타이는 그곳에서 테레사 수녀와 마거릿 미드에게 큰 감명을 받고, 나무와 숲이 있는 더 푸른 도시를 만들기로 결심했다. 하지만 새로운 꿈을 품고 케냐로 돌아온 왕가리 마타이를 맞이한 것은 말라 죽은 묘목들이었다.

"이제 나무 심기는 그만하면 어때?"

주위 사람들은 나무 심기에만 열중하는 왕가리 마타이를 설득했다.

"나무 심기를 포기할 수는 없어요."

왕가리 마타이는 포기하지 않고 나무 심기를 계속할 수 있는 방법을 찾아보았다. 그리고 곧 그 기회가 생겼다.
　　　　　　　　　　　　　　　나무 심기를 계속할 수 있는 기회

1977년, 케냐여성위원회에서 왕가리 마타이에게 해비탯 회의에서 보고 들은 것을 연설해 달라고 부탁한 것이다. 왕가리 마타이의 연설은 많은 사람에게 감동을 주었고, 그 뒤 왕가리 마타이는 케냐여성위원회의 위원이 되어 나무 심기 운동을 추진했다.

적자　버는 돈보다 쓰는 돈이 많아 손해인 상태.
묘목(苗 싹 묘 木 나무 목)　옮겨 심는 어린나무.

해비탯　집을 짓거나 고치는 활동으로 전 세계의 집 없는 사람들이 스스로 살아갈 수 있도록 돕는 국제단체.

---

42 왕가리 마타이가 나무를 심겠다고 생각한 까닭의 기호를 쓰세요.

> ㉮ 부모님을 기쁘게 해 드리기 위해서이다.
> ㉯ 아이들이 공부할 곳을 마련하기 위해서이다.
> ㉰ 파괴된 환경이 케냐의 모든 이에게 고통을 주고 있다는 것을 깨달아서이다.

(　　　　　　　　　)

43 왕가리 마타이가 나무를 심는 회사가 할 수 있는 일로 생각한 것을 두 가지 고르세요. (　　,　　)

① 나무를 수출하여 돈을 벌 수 있다.
② 나무를 가공하여 가구를 만들 수 있다.
③ 나무에 대한 책을 써서 작가가 될 수 있다.
④ 헐벗고 삭막한 도시를 풍요롭게 만들 수 있다.
⑤ 가난한 사람들에게 나무를 심고 관리하는 일자리를 제공할 수 있다.

44 국제연합 해비탯 회의에 참석한 왕가리 마타이는 어떤 결심을 하였나요? (　　　　)

① 묘목을 싼값에 팔아야겠다.
② 나무로 물건을 만들어야겠다.
③ 더 푸른 도시를 만들어야겠다.
④ 케냐여성위원회의 위원이 되어야겠다.
⑤ 묘목 대신 잘 팔리는 물건을 찾아봐야겠다.

📋 **서술형·논술형 문제**

45 글 ③에서 왕가리 마타이가 처한 상황과 그 상황에서 한 말을 쓰세요.

(1) 처한 상황	
(2) 말	

케냐여성위원회는 나무 심기 운동을 전파하려고 여성들이 기른 묘목을 숲이나 정원에 옮겨 심을 때마다 한 그루에 4센트씩 대가를 지불하기로 했다. 여성들은 농사를 지어 본 경험이 많아 나무를 잘 길러 냈다. 때로는 땅에 화단을 일구었고, 때로는 깨진 화분에 묘목을 키웠다. 일자리를 가져 본 경험이 없는 여성들은 비록 적은 돈이었지만 스스로 돈을 벌 수 있다는 사실에 기쁨을 느끼며 열심히 일했다.

왕가리 마타이는 시골 여성들과 함께 나무를 심었다. 그리고 그녀들을 격려하며 나무 심기 운동을 전파해 달라고 부탁했다. 이러한 노력들이 모여 나무 심기 운동은 큰 변화를 가져왔다. 묘목을 한꺼번에 약 1000그루씩 적당한 간격을 두고 심어 '벨트'를 만들도록 권장하면서 나무 심기 운동은 '그린벨트 운동'으로 불렸다.

그린벨트 운동은 성공적이었지만, 심은 나무를 가꾸기까지는 시간과 노력이 많이 필요했다. 나무를 가꾸는 데 지친
_{나무가 자라는 데 시간이 오래 걸리기 때문임.}
몇몇 사람은 나무를 심기보다는 베어서 쓰고 싶어 했다.

㉠"나무가 빨리 자라지 않으니 나무를 심기 싫어요."

왕가리 마타이는 사람들에게 인내심을 지니고 나무를 심어 줄 것을 부탁했다.

"우리가 오늘 베고 있는 나무는 우리가 심은 것이 아니라 이전에 누군가가 심어 준 것입니다. 그러니까 우리도 우리 아이들을 위해서, 미래의 케냐를 위해서 나무를 심어야 해요."

왕가리 마타이는 꾸준히 그리고 열성적으로 나무 심기 운동을 이끌었다. 하지만 모두가 왕가리 마타이와 같은 생각을 하는 것은 아니었다.
_{나무를 심어야 한다.}

중심 내용 3 왕가리 마타이는 케냐여성위원회의 위원이 되어 나무 심기 운동을 전파하였습니다.

전파(傳 전할 전 播 뿌릴 파) 전하여 널리 퍼뜨림.
권장 권하여 장려함. 예 건강을 지키기 위하여 적당한 운동을 권장합니다.

인내심(忍 참을 인 耐 견딜 내 心 마음 심) 괴로움이나 어려움을 참고 견디는 마음.

---

46 케냐여성위원회의 나무 심기 운동에 대한 설명으로 알맞은 것에 ○표, 알맞지 <u>않은</u> 것에 ×표 하세요.

(1) 여성들은 돈을 받지 않고 봉사하였다. (   )

(2) 여성들은 농사를 지어 본 경험이 많아 나무를 잘 길러 냈다. (   )

(3) 일자리를 가져 본 경험이 없던 여성들은 기쁨을 느끼며 묘목을 키웠다. (   )

47 왕가리 마타이가 펼친 나무 심기 운동의 이름은 무엇인지 쓰세요.

(   )

48 왕가리 마타이는 ㉠처럼 말하는 사람들에게 어떻게 했나요? (   )

① 돈을 더 준다고 하였다.

② 나무를 베어 쓰라고 했다.

③ 나무를 10그루만 심으라고 했다.

④ 나무를 심기 싫은 사람은 일하지 말라고 했다.

⑤ 인내심을 지니고 나무를 심어 줄 것을 부탁했다.

49 왕가리 마타이의 성격에 대하여 알맞게 말한 사람의 이름을 쓰세요.

> 재욱: 싫다고 하는 사람에게 나무 심기 운동을 강요한 것을 보니 이기적이야.
>
> 지연: 자신의 이익과 관련이 없는 일이지만 열심히 하는 것을 보니 책임감이 있는 성격이야.

(   )

④ 1989년, 케냐 정부는 나이로비 시내 한복판에 있는 우후루 공원에 복합 빌딩을 건설하려고 했다. 우후루 공원은 대도시 나이로비에 남아 있는 유일한 녹지 공간으로, 콘크리트 건물 사이에서 시민들의 쉼터 역할을 하고 있었다. 왕가리 마타이는 도심 속 녹지대와 시민들의 쉼터가 계속 보전되어야 한다고 생각했다. 그녀는 관련 회사와 정부에 편지를 쓰고 언론에 자신의 주장을 알리며 우후루 공원을 지키려고 애썼다. 친구들은 힘들어하는 왕가리 마타이를 걱정했다.

풀이나 나무가 우거진 곳.

"왜 이렇게까지 하는 거야? 그건 네가 간섭할 일은 아니잖아?"

공원을 지킵시다.

> 언론   신문이나 방송 등에서 정치·사회적 문제에 대한 의견을 공식적으로 발표하는 것.

"우후루 공원은 모든 사람의 것이야. 그러니까 누군가는 그 잘못을 말해야 해."

왕가리 마타이는 포기하지 않고 우후루 공원을 지켜야 한다고 목소리를 높이면서 정부가 생각을 바꾸도록 노력했다. 노력은 결실을 맺었다. 우후루 공원에 복합 빌딩을 건설하는 것을 케냐 국민이 거세게 반대하고 세계 언론이 이 문제를 보도하자 케냐 정부는 복합 빌딩의 건설을 포기했다.

중심 내용 ④   왕가리 마타이는 우후루 공원을 지키기 위하여 노력하였습니다.

⑤ 왕가리 마타이는 아무리 힘든 상황이라도 절망하지 않고 문제를 해결할 수 있는 방법을 찾아 나섰다. 환경 운동가인 왕가리 마타이에게 환경을 보호하는 방법은 나무를 심는 것이었다. 나무를 심고 키우는 것이 환경을 보호하고 사람을 이롭게 한다고 생각했다. 그래서 다른 사람들이 은퇴를 하고 휴식을 취할 무렵인 노년에도 환경 보호 운동에 앞장섰다. 그리고 왕가리 마타이는 이러한 노력을 인정받아 2004년에 아프리카 여성 최초로 노벨 평화상을 받았다.

자신이 하고자 하는 일에 최선을 다함.

중심 내용 ⑤   왕가리 마타이는 노년에도 환경 보호 운동에 앞장서 아프리카 여성 최초로 노벨 평화상을 받았습니다.

> 이롭게   이익이 있게.
> 은퇴   직책에서 물러나거나 공적인 사회 활동을 그만둠.

---

50 왕가리 마타이가 처한 상황은 어떠하나요? (   )
① 우후루 공원에 쓰레기가 넘쳐나는 상황
② 나이로비 시내에 공원이 여러 개 생기는 상황
③ 왕가리 마타이가 건설 회사에서 일하게 된 상황
④ 사람들이 더 이상 우후루 공원을 찾지 않는 상황
⑤ 케냐 정부에서 우후루 공원에 복합 빌딩을 건설하려는 상황

51 문제 50번의 상황에서 왕가리 마타이가 한 말이나 행동을 두 가지 골라 번호를 쓰세요.

> ① "우후루 공원은 모든 사람의 것이야."
> ② 친구들에게 나무를 심는 것이 힘들다고 말함.
> ③ 관련 회사와 정부에 편지를 쓰고 언론에 자신의 주장을 알리며 우후루 공원을 지키려고 애씀.

(,   )

52 왕가리 마타이는 환경을 보호하는 방법은 무엇이라고 생각하였나요? (   )
① 나무를 심는 일
② 자원을 재활용하는 일
③ 태양 에너지를 사용하는 일
④ 동물과 식물을 보호하는 일
⑤ 자동차를 많이 타지 않는 일

서술형·논술형 문제

53 왕가리 마타이가 처한 상황에서 한 말과 행동을 통하여 알 수 있는 왕가리 마타이가 추구하는 가치를 쓰세요.

_____

_____

정답 18쪽

3. 「나무를 심는 사람」을 읽고 질문을 만들어 친구들과 묻고 답해 봅시다.

(1) 다음 낱말을 활용해 글 내용을 확인하는 질문을 만들어 친구들과 묻고 답해 보세요.

| 누가 | 언제 | 어디에서 | 무엇을 | 어떻게 | 왜 |

예시 답안

> 누가 나오나요? / 언제, 어디에서 있었던 일인가요? / 나무가 빨리 자라지 않아 나무를 심기 싫다는 사람들에게 왕가리 마타이는 어떻게 했나요?

풀이 > 글의 내용을 파악하고 인물이 추구하는 가치를 알아볼 수 있는 질문을 만들고 질문에 답해 봅니다.

4. 인물이 추구하는 가치를 자신의 삶과 관련짓는 방법을 알아봅시다.

(1) 승수는 「나무를 심는 사람」의 왕가리 마타이가 처한 상황에서 한 말과 행동에 밑줄을 그었어요. 승수가 밑줄 그은 부분을 살펴볼까요?

외국에서 공부를 마치고 케냐로 돌아온 상황	나무 심기를 계속한 상황
• 황폐해진 케냐의 마을 풍경을 보고 깜짝 놀랐다. • '나무를 심는 거야.' • 나무를 심어 주는 회사를 세웠다.	• "나무 심기를 포기할 수는 없어요." • 케냐여성위원회의 위원이 되어 나무 심기 운동을 추진했다. • "우리도 우리 아이들을 위해서, 미래의 케냐를 위해서 나무를 심어야 해요."

케냐 정부가 우후루 공원에 복합 빌딩을 건설하려고 한 상황	노년에 이른 상황
• 관련 회사와 정부에 편지를 쓰고 언론에 자신의 주장을 알리며 우후루 공원을 지키려고 애썼다. • "우후루 공원은 모든 사람의 것이야."	• 환경 보호 운동에 앞장섰다.

(2) (1)의 왕가리 마타이가 한 말과 행동에서 왕가리 마타이가 추구하는 가치를 짐작해 볼까요?

예시 답안 > 모두의 이익과 행복인 것 같다.

풀이 > 왕가리 마타이는 모두의 이익과 행복을 위해서 환경 보호에 앞장섰습니다.

자습서 확인 문제

1 왕가리 마타이는 황폐해진 케냐의 모습을 보고 어떻게 행동했나요?

□□를 심어 주는 회사를 세웠습니다.

8
단원

2 다음 말과 관련 있는 왕가리 마타이의 행동을 찾아 기호를 쓰세요.

> "우후루 공원은 모든 사람의 것이야."

> ㉠ 나무를 그만 심고 싶다는 사람들을 설득했다.
> ㉡ 관련 회사와 정부에 편지를 썼다.

( )

3 다음 중 왕가리 마타이에 대한 사실로 알맞은 것에 ○표 하세요.

(1) 평생 케냐에서만 살았다.
( )
(2) 노년까지 환경 보호 운동에 앞장섰다. ( )
(3) 아무도 같이하지 않았지만 혼자 꿋꿋이 나무를 심었다. ( )

● 문학 작품 속 인물이 추구하는 가치가 드러나게 인물 소개서를 써 봅시다.

민수가 쓴 인물 소개서

┌───┐
『샘마을 몽당깨비』의 '몽당깨비'를 소개합니다.

• 지은이: 황선미

• 이름: 몽당깨비   • 성별: 남   • 나이: 알 수 없음.   • 특징: 도깨비

• 인물에게 일어난 일
– 어머니의 병을 낫게 하려고 도깨비 샘물을 뜨러 오는 버들이를 사랑하게 됨.
– 버들이의 부탁을 받고 도깨비 샘의 물길을 바꾼 벌로 천 년 동안 은행나무 뿌리에 갇힘.

• ㉠인물을 말해 주는 질문과 대답
– 좋아하는 것은? 사람, 특히 버들이
– 싫어하는 것은? 은행나무 뿌리에 갇히는 것
– 잘하는 것은? 남을 도와주는 것
– 못하는 것은? 버들이의 부탁을 거절하는 것

• 기억나는 인물의 말과 행동   몽당깨비가 버들이가 살던 기와집을 찾아갔을 때 만난 소녀
– 기억나는 말: "버들이와 아름이는 내게 사랑과 용서를 가르친 사람들이야."
– 기억나는 행동: 버들이를 위해 돈을 만들어 주고 부잣집 보물을 훔친 행동, 다시 은행나무 뿌리 속으로 들어가기 전에 미소를 보이며 왼손을 든 행동
└───┘

● 문학 작품 속 인물 소개서에 들어갈 내용 예

• 작품 제목, 지은이, 인물 이름
• 인물에게 일어난 일
• 인물을 말해 주는 질문과 대답
• 기억나는 인물의 말과 행동
• 인물이 자신의 삶에 준 영향

● 문학 작품 속 인물을 소개하는 친구의 발표를 듣고 친구의 삶과 관련지어 궁금한 점 물어보기 예

인물이 추구하는 가치가 자신의 삶에 던진 물음은 무엇인가요?

비슷한 상황이 자신에게 일어난다면 어떻게 행동할 것 같나요?

---

54 민수가 쓴 인물 소개서의 내용 중에서 인물이 추구하는 가치가 드러나는 내용을 두 가지 고르세요.

(,   )

① 나이
② 지은이
③ 이름과 성별
④ 기억나는 인물의 말과 행동
⑤ 인물을 말해 주는 질문과 대답

55 ㉠과 관련 있는 질문과 대답으로 알맞지 <u>않은</u> 것의 번호를 쓰세요.

┌───┐
① 걱정하는 것은? 은행나무가 죽어 가는 것
② 샘마을 몽당깨비를 읽은 소감은? 재미있고 감동적이다.
③ 희망하는 것은? 버들이를 다시 만나는 것, 대왕 도깨비로 거듭나는 것
└───┘

(   )

56 인물 소개서를 쓸 때 더 넣고 싶은 내용으로 알맞은 것은 무엇인가요? (   )

① 지은이가 글을 쓴 때
② 지은이가 글을 쓴 장소
③ 인물이 등장하지 않는 사건
④ 인물이 자신의 삶에 준 영향
⑤ 인물이 이야기에 등장하는 횟수

57 인물 소개서를 보고 문학 작품 속 인물을 소개할 때 말할 내용으로 알맞지 <u>않은</u> 것의 번호를 쓰세요.

┌───┐
① 인물이 추구하는 가치에서 느낀 점
② 글쓴이가 인물을 창조하게 된 배경
③ 인물이 추구하는 가치를 파악할 수 있는 내용
└───┘

(   )

[1~3] 책이 주는 선물을 받고 싶은 어린이들에게

『갈매기의 꿈』은 『꿀벌 마야의 모험』만큼 내게 특별한 책이었지. 단지 먹으려고 날았던 다른 갈매기와는 달리 자신만의 꿈을 이루려고 끊임없이 나는 법을 연습했던 특별한 갈매기 이야기였거든. 그 책은 내게 꿈을 이루려면 어떻게 해야 하는지 가르쳐 줬어. 그래서 작가라는 꿈을 이루려고 더 많은 책을 읽었단다.

책 속에는 많은 이야기가 숨어 있어. 그리고 이야기 속 인물들은 우리를 다양한 경험 세계로 데려다주지. 꿈과 희망, 소외된 사람들에 대한 관심, 용기와 도전같이 작가가 말하고자 하는 생각도 듣는단다. 그 많은 이야기에 공감하며 이야기 속 인물의 삶에서 내 삶을 돌아보는 기회가 된 것도 책이 주는 선물이야. 그래서 책을 읽는 사람은 지혜롭게 세상을 살 수 있다고 해.

1 글쓴이가 작가가 되기 위해 한 일은 무엇입니까?
( )

① 많은 책을 읽었다.
② 다양한 경험을 했다.
③ 글쓰기 연습을 많이 했다.
④ 유명한 작가를 많이 만났다.
⑤ 책 속 인물의 행동을 따라 했다.

2 글쓴이가 말하고자 하는 생각을 알 수 있는 중요한 낱말을 [보기]에서 찾아 쓰시오.

보기
삶 책 경험 세상

( )

3 글쓴이가 말하고자 하는 생각은 무엇입니까? ( )
① 잠을 자자. ② 책을 읽자.
③ 운동을 하자. ④ 음악을 듣자.
⑤ 그림을 그리자.

[4~6] (가) 하여가 / (나) 단심가

(가) 이런들 어떠하며 저런들 어떠하리
만수산 드렁칡이 얽혀진들 어떠하리
㉠우리도 이같이 얽혀져 백 년까지 누리리

(나) 이 몸이 죽고 죽어 일백 번 고쳐 죽어
백골이 진토 되어 넋이라도 있고 없고
임 향한 일편단심이야 가실 줄이 있으랴

4 ㉠이 글쓴이의 생각이 잘 드러난 낱말인 까닭으로 알맞은 것의 번호를 쓰시오.

① 여럿이 아니라 혼자임을 강조하기 때문이다.
② 친근함을 드러내며 뜻을 같이하자는 마음이 느껴지기 때문이다.

( )

5 글 (나)에서 다음과 같은 뜻으로 쓰여 글쓴이의 생각을 알 수 있는 낱말을 찾아 쓰시오.

변치 않는 마음

( )

6 글 (가)와 (나) 중 다음과 같은 생각이 떠오르는 글의 기호를 쓰시오.

저는 신라의 김유신 장군에게 맞서 싸운 백제의 계백 장군이 떠올라요.

글 ( )

8
단원

[7~8] 제게 12척의 배가 있으니

이순신이 물러난 뒤 원균이 삼도 수군통제사가 되었습니다. 원균은 삼도 수군통제사가 되자마자 부산을 치라는 명령을 받았습니다. 원균 역시 처음에는 그렇게 할 수 없다고 했습니다. 그렇지만 계속해서 명령이 떨어지자 따를 수밖에 없었습니다. 결과는 뻔했습니다. 조선 수군은 무참하게 져서 원균은 죽고, 배는 부서졌으며, 싸움에 나갔던 병사들도 대부분 죽거나 포로가 되었습니다.

1597년 8월, 나라에서는 이순신을 다시 삼도 수군통제사로 세웠습니다. 이순신은 전라도로 내려가면서 남은 배와 군사를 모았습니다. 그나마 여기저기 상한 배 12척과 120여 명의 군사를 모을 수 있었습니다. 나라에서는 아예 바다를 포기하고 육군으로 싸우라고 했습니다. 이순신은 임금님께 글을 올렸습니다.

"지난 5, 6년 동안 일본이 충청도와 전라도 쪽으로 공격해 오지 못한 것은 수군이 그 길목을 막고 있었기 때문입니다. 이제 제게 12척의 배가 있으니 죽을 힘을 다해 싸운다면 이길 수 있을 것입니다."

7 이순신이 원균과 다른 점은 무엇입니까? (   )
① 전라도에 가 본 적이 없다.
② 수군으로 싸워 본 적이 없다.
③ 나라의 명을 받은 적이 없다.
④ 삼도 수군통제사가 된 적이 없다.
⑤ 임금님께 자신의 생각을 당당하게 말하였다.

🏷️ 서술형·논술형 문제

8 이 글에서 이순신이 처한 상황과 그 상황에서 한 말을 정리하여 쓰시오.

(1) 처한 상황	나라의 명을 받은 상황
(2) 말	12척의 배가 있으니 _____

[9~11] 제게 12척의 배가 있으니

㈎ "우리는 모든 것이 적다. 무기도 적고, 군사도 적고, 배도 적다. 적은 것을 갑자기 늘릴 방법은 없다. 그러나 많아 보이게 할 수는 있을 것이다."

이순신은 우선 고기잡이배와 피난 가는 배들을 판옥선처럼 꾸미게 했습니다. 비록 실제로 싸울 수 있는 배는 먼저 구한 12척과 나중에 구한 1척, 이렇게 총 13척밖에 안 되었지만, 멀리서 보면 수십 척의 판옥선이 갖추어진 것처럼 보이게 한 것입니다.

㈏ 이순신은 모든 준비를 끝낸 뒤 부하 장수들을 불러 모았습니다.

㉠"죽으려 하면 살고, 살려 하면 죽는다. 오늘 우리는 이 말처럼 죽기를 각오하고 싸워야 한다."

9 이순신이 적은 수의 배와 군사를 가졌지만 쉽게 포기하지 않은 까닭은 무엇입니까? (   )
① 부하들이 용감했기 때문이다.
② 남의 말을 믿지 않았기 때문이다.
③ 누군가 도와줄 것이라고 생각했기 때문이다.
④ 어려움도 극복할 수 있다고 생각했기 때문이다.
⑤ 일본군이 오지 않을 것이라고 생각했기 때문이다.

10 이순신이 적은 수의 배를 많아 보이게 하려고 한 일을 쓰시오.

• 고기잡이배와 피난 가는 배들을 [   ] 처럼 꾸미게 했다.

11 ㉠의 말에서 느껴지는 것으로 알맞은 것에 ○표 하시오.
(1) 장난기가 느껴진다. (   )
(2) 굳은 결심이 느껴진다. (   )
(3) 포기하려는 마음이 느껴진다. (   )

[12~13] 버들이를 사랑한 죄

"어느 날, 버들이가 울면서 어머니가 위독하다고 했어. 어머니께 샘물을 좀 더 드리고 싶은데 샘이 너무 멀어서 조금밖에 못 길어 가니까 샘가에 오두막을 짓고 살겠다더군. 하지만 그건 위험한 생각이었어. 그 물은 산에 사는 온갖 동물들도 마시거든. 밤이면 여우도 나오고 호랑이도 나오는 곳이야. 밤마다 도깨비들까지 모였으니 사람이 얼씬거릴 곳이 아니었지."

미미는 더 물을 수가 없었습니다. 왠지 도깨비는 인형과 뭔가 다를 것 같았기 때문입니다.

"파랑이와 의논했어. 파랑이는 펄쩍 뛰더군. 사람이 샘가에서 살기 시작하면 결국 도깨비들은 샘을 뺏기고 떠나야 한다고 했어. 버들이는 착한 여자라 그럴 리가 없다고 했지만 소용없었어. 버들이가 나를 꾐에 빠뜨리고 있다고 파랑이는 걱정만 했지. 대왕님이 알기 전에 버들이를 모른 체하라고 야단쳤어. 정말 화가 났단다."

몽당깨비 몸이 부르르 떨렸습니다. 온몸의 털이 부스스 일어서는 걸 보면서 미미는 조용히 고개를 끄덕거렸습니다.

12 파랑이가 펄쩍 뛴 까닭은 무엇입니까? (   )

① 샘가는 위험하다고 생각해서이다.
② 파랑이가 샘가에 오두막을 짓고 싶어서이다.
③ 버들이에게 몽당깨비를 빼앗길 것 같아서이다.
④ 파랑이가 버들이에게 오두막을 지어 주고 싶어서이다.
⑤ 버들이가 몽당깨비를 꾐에 빠뜨리고 있다고 생각해서이다.

13 몽당깨비가 처한 상황을 찾아 기호를 쓰시오.

㉮ 버들이가 파랑이와 친구가 되고 싶어 한다.
㉯ 버들이가 샘가에 오두막을 짓고 싶어 한다.
㉰ 버들이가 어머니의 병을 낫게 해 달라고 한다.

(   )

[14~15] 버들이를 사랑한 죄

㈎ "버들이가 이번에는 샘을 기와집 뒤란으로 옮겨 달라고 하잖아. 그러면 집에서 샘물을 긷게 될 거라고."

"이제 보니 버들이는 욕심쟁이구나. 샘을 옮기다니! 그러면 다른 동물들은 샘물을 못 마시잖아?"

"파랑이도 그렇게 말했어. 하지만 나도 그걸 원했으니까 버들이를 탓하지는 마. 나도 어느새 버들이랑 똑같은 생각을 하게 되었던 거야."

㈏ "버들이가 묻더군. 도깨비가 제일 무서워하는 게 뭐냐고."

"무서운 거?"

"말 머리와 말 피를 무서워한다고 했지. 그랬더니 그걸로 도깨비들이 집 안에 얼씬거리지 못하도록 수를 써야 한다고 했어. 내가 샘물줄기를 바꾸고 나면 틀림없이 도깨비들이 노여워할 거라고 말이야. 샘물줄기를 찾아 물길을 바꾸고 며칠 뒤에 가 보니까 기와집 앞은 온통 아수라장이었어."

14 글 ㈎와 ㈏에서 버들이가 한 말이 <u>아닌</u> 것의 기호를 쓰시오.

㉮ "샘을 기와집 뒤란으로 옮겨 줘."
㉯ "도깨비가 제일 무서워하는 게 뭐야?"
㉰ "다른 동물들은 샘물을 못 마시잖아?"

(   )

15 글 ㈎와 ㈏에서 알 수 있는 '나'와 버들이가 추구하는 가치를 알맞게 이으시오.

(1) '나' ·   · ① 현실적인 이익

(2) 버들이 ·   · ② 진심을 담아 상대를 대하는 것

[16~17] 나무를 심는 사람

⊙외국에서 공부를 마치고 케냐로 돌아온 왕가리 마타이는 황폐해진 케냐의 마을 풍경을 보고 깜짝 놀랐다. 케냐의 새로운 지도자들이 돈벌이를 위해 숲을 없애고 차나무와 커피나무를 심은 것이었다. 울창했던 숲은 벌목으로 벌거벗은 모습이 되었고, 비옥했던 토양은 영양분이 고갈되어 동물과 식물을 제대로 길러 낼 수 없는 상태가 되었다. 이러한 변화로 사람들은 땔감을 구하기 어려웠고, 작물이 잘 자라지 않아 가난과 굶주림 속에서 고통받게 되었다.

파괴된 환경이 그녀와 그녀의 아이들 그리고 케냐의 모든 이에게 고통을 주고 있다는 것을 깨달은 왕가리 마타이는 자신이 할 수 있는 일이 무엇인지 생각해 보았다.

'나무를 심는 거야.'

왕가리 마타이는 나무를 심기로 마음먹고, 방법을 고민한 끝에 나무를 심어 주는 회사를 세웠다. 그녀는 이 회사가 헐벗고 삭막한 도시를 풍요롭게 만들 뿐만 아니라, 가난한 사람들에게 나무를 심고 관리하는 일자리를 제공할 것이라고 생각했다.

16 이 글에서 알 수 있는 케냐의 문제로 알맞은 것을 세 가지 고르시오. (, ,)

① 숲이 사라졌다.
② 땔감을 구하기 어렵다.
③ 수출로 얻는 이윤이 적어졌다.
④ 학교가 없어서 공부를 할 수 없다.
⑤ 흙 속에 영양분이 없어서 작물이 잘 자라지 않는다.

17 왕가리 마타이가 ⊙의 상황에서 한 말과 행동, 생각이 아닌 것의 번호를 쓰시오.

① '나무를 심는 거야.'
② 숲으로 땔감을 구하러 다녔다.
③ 나무를 심어 주는 회사를 세웠다.
④ 황폐해진 케냐의 마을 풍경을 보고 깜짝 놀랐다.

( )

[18~20] 나무를 심는 사람

1989년, 케냐 정부는 나이로비 시내 한복판에 있는 우후루 공원에 복합 빌딩을 건설하려고 했다. 우후루 공원은 대도시 나이로비에 남아 있는 유일한 녹지 공간으로, 콘크리트 건물 사이에서 시민들의 쉼터 역할을 하고 있었다. 왕가리 마타이는 도심 속 녹지대와 시민들의 쉼터가 계속 보전되어야 한다고 생각했다. 그녀는 관련 회사와 정부에 편지를 쓰고 언론에 자신의 주장을 알리며 우후루 공원을 지키려고 애썼다. 친구들은 힘들어하는 왕가리 마타이를 걱정했다.

"왜 이렇게까지 하는 거야? 그건 네가 간섭할 일은 아니잖아?"

"우후루 공원은 모든 사람의 것이야. 그러니까 누군가는 그 잘못을 말해야 해."

18 우후루 공원에 대한 설명으로 알맞은 것은 무엇입니까?
( )

① 케냐에서 하나뿐인 공원이다.
② 쓰레기가 넘쳐나는 공원이다.
③ 나무가 자랄 수 없는 공원이다.
④ 시민들이 가기 싫어하는 공원이다.
⑤ 나이로비에 남아 있는 유일한 녹지 공간이다.

19 왕가리 마타이가 우후루 공원을 지키려고 한 까닭을 두 가지 고르시오. (,)

① 시민들의 쉼터를 지키려고
② 동물들이 살 곳을 지키려고
③ 도시 한가운데의 녹지대를 보전하려고
④ 케냐에 외국인들이 오는 것을 막으려고
⑤ 나무의 열매를 가난한 사람들에게 주려고

📓 서술형·논술형 문제

20 케냐 정부와 왕가리 마타이가 추구하는 가치를 비교하여 쓰시오.

9 마음을 나누는 글을 써요

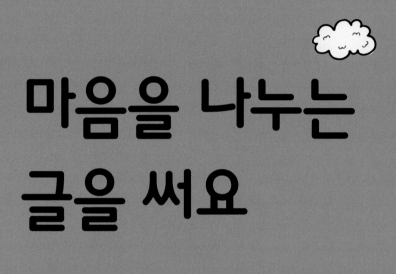

난 평상시에도 자주 찾아 뵙겠다는 마음을 전하는 편지를 써야지.

연말연시를 혼자 보내시는 할머니, 할아버지 들께 안타까운 마음을 나누는 글을 쓸 거야.

어떻게 쓰지?

개념 웹툰

친구들은 어떤 마음을 나누는 글을 쓰려고 하나요?
스마트폰에서 확인하세요!

개념① 글을 쓰는 상황과 목적을 파악하는 방법

① 어떤 일이 일어났는지 생각해 봅니다.
② 나누려는 마음은 무엇인지 생각해 봅니다.
③ 읽을 사람은 누구인지 생각해 봅니다.
④ 글을 전하는 방법은 무엇이 효과적인지 생각해 봅니다.
⑤ 글을 쓰는 목적을 생각해 봅니다.

활동 글을 쓰는 상황과 목적 파악하기

일어난 일	분실물 보관함에 자연 자원으로 만든 학용품이 쌓여 있는 것을 봄.
나누려는 마음	학용품을 소중히 다루지 않아 안타까운 마음

개념② 마음을 나누는 글의 내용

① 일어난 사건을 자세히 씁니다.
② 일어난 사건에 대한 자신의 생각이나 행동을 표현합니다.
③ 나누려는 마음을 표현합니다.
④ 편지로 마음을 나누는 글을 쓸 때에는 마음을 나누려는 사람, 첫인사, 끝인사, 글을 쓴 사람을 밝힙니다.

활동 마음을 나누는 글의 내용 정하기 예

개념③ 글 쓸 계획을 세울 때 고려할 점

① 글을 쓸 상황과 목적을 파악합니다.
② 일어난 사건과 그에 대한 자신의 생각이나 느낌을 떠올려 쓸 내용을 정합니다.
③ 나누려는 마음을 생각해 봅니다.
④ 상대방이 이해하기 쉽도록 알맞은 표현을 사용합니다.

활동 글 쓸 계획을 세울 때 고려할 점

상황과 목적 파악하기	일어난 사건을 바탕으로 글을 쓰는 상황과 목적 파악하기
쓸 내용 정하기	• 일어난 사건 떠올리기 • 일어난 사건에 대한 자신의 생각이나 행동 떠올리기 • 나누려는 마음 생각하기
표현하기	• 읽을 사람을 생각해서 표현하기 • 맞춤법, 띄어쓰기를 잘 지켜 표현하기

개념④ 마음을 나누는 글 쓰기

① 읽을 사람과의 관계를 고려해서 표현합니다.
② 나누려는 마음이 잘 드러나게 씁니다.
③ 내용과 짜임에 맞게 글을 씁니다.
④ 글을 쓸 상황과 목적을 고려해서 글 쓰기 계획을 세웁니다.

활동 마음을 나누는 글을 쓰기 위하여 쓸 내용 떠올리기 예

📍 마음을 나누는 글을 써 본 경험 예

기쁜 마음	친구에게 생일 선물을 받았을 때 감사 편지를 썼음.
슬픈 마음	친한 친구가 전학을 가서 슬펐을 때 친구에게 문자 메시지를 썼음.
고마운 마음	고생하시는 경찰관분들께 고마운 마음을 전하려고 누리집 게시판에 쓴 적이 있음.
미안한 마음	부모님 마음을 상하게 해서 죄송한 마음을 편지에 쓴 적이 있음.

9 단원

📍 글을 쓰는 상황과 목적을 파악하기 위한 물음 만들기 예

• 어떤 일이 일어났나요?
• 나누려는 마음은 무엇인가요?
• 읽을 사람은 누구인가요?
• 어디에 글을 실으면 좋을까요?

🎓 교과서 문제

1 학용품을 소중히 다루어야 하는 까닭을 두 가지 고르세요. (　　,　　)

① 학용품은 구하기 힘들어서
② 학용품은 다시 만들 수 없어서
③ 학용품은 우리 모두의 것이어서
④ 학용품은 자연 자원으로 만들어져서
⑤ 학용품을 아껴 사용하면 자원 절약을 할 수 있어서

2 서연이가 자원을 아끼자는 생각을 하게 된 까닭이 <u>아닌</u> 것의 기호를 쓰세요.

> ㉮ 친구에게 학용품을 빌렸기 때문이다.
> ㉯ 무분별한 벌목으로 자연이 파괴된다는 뉴스를 시청했기 때문이다.
> ㉰ 분실물 보관함에 쌓여 있는 연필과 지우개 등 자연 자원으로 만든 학용품을 보았기 때문이다.

(　　　　　)

3 서연이가 나누려는 마음을 쓰세요.

• 친구들이 학용품을 소중히 다루지 않아

　　　　　 마음

4 서연이가 글을 쓰는 목적에 대하여 알맞게 말하지 <u>못한</u> 사람의 이름을 쓰세요.

> 미수: 주인을 찾지 못한 학용품을 친구들에게 나누어 주고 싶어서야.
> 상진: 자원을 낭비해서 자연이 파괴되는 안타까운 마음을 나누기 위해서야.
> 동철: 친구들이 자연이 파괴되고 자원이 낭비되는 것에 안타까운 마음을 가지고 학용품을 아껴 썼으면 하는 마음을 표현하기 위해서야.

(　　　　　)

가 선생님께

선생님, 안녕하세요? 저는 최연아입니다.

올해 선생님을 만난 건 저에게 큰 행운입니다. 저는 이상하게 국어 공부가 싫었습니다. 책은 만화책 말고는 모두 재미가 없고, 글쓰기도 팔만 아픈 것 같았습니다. 그런데 선생님과 함께 국어를 공부하고 나서는 조금씩 달라지기 시작했습니다.

선생님께서는 읽기와 쓰기를 할 때 도움이 되는 여러 가지 재미있는 방법을 알려 주셨습니다. 그리고 이해가 되지 않는 부분은 없는지, 더 알고 싶은 것이 있는지를 물어봐 주시고 진지하게 들어 주셨습니다. 그래서 저는 용기를 내어 궁금한 점이나 더 알고 싶은 것을 여쭈어보았고, 새로운 내용을 알면서 국어 공부가 점점 더 좋아지기 시작했습니다.

국어 공부를 좋아하게 되니 다른 과목 공부도 재미있었습니다. 모두 선생님 덕분입니다. 선생님께서 수업 시간에 늘 말씀하신 것처럼 몸과 마음이 건강한 사람이 되도록 노력하겠습니다. 선생님, 정말 고맙습니다.

20○○년 ○○월 ○○일

최연아 올림

나

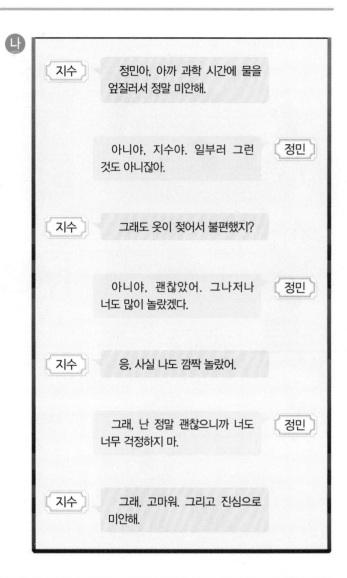

지수: 정민아, 아까 과학 시간에 물을 엎질러서 정말 미안해.

정민: 아니야, 지수야. 일부러 그런 것도 아니잖아.

지수: 그래도 옷이 젖어서 불편했지?

정민: 아니야, 괜찮았어. 그나저나 너도 많이 놀랐겠다.

지수: 응, 사실 나도 깜짝 놀랐어.

정민: 그래, 난 정말 괜찮으니까 너도 너무 걱정하지 마.

지수: 그래, 고마워. 그리고 진심으로 미안해.

🎓 교과서 문제

5 글 **가**와 **나**는 누구에게 쓴 글인지 선으로 이으세요.

(1) **가** •   • ① 친구

(2) **나** •   • ② 선생님

6 글 **가**와 **나** 중, 다음과 같은 목적으로 쓴 글의 기호를 쓰세요.

> 감사한 마음을 표현하기 위해서이다.

글 (   )

7 다음은 나누려는 마음을 어떤 글로 쓸 때의 좋은 점인지 해당하는 글의 기호를 쓰세요.

> • 읽을 사람의 반응을 바로 확인할 수 있다.

글 (   )

8 글 **가**와 **나**에서 사용한 표현이 알맞게 짝 지어진 것의 번호를 쓰세요.

	글 **가**	글 **나**
①	재미있는 표현	쉬운 표현
②	쉬운 표현	어려운 표현
③	공손한 표현	친근한 표현

(   )

가

아까 점심시간에 미역국을 엎질러서 지효 가방이 더러워졌어. 하지만 지효는 나를 이해해 주었지. 지효에게 미안한 마음과 고마운 마음을 나누는 글을 써 볼까?

〈신우가 글을 쓰는 상황과 목적〉

신우는 어떤 사건 때문에 글을 쓰려고 하나요?	어떤 마음을 나누려고 하나요?
㉠	• [㉡] • 고마운 마음
누구에게 쓰려고 하나요?	어떤 방법으로 글을 쓰면 좋을까요?
지효	• 문자 메시지 쓰기 • 편지 쓰기

나

지효에게

지효야, 안녕? 나 신우야.

지효야, 아까 내가 네 책상 옆에서 미역국을 엎질렀지? 너는 네 가방이 더러워져서 많이 속상했을 텐데 나에게 "괜찮아?" 하면서 걱정을 해 주었어. 그리고 미역국 치우는 것을 도와주었어.

나는 미역국을 엎지르고 너에게 미안하다는 말도 못 하고 멍하니 서 있었어. 너무 당황스러워서 어떻게 해야 할지 생각이 나지 않았어. 그런데 네가 오히려 나를 걱정해 주고 같이 치워 주어서 감동했단다.

지효야, 아까는 당황스러워서 너에게 고맙다는 말을 제대로 못 했어. 정말 고마워! 네 따뜻한 마음을 잊지 않을게.

앞으로 내가 도와줄 일이 있으면 꼭 도와줄게. 그리고 우리 앞으로도 친하게 지내자.

안녕.

친구 신우가

9 ㉠에 들어갈 내용은 무엇인가요? (   )

① 점심시간에 점심을 안 먹은 일
② 친구가 아파서 점심을 못 먹은 일
③ 친구가 물을 엎질러서 옷이 젖은 일
④ 점심시간에 친구들과 운동장에서 축구를 한 일
⑤ 점심시간에 미역국을 엎질러서 친구 가방이 더러워진 일

🧢 교과서 문제

10 ㉡에 들어갈 신우가 나누려는 마음은 무엇인가요?
(   )

① 미안한 마음　　② 서운한 마음
③ 부탁하는 마음　④ 거절하는 마음
⑤ 걱정하는 마음

11 신우가 글 **나**를 쓰게 된 목적을 두 가지 고르세요.
(,   )

① 친구가 상을 받게 되어 기쁜 마음을 나눈다.
② 친구가 화를 내어서 기분 나쁜 마음을 나눈다.
③ 친구 가방을 더럽히게 되어 미안한 마음을 나눈다.
④ 친구가 이해하고 도와주어서 고마운 마음을 나눈다.
⑤ 친구가 괜찮다고 말하지 않아서 서운한 마음을 나눈다.

📋 서술형·논술형 문제

12 글을 쓸 계획을 세울 때 '표현하기'에서 고려할 점을 한 가지 쓰세요.

_____

_____

정답 21쪽

국어 교과서 310쪽

3. 신우가 글을 쓰는 상황과 목적을 생각해 봅시다.

(1) 신우가 글을 쓰는 상황과 목적을 생각하며 보기 에서 알맞은 말을 찾아 써 보세요.

보기

지효   미안한 마음   편지 쓰기

예시 답안

신우는 어떤 사건 때문에 글을 쓰려고 하나요?	어떤 마음을 나누려고 하나요?
점심시간에 미역국을 엎질러서 지효 가방이 더러워진 일	__미안한 마음__ , 고마운 마음
누구에게 쓰려고 하나요?	어떤 방법으로 글을 쓰면 좋을까요?
지효	문자 메시지 쓰기, __편지 쓰기__

9
단원

진도 완료
체크

국어 교과서 313쪽

6. 글 쓸 계획을 세울 때 고려할 점을 정리해 봅시다.

(1) 신우의 글을 다시 읽고, 글 쓸 계획을 세울 때 고려할 점을 생각해 써 보세요.

예시 답안

쓸 내용 정하기	
신우의 글	고려할 점
점심시간에 미역국을 엎질러 친구 가방이 더러워진 일	일어난 사건을 떠올린다.
• 너무 당황해서 친구에게 미안하다는 말을 못 함. • 친구가 오히려 걱정해 주어서 감동받음.	일어난 사건에 대한 자신의 생각이나 행동을 떠올린다.
미안한 마음, 고마운 마음	나누려는 마음을 생각한다.

표현하기	
신우의 글	고려할 점
친구가 읽기 쉽게 친근한 표현, 쉬운 표현을 사용함.	읽을 사람을 생각해서 표현한다.
친구가 잘 이해할 수 있도록 맞춤법, 띄어쓰기를 잘 지킴.	맞춤법, 띄어쓰기를 잘 지켜 표현한다.

풀이 신우의 글은 친구인 지효에게 미안한 마음과 고마운 마음을 나누는 내용입니다.

자습서 확인 문제

1 신우가 전하려는 마음으로 알맞은 것을 두 가지 골라 기호를 쓰세요.

㉠ 고마운 마음
㉡ 미안한 마음
㉢ 서운한 마음
㉣ 화가 난 마음

(,   )

2 다음 빈칸에 알맞은 말을 쓰세요.

글 쓸 계획을 세울 때는 글을 쓰는 ☐☐ 과 ☐☐ 을 파악해야 한다.

3 글 쓸 계획을 세울 때 고려할 점을 알맞게 말한 사람은 누구인가요?

혜나: 일어난 사건에 대한 생각과 나누고 싶은 마음을 떠올려야 해.
서영: 읽을 사람에게 친밀감을 주기 위해서 예사말을 사용하는 것이 좋아.

(   )

주어라, 또 주어라

- **글의 종류:** 편지
- **글의 특징:** 정약용이 다른 사람을 배려하는 마음을 두 아들과 나누려고 쓴 글입니다.

1 너희는 항상 버릇처럼 말하기를 "일가친척 중에 한 사람도 불쌍히 여겨 돌보아
_{정약용의 두 아들}
주는 사람이 없다."라고 개탄하였다. 더러는 험난한 물길 같다느니, 꼬불꼬불 길고 긴
험악한 길을 살아간다느니 하며 한탄하고 있다. 하지만 이는 모두 하늘을 원망하고 사
람을 미워하는 말투로, 큰 병이다.

너희가 아픈 데가 있으면 다른 사람들이 돌보아 주기 마련이었다. 날마다 어떠냐는
안부를 전해 오고, 안아서 부축해 주는 사람도 있었다. 약을 먹여 주고 양식까지 대
주는 사람도 있었다. ㉠이런 일에 너희가 너무 익숙해져 항상 은혜를 베풀어 주기만
바라고 있구나. 너희가 사람의 본분을 망각하지는 않았는지 걱정이다. 그래서 내가
이 편지를 보낸다.

예나 지금이나 남의 도움만을 받으면서 살라는
법은 애초에 없었다. 마음속으로 남의 은혜를 받고
_{맨 처음에.}
자 하는 생각을 버린다면, 절로 마음이 평안하고 기
분이 화평해져 ㉡하늘을 원망한다거나 사람을 미워
_{화목하고 평온해져.}
하는 그런 병폐는 없어질 것이다.

◎ 유배지에서 정약용이 살던 집

◎ 정약용이 고안한 거중기

한탄하고 원통하거나 뉘우치는 일이
있을 때 한숨을 쉬며 탄식하고.
원망하고 못마땅하게 여기어 탓하거나
불평을 품고 미워하고.
안부 (安 편안 **안** 否 아닐 **부**) 어떤 사
람이 편안하게 잘 지내고 있는지 그렇
지 아니한지에 대한 소식.

 중심 내용 1 남의 은혜를 받고자 하는 마음을 버려라.

교과서 문제

13 정약용은 두 아들의 어떤 말버릇을 걱정하였나요?
( )

① 상대방을 놀리는 말버릇
② 친절하고 다정한 말버릇
③ 잘난 체하고 건방진 말버릇
④ 모든 일에 감사하는 말버릇
⑤ 남의 도움을 바라는 말버릇

14 ㉠에 해당하는 일이 아닌 것은 무엇인가요? ( )

① 안아서 부축해 주는 일
② 공부를 대신 해 주는 일
③ 날마다 안부를 전해 오는 일
④ 아프면 다른 사람이 돌보아 주는 일
⑤ 약을 먹여 주고 양식까지 대 주는 일

15 정약용이 이 글을 쓰게 된 상황으로 알맞은 것은 무엇인
가요? ( )

① 두 아들이 병에 걸렸다.
② 두 아들이 공부를 소홀히 한다.
③ 두 아들이 부모님을 공경하지 않는다.
④ 두 아들이 친구들과 사이가 좋지 않다.
⑤ 두 아들이 은혜를 베풀어 주기만 바라고 있다.

16 ㉡과 같은 병폐를 없애는 방법은 무엇이라고 하였나요?
( )

① 남의 은혜를 바란다.
② 남의 은혜를 모른 척한다.
③ 남의 은혜에 대하여 생각하지 않는다.
④ 남의 은혜에 대하여 사람들에게 알린다.
⑤ 남의 은혜를 받고자 하는 생각을 버린다.

2 여러 날 밥을 끓이지 못하고 있는 집이 있을 텐데 너희는 쌀이라도 퍼 주고, 추운 집에는 장작개비라도 나누어 따뜻하게 해 주어라. 병들어 약을 먹어야 할 사람들에게 는 한 푼의 돈이라도 쪼개어 약을 지을 수 있도록 도와주어라. 가난하고 외로운 노인 이 있는 집에는 때때로 찾아가 무릎 꿇고 모시어 따뜻하고 공손한 마음으로 공경해야 한다. 그리고 근심 걱정에 싸여 있는 집에 가서 연민의 눈빛으로 그 고통을 함께 나누 며 잘 처리할 방법을 의논해야 한다.

이러한 몇 가지 일도 못하면서 어떻게 다른 집에서 너희가 위급할 때 깜짝 놀라 허 겁지겁 쫓아올 것이며, 너희가 곤경에 처하였을 때 달려올 것을 바라겠느냐?

㉠남이 어려울 때 자기는 은혜를 베풀지 않으면서 남이 먼저 은혜를 베풀어 주기만 바라는 것은 너희가 지닌 그 오기 근성이 없어지지 않았기 때문이다. 이후로는 평상 시 일이 없을 때라도 항상 공손하고 화목하며, 조심하고 자기 정성을 다해 다른 사람 의 환심을 얻는 일에 힘쓸 것이지, 마음속에 보답받을 생각은 가지지 않도록 해라.

다른 사람을 위해 먼저 베풀어라. 그러나 뒷날 너희가 근심 걱정 할 일이 있을 때 다른 사람이 보답해 주지 않더라도 부디 원망하지 마라. 가벼운 농담일망정 ㉡"나는 지난번에 이렇게 저렇게 해 주었는데 저들은 그렇지 않구나!" 하는 소리도 입 밖에 내 뱉지 말아야 한다. 만약 그러한 말이 한 번이라도 입 밖에 나오게 되면, 지난날 쌓아 놓은 공덕은 재가 바람에 날아가듯 하루아침에 사라져 버리고 말 것이다.
　　　　　　　　　　　　　갑작스러울 정도의 짧은 시간.

✏️**중심 내용 2** 다른 사람을 위해 먼저 베풀어라.

📍 **정약용이 편지를 쓴 상황과 목적**

상황	두 아들이 은혜를 베풀어 주기만 바란다.
목적	• 두 아들의 마음가짐을 걱정 하는 마음을 전한다. • 두 아들과 다른 사람을 배 려하는 마음을 나눈다.

공손한 말이나 행동이 겸손하고 예의 바른.

오기(傲 거만할 **오** 氣 기운 **기**) 능력은 부족하면서도 남에게 지기 싫어하는 마음.

환심(歡 기쁠 **환** 心 마음 **심**) 기뻐하고 즐거워하는 마음.

---

17 정약용이 두 아들이 다른 사람에게 하기를 바란 일이 아닌 것은 무엇인가요? (　　　　)

① 밥을 굶는 사람에게 쌀을 주어라.
② 가난하고 외로운 노인을 찾아 공경해라.
③ 병든 사람이 약을 살 수 있게 도와주어라.
④ 근심 걱정에 싸여 있는 집은 모른 척해라.
⑤ 추운 집에서 사는 사람들을 따뜻하게 해 주어라.

18 정약용이 ㉠의 까닭으로 말한 것은 무엇인가요?
　　　　　　　　　　　　　　　　(　　　　)

① 조심성이 없기 때문이다.
② 참을성과 끈기가 없기 때문이다.
③ 근면하고 성실하지 않기 때문이다.
④ 이해심과 배려심이 없기 때문이다.
⑤ 오기 근성이 없어지지 않았기 때문이다.

19 ㉡과 같이 말하는 까닭은 무엇인가요? (　　　　)

① 먼저 베풀어 주었기 때문이다.
② 은혜를 받은 적이 없기 때문이다.
③ 다른 사람이 은혜를 모르기 때문이다.
④ 다른 사람을 위해 한 일이 없기 때문이다.
⑤ 마음속에 보답받을 생각을 가지고 있기 때문이다.

📋 **서술형·논술형 문제**

20 정약용이 두 아들에게 하고 싶은 말은 무엇인지 쓰세요.

_____

_____

9 단원

[1~3] 글을 쓰는 상황과 목적 파악하기

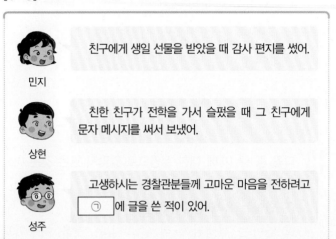

1 민지가 편지를 써서 나누려는 마음은 무엇입니까?

( )

① 기쁜 마음   ② 서운한 마음
③ 쓸쓸한 마음   ④ 외로운 마음
⑤ 그리운 마음

2 상현이와 같이 슬픈 마음을 나누는 글을 썼던 경험에 대해 말한 사람의 이름을 쓰시오.

영지: 동생과 싸웠을 때 미안한 마음을 문자 메시지로 썼어.
동수: 어머니께서 병원에 입원하셔서 슬펐을 때 어머니께 편지를 썼어.

( )

3 ㉠ 에 들어갈 글을 쓰는 방법으로 알맞은 것의 번호를 쓰시오.

① 일기   ② 누리집 게시판

( )

[4~5] 글을 쓰는 상황과 목적 파악하기

4 서연이가 다음과 같은 일을 겪고 생각한 것의 번호를 쓰시오.

• 무분별한 벌목으로 자연이 파괴된다는 뉴스를 시청함.
• 분실물 보관함에 쌓여 있는 연필과 지우개 등 자연 자원으로 만든 학용품을 봄.

① 자원을 아끼자.   ② 자원을 만들자.
③ 자원을 쓰지 말자.

( )

🖊 서술형·논술형 문제

5 서연이가 안타까운 마음이 든 까닭을 쓰시오.

_____

_____

6 마음을 나누는 글을 쓰는 상황으로 알맞은 것에 ○표 하시오.

(1) 연극을 할 희곡을 쓴다. ( )
(2) 동생에게 사과하는 마음을 문자 메시지로 쓴다. ( )

7 다음 마음을 나누는 글을 쓰는 상황에서 나누려는 마음으로 알맞은 것은 무엇입니까? (　　　)

> • 친구가 선물로 사 준 우산을 잃어버렸음.

① 얄미운 마음　② 고마운 마음　③ 그리운 마음
④ 속상한 마음　⑤ 부러운 마음

[8~12] 글로 쓸 내용 계획하기

(가) 선생님께

　선생님, 안녕하세요? 저는 최연아입니다.

　올해 선생님을 만난 건 저에게 큰 행운입니다. 저는 이상하게 국어 공부가 싫었습니다. 책은 만화책 말고는 모두 재미가 없고, 글쓰기도 팔만 아픈 것 같았습니다. 그런데 선생님과 함께 국어를 공부하고 나서는 조금씩 달라지기 시작했습니다.

　선생님께서는 읽기와 쓰기를 할 때 도움이 되는 여러 가지 재미있는 방법을 알려 주셨습니다. 그리고 이해가 되지 않는 부분은 없는지, 더 알고 싶은 것이 있는지를 물어봐 주시고 진지하게 들어 주셨습니다. 그래서 저는 용기를 내어 궁금한 점이나 더 알고 싶은 것을 여쭈어 보았고, 새로운 내용을 알면서 국어 공부가 점점 더 좋아지기 시작했습니다.

　국어 공부를 좋아하게 되니 다른 과목 공부도 재미있었습니다. 모두 선생님 덕분입니다. 선생님께서 수업 시간에 늘 말씀하신 것처럼 몸과 마음이 건강한 사람이 되도록 노력하겠습니다. 선생님, 정말 고맙습니다.

20○○년 ○○월 ○○일
최연아 올림

(나)

> **지수**　정민아, 아까 과학 시간에 물을 엎질러서 정말 미안해.
>
> 아니야, 지수야. 일부러 그런 것도 아니잖아.　**정민**

8 고마운 마음을 표현하기 위해 쓴 글의 기호를 쓰시오.

글 (　　　)

9 글 (가)에서 일어난 일은 무엇인지 쓰시오.

• 선생님께서 [　　　　　]와 쓰기 공부를 재미있게 하는 방법을 알려 주심.

10 다음 중 글 (가)에 대한 설명으로 알맞지 <u>않은</u> 것은 어느 것입니까? (　　　)
① 연아는 올해 선생님을 만났다.
② 연아는 선생님께 더 알고 싶은 것을 여쭈어보았다.
③ 연아는 선생님 덕분에 국어 공부를 좋아하게 되었다.
④ 연아는 만화책도 재미없다고 생각할 정도로 책을 싫어했다.
⑤ 국어 공부를 좋아하게 되니 다른 과목 공부도 재미있어졌다.

11 글 (나)는 어떤 마음을 표현하기 위해서 쓴 글입니까?

(　　　　　　　)

12 글 (나)는 나누려는 마음을 어떤 형식으로 쓴 것인지 번호를 쓰시오.

> ① 편지
> ② 문자 메시지
> ③ 누리집에 쓰기

(　　　　　　　)

[13~15] 글로 쓸 내용 계획하기

아까 점심시간에 미역국을 엎질러서 지효 가방이 더러워졌어. 하지만 지효는 나를 이해해 주었지. 지효에게 미안한 마음과 　⑦　 마음을 나누는 글을 써 볼까?

신우

13 신우가 글을 쓰려고 하는 상황은 무엇입니까? (　　　)

① 점심시간에 낮잠을 잠.

② 점심시간에 친구와 싸움.

③ 미역국을 엎질러 옷이 젖음.

④ 점심시간에 미역국을 엎질러 친구 가방을 더럽히게 됨.

⑤ 점심시간에 밥을 빨리 먹으려고 서두르다가 반찬을 쏟게 됨.

14 　⑦　에 알맞은 마음은 무엇입니까? (　　　)

① 서운한　　　　　② 고마운

③ 무서운　　　　　④ 짜증스러운

⑤ 존경스러운

15 신우가 마음을 나누는 글을 어떤 방법으로 쓰면 좋을지 알맞은 것의 번호를 쓰시오.

① 일기를 쓴다.
② 문자 메시지로 쓴다.
③ 학급 신문에 기사를 쓴다.

(　　　　　　)

[16~17] 지효에게 쓴 글

(가) 지효에게

　지효야, 안녕? 나 신우야.

　지효야, 아까 내가 네 책상 옆에서 미역국을 엎질렀지? 너는 네 가방이 더러워져서 많이 속상했을 텐데 나에게 "괜찮아?" 하면서 걱정을 해 주었어. 그리고 미역국 치우는 것을 도와주었어.

(나) 나는 미역국을 엎지르고 너에게 미안하다는 말도 못 하고 멍하니 서 있었어. 너무 당황스러워서 어떻게 해야 할지 생각이 나지 않았어. 그런데 네가 오히려 나를 걱정해 주고 같이 치워 주어서 감동했단다.

(다) 지효야, 아까는 당황스러워서 너에게 고맙다는 말을 제대로 못 했어. 정말 고마워! 네 따뜻한 마음을 잊지 않을게.

　앞으로 내가 도와줄 일이 있으면 꼭 도와줄게. 그리고 우리 앞으로도 친하게 지내자.

　안녕.

친구 신우가

16 글 (나)의 내용은 무엇입니까? (　　　)

① 첫인사

② 끝인사

③ 나누려는 마음

④ 마음을 나누려는 사람

⑤ 일어난 사건에 대한 자신의 생각이나 행동

17 이 글의 표현에 대한 설명으로 알맞지 <u>않은</u> 것은 무엇입니까? (　　　)

① 쉬운 표현을 사용했다.

② 어려운 표현을 사용했다.

③ 친근한 표현을 사용했다.

④ 맞춤법을 잘 지켜 표현했다.

⑤ 띄어쓰기를 잘 지켜 표현했다.

 단원 평가

[18~20] 주어라, 또 주어라

(가) 너희는 항상 버릇처럼 말하기를 "일가친척 중에 한 사람도 불쌍히 여겨 돌보아 주는 사람이 없다."라고 개탄하였다. 더러는 험난한 물길 같다느니, 꼬불꼬불 길고 긴 험악한 길을 살아간다느니 하며 한탄하고 있다. 하지만 이는 모두 하늘을 원망하고 사람을 미워하는 말투로, 큰 병이다.

너희가 아픈 데가 있으면 다른 사람들이 돌보아 주기 마련이었다. 날마다 어떠냐는 안부를 전해 오고, 안아서 부축해 주는 사람도 있었다. 약을 먹여 주고 양식까지 대 주는 사람도 있었다. 이런 일에 너희가 너무 익숙해져 항상 은혜를 베풀어 주기만 바라고 있구나. 너희가 사람의 본분을 망각하지는 않았는지 걱정이다. 그래서 내가 이 편지를 보낸다. / 예나 지금이나 남의 도움만을 받으면서 살라는 법은 애초에 없었다.

(나) 여러 날 밥을 끓이지 못하고 있는 집이 있을 텐데 너희는 쌀이라도 퍼 주고, 추운 집에는 장작개비라도 나누어 따뜻하게 해 주어라. 병들어 약을 먹어야 할 사람들에게는 한 푼의 돈이라도 쪼개어 약을 지을 수 있도록 도와주어라. 가난하고 외로운 노인이 있는 집에는 때때로 찾아가 무릎 꿇고 모시어 따뜻하고 공손한 마음으로 공경해야 한다. 그리고 근심 걱정에 싸여 있는 집에 가서 연민의 눈빛으로 그 고통을 함께 나누며 잘 처리할 방법을 의논해야 한다.

이러한 몇 가지 일도 못하면서 어떻게 다른 집에서 너희가 위급할 때 깜짝 놀라 허겁지겁 쫓아올 것이며, 너희가 곤경에 처하였을 때 달려올 것을 바라겠느냐?

남이 어려울 때 자기는 은혜를 베풀지 않으면서 남이 먼저 은혜를 베풀어 주기만 바라는 것은 너희가 지닌 그 오기 근성이 없어지지 않았기 때문이다.

(다) 다른 사람을 위해 먼저 베풀어라. 그러나 뒷날 너희가 근심 걱정 할 일이 있을 때 다른 사람이 보답해 주지 않더라도 부디 원망하지 마라. 가벼운 농담일망정 "나는 지난번에 이렇게 저렇게 해 주었는데 저들은 그렇지 않구나!" 하는 소리도 입 밖에 내뱉지 말아야 한다. 만약 그러한 말이 한 번이라도 입 밖에 나오게 되면, 지난날 쌓아 놓은 공덕은 재가 바람에 날아가듯 하루아침에 사라져 버리고 말 것이다.

18 이 편지의 내용으로 알맞은 것은 무엇입니까?

( )

① 아들이 아버지의 안부를 묻는 내용이다.
② 아버지가 아들의 공부를 걱정하는 내용이다.
③ 아버지가 부모님의 건강을 염려하는 내용이다.
④ 아버지가 아들의 마음가짐을 걱정하는 내용이다.
⑤ 아버지가 아들에게 남의 도움을 받지 말라고 당부하는 내용이다.

19 글에 대해 알맞게 말한 친구의 이름을 쓰시오.

> 은호: 다른 사람이 어려움에 처했을 때 먼저 베풀고, 보답받지 못해도 원망하면 안 된다고 했어.
> 유진: 누군가 먼저 은혜를 베풀어 주지 않으면 원망하는 마음이 드는 것은 당연한 것이라고 했어.
> 세경: 아무리 남을 도와주어도 나를 도와주는 사람이 없다면 지난날 쌓아 놓은 공덕이 재가 바람에 날아가듯 사라져 버릴 것이라고 했어.

( )

🔖 서술형·논술형 문제

20 이 글을 쓴 목적을 쓰시오.

_____

똑똑한 하루 시/리/즈

배우는 즐거움! 쌓이는 기초 실력!

공부 습관을
만들자!
하루 10분!

과목	교재 구성	과목	교재 구성
하루 독해	예비초~6학년 각 A·B (14권)	하루 VOCA	3~6학년 각 A·B (8권)
하루 어휘	예비초~6학년 각 A·B (14권)	하루 Grammar	3~6학년 각 A·B (8권)
하루 글쓰기	예비초~6학년 각 A·B (14권)	하루 Reading	3~6학년 각 A·B (8권)
하루 한자	예비초: 예비초 A·B (2권) 1~6학년: 1A~4C (12권)	하루 Phonics	Starter A·B / 1A~3B (8권)
하루 수학	1~6학년 1·2학기 (12권)	하루 사회	3~6학년 1·2학기 (8권)
하루 계산	예비초~6학년 각 A·B (14권)	하루 과학	3~6학년 1·2학기 (8권)
하루 도형	예비초 A·B, 1~6학년 6단계 (8권)		
하루 사고력	1~6학년 각 A·B (12권)		

#공부는_천재와_함께 #전과목인싸 #천재로_공부하면_천재되지

뭘 좋아할지 몰라 다 준비했어♥
전과목 교재

전과목 시리즈 교재

●무등생 해법시리즈
– 국어/수학   1~6학년, 학기용
– 사회/과학   3~6학년, 학기용
– SET(전과목/국수, 국사과)   1~6학년, 학기용

●똑똑한 하루 시리즈
– 똑똑한 하루 독해   예비초~6학년, 총 14권
– 똑똑한 하루 글쓰기   예비초~6학년, 총 14권
– 똑똑한 하루 어휘   예비초~6학년, 총 14권
– 똑똑한 하루 한자   예비초~6학년, 총 14권
– 똑똑한 하루 수학   1~6학년, 학기용
– 똑똑한 하루 계산   예비초~6학년, 총 14권
– 똑똑한 하루 도형   예비초~6학년, 총 8권
– 똑똑한 하루 사고력   1~6학년, 학기용
– 똑똑한 하루 사회/과학   3~6학년, 학기용
– 똑똑한 하루 Voca   3~6학년, 학기용
– 똑똑한 하루 Reading   초3~초6, 학기용
– 똑똑한 하루 Grammar   초3~초6, 학기용
– 똑똑한 하루 Phonics   예비초~초등, 총 8권

●독해가 힘이다 시리즈
– 초등 문해력 독해가 힘이다 비문학편   3~6학년
– 초등 수학도 독해가 힘이다   1~6학년, 학기용
– 초등 문해력 독해가 힘이다 문장제수학편   1~6학년, 총 12권

영어 교재

●초등영어 교과서 시리즈
파닉스(1~4단계)   3~6학년, 학년용
영단어(1~4단계)   3~6학년, 학년용

●LOOK BOOK 영단어   3~6학년, 단행본

●원서 읽는 LOOK BOOK 영단어   3~6학년, 단행본

국가수준 시험 대비 교재

●해법 기초학력 진단평가 문제집   2~6학년·중1 신입생, 총 6권

천재교육

홈스쿨링
우등생 온라인
학습북

개념 동영상 강의
서술형·논술형 동영상 강의
단원평가 온라인 성적 피드백

초등 국어 6·1

온라인 학습북
포인트 ③가지

▶ 「**개념 동영상 강의**」로 교과서 핵심만 정리!

▶ 「**서술형 문제 강의**」로 사고력도 향상!

▶ 「**온라인 성적 피드백**」으로 단원별로 내가 부족한 부분 꼼꼼하게 체크!

우등생 온라인 학습북 활용법

home.chunjae.co.kr

온라인 강의
개념 / 서술형 · 논술형 평가
/ 단원평가

**온라인 학습
스케줄 관리**
맞춤형 홈스쿨링 스케줄표 제공

**온라인 채점과
성적 피드백**
정답을 입력하면 채점과 성적 분석까지

단원평가의 답을 입력하여 제출하면
틀린 문제에 대한 피드백과 동영상 강의 제공!

우등생 국어 6-1
홈스쿨링 스피드 스케줄표(9회)

스피드 스케줄표는 온라인 학습북을 9회로 나누어
빠르게 공부하는 학습 진도표입니다.

1. 비유하는 표현	2. 이야기를 간추려요	3. 짜임새 있게 구성해요
1회 온라인 학습북 4~8쪽	**2**회 온라인 학습북 9~14쪽	**3**회 온라인 학습북 15~20쪽
월 일	월 일	월 일

4. 주장과 근거를 판단해요	5. 속담을 활용해요	6. 내용을 추론해요
4회 온라인 학습북 21~26쪽	**5**회 온라인 학습북 27~32쪽	**6**회 온라인 학습북 33~38쪽
월 일	월 일	월 일

7. 우리말을 가꾸어요	8. 인물의 삶을 찾아서	9. 마음을 나누는 글을 써요
7회 온라인 학습북 39~44쪽	**8**회 온라인 학습북 45~50쪽	**9**회 온라인 학습북 51~56쪽
월 일	월 일	월 일

스피드
스케줄표
바로가기

차례

1 단원

개념 강의

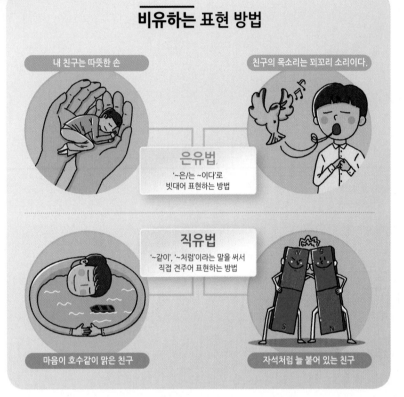

비유하는 표현 방법

내 친구는 따뜻한 손

친구의 목소리는 꾀꼬리 소리이다.

은유법
'~은/는 ~이다'로
빗대어 표현하는 방법

직유법
'~같이', '~처럼'이라는 말을 써서
직접 견주어 표현하는 방법

마음이 호수같이 맑은 친구

자석처럼 늘 붙어 있는 친구

✻ 강의를 들으며 중요한 내용을 메모하세요!

● 비유하는 표현이란?

● 비유하는 표현을 사용하면 좋은 점은?

● 비유하는 표현 방법은?

개념 확인하기 정답에 ✔표를 하시오.

정답 23쪽

1 비유하는 표현의 두 대상 사이에는 무엇이 있습니까?

㉠ 공통점 ☐   ㉡ 차이점 ☐

2 비유하는 표현을 사용하면 좋은 점으로 알맞지 <u>않은</u> 것은 무엇입니까?

㉠ 장면이 쉽게 떠오른다. ☐

㉡ 글이나 그림책의 내용이 쉽게 이해된다. ☐

㉢ 사건의 흐름을 알기 쉽게 정리할 수 있다. ☐

3 '~은/는 ~이다'로 빗대어 표현하는 방법은 무엇입니까?

㉠ 직유법 ☐   ㉡ 은유법 ☐

4 직유법으로 표현한 것은 무엇입니까?

㉠ 햇병아리 떼 같은 개나리 ☐

㉡ 봄비 내리는 소리는 교향악 ☐

5 다음 시에서 '지붕'을 비유하는 표현은 무엇입니까?

> 달빛 내리던 지붕은
> 두둑 두드둑
> 큰북이 되고

㉠ 달빛 ☐   ㉡ 큰북 ☐

연습 도움말을 참고하여 내 생각을 차근차근 써 보세요.

1 비유하는 표현을 살펴보며 글 「뻥튀기」를 읽고 물음에 답하시오. [10점]

> "뻥이요. 뻥!"
>
> 봄날 꽃잎이 흩날리는 것처럼 아름답게 보였습니다.
> 아니야, 아니야, 나비가 날아갑니다.
> 아니야, 아니야, 함박눈이 내리는 거야.
>
> 맞아요, 맞아요, 폭죽입니다.
>
> 하얀 연기 고소하고요.

(1) 글에 나오는 비유하는 표현을 쓰시오. [4점]

> 뻥튀기가 사방으로 날리는 모양을 무엇에 빗대어 표현하였는지 찾아보세요.

대상	비유하는 표현
뻥튀기가 사방으로 날리는 모양	

(2) '뻥튀기'를 비유하고 싶은 사물과 그렇게 표현한 까닭을 쓰시오. [6점]

> 뻥튀기의 특성을 생각해 보세요.

비유하고 싶은 사물	비유한 까닭
①	②

2 빗대어 표현한 곳을 생각하며 시 「봄비」를 읽고 물음에 답하시오. [16점]

> 해님만큼이나
> 큰 은혜로
> 내리는 교향악
>
> 이 세상
> 모든 것이 다
> 악기가 된다.
>
> 달빛 내리던 지붕은
> 두둑 두드둑
> 큰북이 되고
>
> 아기 손 씻던
> 세숫대야 바닥은
>
> 도당도당 도당당
> 작은북이 된다.

(1) 비유하여 표현한 부분을 생각하며 다음 빈칸에 알맞은 내용을 쓰시오. [10점]

대상	비유하는 표현	비유한 까닭
봄비 내리는 소리	①	여러 가지 소리가 섞여 있다.
이 세상 모든 것	②	소리가 난다.
지붕	③	소리가 크다.
세숫대야 바닥	④	⑤

(2) 다음과 같이 봄비 내리는 장면에서 떠올린 대상의 특징을 다른 악기에 비유하여 쓰시오. [6점]

대상	비유하는 표현	비유한 까닭
가로수	리코더	일자로 서 있는 모습이 비슷하기 때문이다.
①	②	③

[1~5] 다음 글을 읽고 물음에 답하시오.

> "뻥이요, 뻥!"
>
> 봄날 꽃잎이 흩날리는 것처럼 아름답게 보였습니다.
> 아니야, 아니야, 나비가 날아갑니다.
> 아니야, 아니야, 함박눈이 내리는 거야.
>
> 맞아요, 맞아요, 폭죽입니다.
>
> 하얀 연기 고소하고요.
>
> ㉠가을날 메밀꽃 냄새가 납니다.
> 아니야, 아니야, 새우 냄새가 납니다.
> 아니야, 아니야, 멍멍이 냄새가 납니다.
>
> 맞아요, 맞아요, 옥수수 냄새입니다.

1 이 글에서 표현하고 있는 것은 무엇입니까? (   )
① 메밀꽃이 많이 핀 모습
② 꽃밭에 나비가 나는 모습
③ 옥수수를 찔 때 나는 냄새
④ 봄에 벚꽃이 흩날리는 모습
⑤ 뻥튀기가 튀겨질 때 사방으로 튀는 모습과 튀길 때 나는 고소한 냄새

2 다음 중 비유하는 대상이 다른 하나는 무엇입니까?
(   )
① 나비   ② 폭죽   ③ 함박눈
④ 새우 냄새   ⑤ 봄날 꽃잎

3 '뻥튀기 냄새'를 '옥수수 냄새'에 비유한 까닭은 무엇입니까? (   )
① 하늘에 흩날린다.
② 소복하게 내린다.
③ 아이들만 좋아한다.
④ 달콤하고 고소하다.
⑤ 여름에만 맡을 수 있다.

4 '뻥튀기'를 다른 사물에 빗대어 표현한 까닭으로 알맞은 것은 무엇입니까? (   )
① 뻥튀기의 역사를 설명하려고
② 사라져 가는 옛것의 소중함을 말하려고
③ 뻥튀기를 먹어야 하는 이유를 설득시키려고
④ 뻥튀기하는 상황을 더 생생하게 전달하려고
⑤ 뻥튀기하는 과정을 이해하기 쉽게 설명하려고

5 '뻥튀기 냄새'를 비유하는 표현을 생각하며 ㉠을 알맞게 바꾸어 쓴 것은 무엇입니까? (   )
① 비린 생선 냄새가 납니다.
② 갓 지은 밥 냄새가 납니다.
③ 시큼한 레몬 냄새가 납니다.
④ 고약하게 썩은 냄새가 납니다.
⑤ 숨 막히는 석유 냄새가 납니다.

6 비유하는 표현을 사용하면 좋은 점이 <u>아닌</u> 것은 무엇입니까? (   )
① 장면이 쉽게 떠오른다.
② 상황이 실감 나게 느껴진다.
③ 글의 내용이 쉽게 이해된다.
④ 낱말의 뜻을 저절로 알 수 있다.
⑤ 글쓴이의 의도를 쉽게 파악할 수 있다.

7 비유하는 표현을 사용한 문장이 <u>아닌</u> 것은 무엇입니까?
(   )
① 봄 날씨는 따뜻한 이불이다.
② 친구와 어깨동무를 하니 재미있다.
③ 선생님 목소리가 꾀꼬리 같아서 듣기 좋다.
④ 햇병아리 떼 같은 개나리를 보면 저절로 웃음이 난다.
⑤ 새로운 친구를 만나 마음이 들떠서 부풀어 오른 풍선 같다.

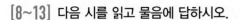

[8~13] 다음 시를 읽고 물음에 답하시오.

> 해님만큼이나
> 큰 은혜로
> 내리는 교향익
>
> 이 세상
> 모든 것이 다
> 악기가 된다.
>
> 달빛 내리던 지붕은
> 두둑 두드둑
> 큰북이 되고
>
> 아기 손 씻던
> 세숫대야 바닥은
>
> 도당도당 도당당
> 작은북이 된다.

> 앞마을 냇가에선 ┐
> 퐁퐁 포옹 퐁 │
> 뒷마을 연못에선 ├ ㉠
> 퐁퐁 푸웅 퐁 ┘
>
> 외양간 엄마 소도 함께
> 댕그랑댕그랑
>
> 엄마 치마 주름처럼
> 산들 나부끼며
> 왈츠
> 봄의 왈츠
> 하루 종일 연주한다.

8 이 시에 대한 설명으로 알맞지 <u>않은</u> 것은 무엇입니까?
(   )

① 소리가 비슷한 글자가 반복되고 있다.
② 봄비 내리는 소리를 '교향악'에 비유하고 있다.
③ 봄비가 경쾌하게 내리는 장면을 표현하고 있다.
④ 말하는 이는 비가 많이 오는 것을 걱정하고 있다.
⑤ 봄비가 내리는 모습을 다른 사물에 빗대어 표현하고 있다.

9 이 시에 제목을 붙일 때 가장 알맞은 것은 무엇입니까?
(   )

① 봄비   ② 음악회에서
③ 엄마와 아기   ④ 눈이 오는 마을
⑤ 달빛 비치는 지붕

10 '봄비 내리는 소리'를 '교향악'에 비유한 까닭으로 알맞은 것은 무엇입니까? (   )

① 소리가 크다.
② 소리가 작다.
③ 봄에만 보거나 들을 수 있다.
④ 여러 가지 소리가 섞여 있다.
⑤ 식물이 잘 자라도록 도움을 준다.

11 이 시에서 악기가 되는 것이 <u>아닌</u> 것은 무엇입니까?
(   )

① 지붕   ② 세숫대야 바닥
③ 뒷마을 연못   ④ 외양간 엄마 소
⑤ 엄마 치마 주름

12 다음 중 운율이 가장 잘 느껴지는 부분은 무엇입니까?
(   )

① 악기가 된다   ② 큰북이 되고
③ 세숫대야 바닥은   ④ 도당도당 도당당
⑤ 작은북이 된다

13 ㉠은 어떤 장면을 표현한 것입니까? (   )

① 앞마을 냇가와 뒷마을 연못에서 물이 솟는 장면
② 앞마을 냇가와 뒷마을 연못에 돌을 던지는 장면
③ 앞마을 냇가와 뒷마을 연못에서 빨래를 하는 장면
④ 앞마을 냇가와 뒷마을 연못에서 물장난을 하는 장면
⑤ 앞마을 냇가와 뒷마을 연못에 봄비가 경쾌하게 내리는 장면

1
단원

진도 완료 체크

14 비유하는 표현 방법이 나머지 넷과 <u>다른</u> 하나는 무엇입니까? ( )

① 내 친구는 수수깡
② 내 마음은 호수이다.
③ 육상 선수는 치타이다.
④ 바다같이 넓은 어머니 마음
⑤ 내 동생 입은 개구리 입이다.

[15~18] 다음 시를 읽고 물음에 답하시오.

> 나는 풀잎이 좋아, ㉠풀잎 같은 친구 좋아
> 바람하고 엉켰다가 풀 줄 아는 풀잎처럼
> 헤질 때 또 만나자고 손 흔드는 친구 좋아.
>
> 나는 바람이 좋아, 바람 같은 친구 좋아
> 풀잎하고 헤졌다가 되찾아 온 바람처럼
> 만나면 얼싸안는 바람, 바람 같은 친구 좋아.

15 이 시에 대한 설명으로 알맞지 <u>않은</u> 것은 무엇입니까?

( )

① 2연으로 구성된 시이다.
② 운율이 잘 느껴지는 시이다.
③ 계절적 배경이 잘 나타나 있다.
④ '나'가 좋아하는 친구가 나와 있다.
⑤ 사물의 동작을 사람의 동작처럼 표현하였다.

16 이 시를 읽고 떠오르는 장면으로 알맞지 <u>않은</u> 것은 무엇입니까? ( )

① 친구와 만났을 때 반가워하는 장면
② 친구하고 헤어져서 다시 만나는 장면
③ 친구와 헤어질 때 다시 만나자고 약속하는 장면
④ 친구와 오래간만에 만나 기쁘게 서로 얼싸안는 장면
⑤ 새 학년이 되어서 만난 친구와 친하게 지낼 것을 다짐하는 장면

17 이 시의 주제로 알맞은 것은 무엇입니까? ( )

① 친구 사이의 우정
② 물건을 아껴 쓰는 방법
③ 새싹이 솟아오르는 기쁨
④ 새 학년을 맞이하는 설렘
⑤ 낯선 환경에 대한 두려움

18 ㉠에 쓰인 비유하는 표현 방법과 같은 표현 방법이 <u>아닌</u> 것은 무엇입니까? ( )

① 개미처럼 일을 많이 한다.
② 나비처럼 날아다녔으면 좋겠다.
③ 거북이가 가듯이 늦게 걸어갔다.
④ 봄비는 큰 은혜로 내리는 교향악
⑤ 동생이 강아지같이 귀엽게 웃는다.

19 새롭게 만난 대상을 다른 대상에 비유하고자 할 때 두 대상 간의 공통점으로 ㉠에 들어가기에 알맞은 것은 무엇입니까? ( )

새롭게 만난 대상	공통점	비유할 대상
친구	㉠	발전소

① 멋있다.   ② 잘 웃는다.
③ 깊고 넓다.   ④ 멀리 있다.
⑤ 내게 힘을 준다.

20 다음 중 은유법을 사용하여 봄을 표현한 것은 무엇입니까? ( )

① 봄 날씨가 이불처럼 포근하다.
② 봄이 살그머니 우리에게 온다.
③ 점심시간처럼 짧은 봄이 지나간다.
④ 봄은 새로운 시작을 알리는 호루라기이다.
⑤ 노란 병아리 같은 개나리가 활짝 피어 있다.

· 답안 입력하기   · 평가 분석표 받기

개념 강의

이야기 구조

갈등이 커지면서 긴장감이 가장 높아지는 부분

갈등이 일어나는 부분

이야기의 사건이 시작되는 부분

사건이 해결되는 부분

발단 **전개** **절정** **결말**

✻ 강의를 들으며 중요한 내용을 메모하세요!

● 사건의 흐름을 살펴보며 이야기를 읽으면 좋은 점은?

● 이야기 구조는?

● 이야기를 요약하는 방법은?

2
단원

개념 확인하기 · 정답에 ✔표를 하시오.

정답 25쪽

1 사건의 흐름을 살펴보며 이야기를 읽으면 좋은 점으로 알맞지 <u>않은</u> 것은 무엇입니까?

㉠ 사건의 연결 관계를 알 수 있다. ☐

㉡ 전체 내용을 쉽게 이해할 수 있다. ☐

㉢ 재미있는 낱말을 많이 알 수 있다. ☐

2 이야기 구조에서 사건 속의 갈등이 커지면서 긴장감이 가장 높아지는 부분은 어디입니까?

㉠ 발단 ☐　　㉡ 전개 ☐　　㉢ 절정 ☐

3 이야기를 요약할 때 이야기 흐름에서 중요하지 않은 내용은 어떻게 해야 합니까?

㉠ 삭제하거나 간단히 쓴다. ☐

㉡ 중요한 내용과 하나로 묶는다. ☐

4 다음은 이야기를 요약하는 방법입니다. ( ) 안에 알맞은 말은 무엇입니까?

> 중요한 사건이 일어난 원인과 그에 따른 (　　　)을/를 찾는다.

㉠ 결과 ☐　　　　　　㉡ 인물 ☐

2 단원

연습 🐱 도움말을 참고하여 내 생각을 차근차근 써 보세요.

1 이야기의 흐름을 생각하며 다음 글을 읽고 물음에 답하시오. [10점]

> 사람들은 이제 담을 쌓기 시작했어.
> 사방이 꽉 막힌 높고 단단한 담을.
> 그런 다음 양쪽에 보초를 세우고 담을 넘는 사람이 있나 잘 감시했지.
> 윗동네도 아랫동네도 서로를 의심하는 마음이 차츰차츰 쌓여 갔어. / 그러다 나중에는 서로 잡아먹을 듯이 미워하게 되었지.
> 세월이 흘러갈수록 담은 점점 더 높아졌지.
> 그러다 어느 때부터인가 아무도 그 담에 관심을 갖지 않게 되었어.
> 언제 담을 세웠는지, 왜 세웠는지조차 사람들은 까맣게 잊고 만 거야. / 담을 넘는 사람들이 없어지자 보초도 사라졌고, 황금 사과까지 사라졌어. / 오직 남은 것은 가슴 깊숙이 뿌리박힌 서로 미워하는 마음뿐이었지.

(1) 이 글에서 두 동네 사람들 사이에 어떤 일이 일어났는지 정리하여 쓰시오. [4점]

🐱 누가, 어떤 일을 하였는지 잘 나타나게 써요.

• 두 동네 사람들은 황금 사과를 서로 가지겠다고 담을 높게 쌓았는데, 점점 담을 세운 까닭을 잊고

_____

(2) 황금 사과를 사이좋게 나누려면 어떻게 하는 것이 좋을지 쓰시오. [6점]

🐱 형제 또는 친구와 무엇을 나누어야 했던 경험을 떠올려 보세요.

_____

_____

2 이야기 흐름을 생각하며 다음 글을 읽고 물음에 답하시오. [10점]

> 원님은 자기 곳간이 비어 이승으로 갈 수 없다고 생각하니 걱정되었다.
> '어쩐다……?'
> 그때였다. 저승사자가 핀잔하듯 말했다.
> "네 고을에 사는 주막집 딸은 곳간을 그득하게 채웠는데, 고을 원님이라는 사람이 이게 무슨 꼴이냐?"
> "아니, 그게 무슨 얘깁니까?"
> "덕진이라는 아가씨의 곳간에는 쌀이 수백 석이나 있으니, 일단 거기서 쌀을 꾸어 계산하고 이승에 나가서 갚도록 해라."
> 저승사자가 원님에게 제안했다. 결국 원님은 덕진의 곳간에서 쌀 삼백 석을 꾸어 셈을 치를 수 있었다.

(1) 이 글의 내용을 요약해 쓰시오. [6점]

이야기 구조	사건의 중심 내용 정리하기
전개	① 원님은 자기 곳간이 비어 이승으로 갈 수 없다고 생각하니 걱정되었다. ② 저승사자는 원님에게 덕진이라는 아가씨의 곳간에서 쌀을 꾸어 계산하고 이승에 나가서 갚으라고 제안했다.

⬇

이야기 구조	사건의 중심 내용 간추리기
전개	

(2) 다음과 같은 저승 곳간의 특징으로 보아 덕진이라는 아가씨는 이승에서 어떻게 생활하고 있을지 쓰시오. [4점]

> 사람은 누구나 저승에 곳간이 하나씩 있다. 그 곳간은 이 세상에서 좋은 일을 한 만큼 재물이 쌓이게끔 되어 있었다.

_____

_____

[1~3] 다음 글을 읽고 물음에 답하시오.

> **가** 두 동네 사이에는 툭하면 싸움이 벌어졌어.
>
> 다들 황금 사과를 갖겠다고 아우성이었지.
>
> 할 수 없이 사람들은 모여서 의논을 했어.
>
> "이 나무는 우리 두 동네의 한가운데에 있습니다. 그러니 잘 나누기 위해 땅바닥에 금을 그읍시다. 금 오른쪽에 열리는 사과는 윗동네, 금 왼쪽에 열리는 사과는 아랫동네에서 갖도록 말입니다."
>
> **나** 윗동네도 아랫동네도 서로를 의심하는 마음이 차츰차츰 쌓여 갔어.
>
> 그러다 나중에는 서로 잡아먹을 듯이 미워하게 되었지.

1 두 동네 사람들 사이에 싸움이 벌어진 까닭은 무엇입니까? (　　　)

① 황금 사과를 가지려고
② 자기 동네에 큰길을 만들려고
③ 자기 동네에 공원을 지으려고
④ 자기 동네의 땅을 더 넓히려고
⑤ 자기 동네에 사과나무를 옮겨 심으려고

2 글 **가**에서 싸움을 막기 위해 한 일은 무엇입니까?

(　　　)

① 사과나무를 베었다.
② 땅바닥에 금을 그었다.
③ 황금 사과를 기부하였다.
④ 두 동네를 하나로 합쳤다.
⑤ 황금 사과를 팔아서 돈을 나누어 가졌다.

3 글 **나**에서 두 동네 사람들의 마음은 어떻게 변하여 갔습니까? (　　　)

① 슬픈 마음 → 고마운 마음
② 반가운 마음 → 지루한 마음
③ 궁금한 마음 → 두려운 마음
④ 화나는 마음 → 그리운 마음
⑤ 의심하는 마음 → 미워하는 마음

[4~5] 다음 글을 읽고 물음에 답하시오.

> **가** 세월이 흘러갈수록 담은 점점 더 높아졌지.
>
> 그러다 어느 때부터인가 아무도 그 담에 관심을 갖지 않게 되었어.
>
> **나** "엄마, 저 담 너머에는 누가 살아요?"
>
> "쉿! 아가야, 절대로 저 담 옆에 가면 안 돼. 저 담 너머에는 무시무시한 괴물들이 산단다."
>
> **다** 공은 떼굴떼굴 담 쪽으로 굴러갔지.
>
> 아이는 아무도 살지 않는 으스스한 그곳으로 걸어갔어.
>
> 그런데 담 쪽으로 다가가 보니 작은 문이 언뜻 보이는 거야.
>
> **라** 아이가 문을 밀자 쓱 열렸어.
>
> 문은 낡았고, 자물쇠는 망가져 있었거든.
>
> 환한 햇살 때문에 아이는 눈이 부셨지.
>
> 아이는 친구들에게 다가가 말했어.
>
> "얘들아, 안녕! 내 이름은 사과야. 너희 이름은 뭐야?"

4 글 **다**와 **라**에서 일어난 일을 알맞게 정리한 것은 무엇입니까? (　　　)

① 담 너머의 친구들이 아이를 따돌렸다.
② 아이와 담 너머의 친구들이 사이좋게 지냈다.
③ 한 아이가 담 너머에 누가 사는지 궁금해했다.
④ 엄마는 담 너머에 괴물이 산다고 조심하라고 했다.
⑤ 한 아이가 담에 있는 문을 열자 그곳에 아이들이 있었다.

5 이 글을 읽고 질문을 만든 것으로 알맞지 <u>않은</u> 것은 무엇입니까? (　　　)

① 이 글의 주제는 무엇일까?
② 괴물이 나오는 영화는 무엇이 있을까?
③ 아이의 이름 '사과'에 담긴 뜻은 무엇일까?
④ 두 동네 사람들 사이는 앞으로 어떻게 될까?
⑤ 다른 동네에 괴물이 산다고 믿게 된 까닭은 무엇일까?

[6~7] 다음 글을 읽고 물음에 답하시오.

영암 원님이 죽어서 염라대왕 앞으로 끌려갔다.

"염라대왕님, 소인은 아직 할 일이 많습니다. 그런데 벌써 저를 데려오셨습니까? 이승에서 좀 더 살게 해 주십시오."

원님은 머리를 조아리며 간청했다. 그러자 염라대왕은 수명을 적어 놓은 책을 들여다보고는 아직 원님이 나이가 젊어 딱하다는 생각이 들었다.

"좋다, 내 마음이 변하기 전에 얼른 사라져라."

염라대왕은 원님을 저승사자에게 돌려보냈다.

"이승으로 나가려는데 어떻게 가면 될까요?"

"여기까지 데려왔는데 그냥 보내 줄 수는 없다. 너 때문에 헛걸음을 했으니 수고비를 내놓아라."

"어떡하지요? 지금 저는 빈털터리인데……."

"그러면 저승에 있는 네 곳간에서라도 내놓아라."

6 이 글의 내용과 사실이 <u>다른</u> 것은 무엇입니까? ( )

① 원님은 젊어서 죽었다.

② 원님은 죽어서 염라대왕에게 갔다.

③ 염라대왕은 원님의 간청을 들어주었다.

④ 원님은 염라대왕에게 다시 살려 달라고 호소하였다.

⑤ 염라대왕은 원님에게 이승으로 가려면 수고비를 내라고 하였다.

7 수고비가 없는 원님에게 저승사자가 알려 준 방법은 무엇입니까? ( )

① 저승사자에게 빌리는 것

② 염라대왕에게 빌리는 것

③ 이승에 갔다가 다시 오는 것

④ 저승 곳간에 있는 것으로 내는 것

⑤ 저승사자에게 수고비를 없게 해 달라고 간청하는 것

[8~10] 다음 글을 읽고 물음에 답하시오.

가 "이 사람, 남에게 덕을 베푼 일이라곤 없는 모양이네!"

옆에 서 있던 저승사자가 ㉠코웃음을 치며 말했다.

"어찌해 제 곳간에는 볏짚 한 단밖에 없습니까?"

"너는 이승에 있을 때 남에게 덕을 베푼 일이 없지 않느냐?"

나 원님은 자기 곳간이 비어 이승으로 갈 수 없다고 생각하니 걱정되었다.

'어쩐다……?'

그때였다. 저승사자가 핀잔하듯 말했다.

"네 고을에 사는 주막집 딸은 곳간을 그득하게 채웠는데, 고을 원님이라는 사람이 이게 무슨 꼴이냐?"

"아니, 그게 무슨 얘깁니까?"

"덕진이라는 아가씨의 곳간에는 쌀이 수백 석이나 있으니, 일단 거기서 쌀을 꾸어 계산하고 이승에 나가서 갚도록 해라."

저승사자가 원님에게 제안했다. 결국 원님은 덕진의 곳간에서 쌀 삼백 석을 꾸어 셈을 치를 수 있었다.

8 원님의 저승 곳간에는 왜 볏짚 한 단만이 있었습니까? ( )

① 이승에서 가난하게 살아서

② 이승에서 일을 하지 않아서

③ 저승사자에게 수고비를 많이 주어서

④ 이승에 있을 때 남에게 덕을 베푼 일이 없어서

⑤ 저승 곳간에 있는 것을 다른 사람에게 빌려주어서

9 ㉠과 비슷한 뜻이 <u>아닌</u> 것은 무엇입니까? ( )

① 핀잔하며　　　　　② 비난하며

③ 비웃으며　　　　　④ 업신여기며

⑤ 눈웃음을 치며

10 이 글의 내용을 가장 잘 간추린 것은 무엇입니까? ( )

① 저승사자는 곳간에 재물이 거의 없는 원님을 핀잔하였음.

② 원님은 자기 곳간이 비어 이승으로 갈 수 없다고 걱정함.

③ 저승사자는 원님에게 덕진의 곳간에서 쌀을 꾸어 계산하라고 말함.

④ 남에게 베푼 일이 없어 원님의 곳간에는 고작 볏짚 한 단밖에 없었음.

⑤ 저승사자는 원님에게 덕진의 곳간에서 쌀을 꾸어 계산하게 하고 원님을 이승으로 보냄.

[11~13] 다음 글을 읽고 물음에 답하시오.

가 덕진이라는 아가씨가 어머니와 주막을 차려 살고 있으며, 인정이 많아 손님을 후하게 대접한다는 것을 알았다.

사실을 확인하고 싶은 원님은 허름한 선비 모습으로 변장하고, 밤에 덕진의 주막을 찾아갔다.

덕진은 따뜻하게 원님을 맞이했다. 술을 달라는 원님에게 덕진은 술상을 정성스럽게 차려서 가지고 왔다.

나 "걱정 마시고 형편이 어렵거든 가져다 쓰시고, 돈이 생기거든 갚으십시오."

덕진은 웃으며 대답했다. 원님은 열 냥을 받아 가지고 나오면서 생각했다.

'이런 것이 만인에게 적선하는 것이로구나. 이런 식으로 덕진은 수많은 사람을 도와주고, 돈 수천 냥을 다른 사람들에게 나누어 주었을 것이다. 그러니 덕진의 ⬜️⬜️에는 곡식이 가득 차 있을 수밖에……'

다 "너에게 빚진 쌀 삼백 석을 갚으러 왔느니라."

그러자 덕진은 어리둥절해하며 원님을 쳐다보았다.

"하여튼 받아 두어라. ⊙먼 훗날, 너도 알게 될 것이니라."

덕진이 받을 수 없다고 하자 원님은 강제로 쌀을 떠맡겼다.

11 ⬜️⬜️에 들어가기에 알맞은 말은 무엇입니까? ( )

① 나라 곳간 　② 고을 곳간 　③ 저승 곳간
④ 이승 곳간 　⑤ 주막 곳간

12 ⊙에서 원님이 덕진에게 알게 될 것이라고 한 것은 무엇입니까? ( )

① 저승에는 곳간이 있는 것
② 원님이 저승에 갔다 온 것
③ 원님이 덕을 많이 베풀지 못한 것
④ 원님이 덕진을 변장하고 만난 것
⑤ 원님이 덕진의 저승 곳간에서 쌀을 꾼 것

13 이 글의 내용을 드라마로 만들 때 나올 수 없는 장면은 무엇입니까? ( )

① 덕진이 원님에게 술상을 주는 장면
② 원님이 변장을 하고 주막에 가는 장면
③ 원님이 덕진에게 쌀을 강제로 주는 장면
④ 덕진이 사람들을 후하게 대접하는 장면
⑤ 덕진이 저승으로 가 원님이 자기에게 쌀을 준 까닭을 아는 장면

[14~15] 다음 글을 읽고 물음에 답하시오.

가 할머니는 이리저리 땅을 살폈어. 종이를 찾는 거야. 무게가 조금도 나가지 않을 것 같은 작은 종이라도, 할머니의 눈에는 무게가 있어 보였거든. 그래서 점점 더 등을 납작하게 구부리고 땅을 뚫어져라 살피게 되었어. 그럴수록 할머니는 하늘을 쳐다보는 일이 줄어들었지.

나 "내 거여! 이 동네에서 폐지 줍는 노인네들은 다 아는구먼."

하지만 눈에 혹이 난 할머니는 아무 대꾸도 없이 상자를 실은 유모차를 끌고 가려고 했어.

울뚝, 화가 치밀어 오른 종이 할머니는 눈에 혹이 난 할머니의 팔을 잡고는 힘껏 밀어 버렸어. 벌러덩, 눈에 혹이 난 할머니는 힘없이 넘어졌어. 그리고는 앞이 잘 안 보이는지 땅을 허둥허둥 짚어 대다가 유모차를 간신히 잡고 일어났어.

14 글 **가** 에서 종이 할머니의 감정은 어떠하였겠습니까?
( )

① 힘들다. 　② 무섭다. 　③ 부끄럽다.
④ 감동적이다. 　⑤ 샘이 난다.

15 글 **가** 와 **나** 의 어느 부분에서 사건이 본격적으로 발생합니까? ( )

① 할머니가 땅을 살피는 부분
② 눈에 혹이 난 할머니가 넘어지는 부분
③ 종이 할머니가 하늘을 쳐다보지 않는 부분
④ 종이 할머니가 눈에 혹이 난 할머니를 만나는 부분
⑤ 눈에 혹이 난 할머니가 유모차를 잡고 일어나는 부분

[16~18] 다음 글을 읽고 물음에 답하시오.

가 종이 할머니는 작은 마당으로 나갔어. 그리고 힘겹게 허리를 펴고 천천히 고개를 들었단다. 그러고는 하늘을 올려다보았지. 하늘엔 먹구름이 물러가고 환한 빛이 눈부시게 쏟아지고 있었어.

"눈은 아직 늙지 않았구면. 아주 멀리 있는 것도 볼 수 있지."

종이 할머니는 환한 빛 너머, 하늘 너머, 별 너머, 우주 호텔 너머 유리 바다에 둘러싸인 성을 보았지.

종이 할머니는 결심했어. 쉽게 허리를 구부리지 않기로 말이야.

나 다음 날, 종이 할머니는 다른 날과 마찬가지로 손수레를 끌며 동네를 돌아다녔어. 가게마다, 집집마다 버려진 폐지들을 주워서 손수레에 실었지.

도서관 앞을 지날 때였어. 전봇대 앞에 고개를 숙이고 강낭콩을 파는 할머니가 보였어. 며칠 전, 채소 가게 앞에서 본 눈에 혹이 난 할머니였어.

다 종이 할머니는 여전히 폐지를 모았어. 그렇지만 이제는 혼자가 아니야. 눈에 혹이 난 할머니와 같이 주웠어. 그리고 저녁이 되면 따뜻한 밥도 같이 먹고 생강차도 나누어 마셨지.

종이 할머니는 벽에 붙여 놓은 우주 그림을 보며 잠깐잠깐 이런 생각에 빠졌단다.

'여기가 우주 호텔이 아닌가? 여행을 하다가 잠시 이렇게 쉬어 가는 곳이니……, 여기가 바로 우주의 한가운데지.'

16 하늘을 보며 종이 할머니는 어떤 결심을 하였습니까? ( )

① 바다 여행을 하겠다.
② 폐지를 줍지 않겠다.
③ 쉽게 허리를 구부리지 않겠다.
④ 눈 건강을 위하여 관리를 잘하겠다.
⑤ 버릇이 없는 아이들을 혼내 주겠다.

17 글 **다**에서 종이 할머니의 마음은 어떠하였겠습니까? ( )

① 아쉽다. ② 행복하다. ③ 궁금하다.
④ 후회된다. ⑤ 화가 난다.

18 글 **나**와 **다**는 「우주 호텔」의 결말 부분입니다. 사건의 중심 내용을 알맞게 간추린 것은 무엇입니까? ( )

① 종이 할머니는 눈에 혹이 난 할머니를 밀어 버렸다.
② 종이 할머니는 허리를 굽혀 땅만 보며 종이를 주웠다.
③ 종이 할머니는 자신의 빈 상자를 빼앗기지 않으려고 소리쳤다.
④ 종이 할머니는 메이가 그린 우주 그림을 보고 어릴 적 꿈을 떠올렸다.
⑤ 종이 할머니는 눈에 혹이 난 할머니와 친구처럼 지내며 자신이 사는 곳이 바로 우주 호텔이라고 생각했다.

[19~20] 다음 「소나기」의 장면을 보고 물음에 답하시오.

소년은 집으로 돌아가던 길에 개울가에서 물장난하는 소녀와 마주침.

소년이 소녀를 업고 물이 불어난 개울을 건넘.

19 이야기의 발단 부분에서 소년은 주로 어디에서 소녀를 마주쳤습니까? ( )

① 산 ② 학교
③ 논이나 밭 ④ 소녀네 집
⑤ 개울가 징검다리

20 장면 **2**와 관련지었을 때, 소녀가 죽기 전에 자신이 입던 옷을 입혀서 묻어 달라고 한 까닭은 무엇이겠습니까? ( )

① 서울에서 산 옷이어서
② 자신이 가장 아끼던 옷이어서
③ 소년과의 추억을 간직하고 싶어서
④ 아버지께서 예쁘다고 한 옷이어서
⑤ 어머니께서 마지막으로 사 주신 옷이어서

· 답안 입력하기 · 평가 분석표 받기

개념 강의

자료를 활용하여 발표하기

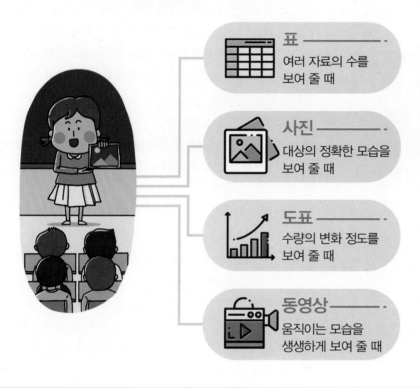

표 ─────
여러 자료의 수를
보여 줄 때

사진 ─────
대상의 정확한 모습을
보여 줄 때

도표 ─────
수량의 변화 정도를
보여 줄 때

동영상 ─────
움직이는 모습을
생생하게 보여 줄 때

✳ 강의를 들으며 중요한 내용을 메모하세요!

● 공식적인 말하기 상황의 특성은?

● 다양한 자료의 특성은?

● 자료를 활용하여 발표할 때 주의할 점은?

● 발표할 내용을 정리하는 방법은?

3
단원

개념 확인하기 정답에 ✔표를 하시오.

정답 27쪽

1 공식적인 말하기 상황의 특성은 무엇입니까?

ㄱ 예사말을 사용한다. ☐

ㄴ 자료를 활용하면 좋다. ☐

2 음악이나 자막을 넣어 분위기를 잘 전달할 수 있는 자료는 무엇입니까?

ㄱ 사진 ☐   ㄴ 동영상 ☐

3 다음 내용을 발표할 때 활용하면 좋을 자료는 무엇입니까?

제주도의 월별 강우량

ㄱ 도표 ☐   ㄴ 실물 ☐

4 자료를 활용하여 발표할 때 주의할 점으로 알맞은 것은 무엇입니까?

ㄱ 자료를 가져온 곳을 숨긴다. ☐

ㄴ 한 번에 적절한 양의 내용을 보여 준다. ☐

5 발표할 내용을 정리할 때 '시작하는 말'에서 해야 할 것은 무엇입니까?

ㄱ 발표 주제와 제목을 말한다 ☐

ㄴ 발표 내용을 간단하게 정리한다. ☐

ㄷ 자료에 담긴 핵심 내용을 말한다. ☐

연습 도움말을 참고하여 내 생각을 차근차근 써 보세요.

1 다음 그림의 말하는 상황을 보고 물음에 답하시오.

[8점]

(1) 그림 **1**과 **2**의 말하기 상황에서 비슷한 점과 다른 점은 무엇인지 비교하여 쓰시오. [4점]

> 말하는 장소가 어디인지, 듣는 사람이 누구인지 생각해 보세요.

비슷한 점	• 말하는 사람과 듣는 사람이 있다. • ①
다른 점	그림 **1**	②
	그림 **2**	③

(2) 그림 **1**과 비교하여 그림 **2**의 상황에서 말할 때 알맞은 태도를 쓰시오. [4점]

> 어떤 표현을 사용하는 것이 좋을지, 듣는 사람에게 전하려는 내용을 잘 전달하는 방법은 무엇일지 생각해 보세요.

_____

_____

_____

2 공식적으로 말하는 상황의 특성을 생각하며 다음 글을 읽고 물음에 답하시오. [8점]

가 안녕하세요? 저는 전교 학생회 회장단 선거에 입후보한 나성실입니다. 저는 가고 싶은 학교, 즐거운 학교를 만들고 싶어서 이 자리에 섰습니다. 우리 학교에서는 지난해에 학생들이 학교에 바라는 점을 설문 조사 했습니다. 학생들이 학교에 바라는 점 가운데에서 가장 많이 나온 의견은 바로 "깨끗한 화장실을 만들어 주세요."라는 의견으로 47퍼센트가 나왔습니다.

나 저는 이러한 여러분의 의견을 교장 선생님께 적극적으로 말씀드리고 전교 학생회에서도 의견을 모아 꼭 깨끗한 화장실을 만들겠습니다. 저는 최근에 『오늘의 순위』라는 책을 우연히 보았습니다. 이 책은 우리나라의 여러 가지를 조사한 순위를 알려 주는 책인데, 우리나라의 초등학생들 가운데에서 꿈이 없는 사람이 남학생은 14.2퍼센트, 여학생은 16.7퍼센트라고 합니다. 꿈을 정하지 못한 것이 아니라 꿈이 없는 학생들이 그만큼이라는 얘기입니다. 백 명 가운데 열다섯 명이 꿈이 없는 학생이라니, 어릴 때부터 공부만 열심히 하라는 말을 지겹게 들어 온 결과가 아닌가 싶습니다.

(1) **가**와 **나**에서 후보자가 의견을 발표할 때 활용한 자료를 각각 쓰시오. [각 2점]

① **가**	
② **나**	

(2) 후보자와 같이 자료를 활용하여 발표하면 좋은 점은 무엇인지 쓰시오. [4점]

_____

_____

1 다음에서 공식적인 말하기 상황으로 짝 지은 것은 어느 것입니까? (   )

① ㉠, ㉡, ㉢　　② ㉠, ㉡, ㉣　　③ ㉡, ㉢, ㉣

④ ㉠, ㉢, ㉣　　⑤ ㉠, ㉡, ㉢, ㉣

[2~5] 다음 글을 읽고 물음에 답하시오.

㉮ 안녕하세요? 저는 전교 학생회 회장단 선거에 입후보한 나성실입니다. 저는 가고 싶은 학교, 즐거운 학교를 만들고 싶어서 이 자리에 섰습니다. 우리 학교에서는 지난해에 학생들이 학교에 바라는 점을 설문 조사했습니다. 학생들이 학교에 바라는 점 가운데에서 가장 많이 나온 의견은 바로 "깨끗한 화장실을 만들어 주세요."라는 의견으로 47퍼센트가 나왔습니다.

㉯ 저는 이러한 여러분의 의견을 교장 선생님께 적극적으로 말씀드리고 전교 학생회에서도 의견을 모아 꼭 깨끗한 화장실을 만들겠습니다. 저는 최근에 『오늘의 순위』라는 책을 우연히 보았습니다. 이 책은 우리나라의 여러 가지를 조사한 순위를 알려 주는 책인데, 우리나라의 초등학생들 가운데에서 꿈이 없는 사람이 남학생은 14.2퍼센트, 여학생은 16.7퍼센트라고 합니다. 꿈을 정하지 못한 것이 아니라 꿈이 없는 학생들이 그만큼이라는 얘기입니다. 백 명 가운데 열다섯 명이 꿈이 없는 학생이라니, 어릴 때부터 공부만 열심히 하라는 말을 지겹게 들어 온 결과가 아닌가 싶습니다. 그래서 저는 우리 학교의 학생들만큼은 꼭 누구나 꿈을 하나씩 정하고 그 꿈을 이루려고 노력하도록 도와주고 싶습니다.

2 후보자는 어떤 자료를 활용하여 의견을 말하였습니까? (   )

① 교장 선생님과 면담한 동영상

② 학교의 낡은 시설을 찍은 사진

③ 학교 시설 수리에 쓰이는 예산을 나타낸 도표

④ 초등학생들의 장래 희망을 조사하여 발표한 뉴스

⑤ 학생들이 학교에 바라는 점에 대한 설문 조사 결과

3 후보자는 꿈이 없는 학생이 많은 까닭을 무엇 때문이라고 하였습니까? (   )

① 학교 공부가 재미없기 때문이다.

② 너무 많은 직업이 사라지고 있기 때문이다.

③ 남학생과 여학생의 비율이 다르기 때문이다.

④ 학생들의 잠자는 시간이 줄어들었기 때문이다.

⑤ 어릴 때부터 공부만 열심히 하라는 말을 들었기 때문이다.

4 이와 같은 말하기 상황의 특성을 알맞게 말한 사람은 누구입니까? (   )

① 민준: 높임 표현을 써야 해.

② 정은: 연설 시간과 상관없이 길게 말하는 것이 좋아.

③ 권익: 말할 내용을 모두 써서 보여 주는 것이 좋아.

④ 세현: 자료를 최대한 많이 사용해서 발표하는 것이 좋아.

⑤ 금내: 듣는 사람이 부담스럽지 않도록 바닥을 바라보며 말해야 해.

5 후보자가 의견을 말할 때 자료를 활용한 까닭으로 알맞지 않은 것은 무엇입니까? (   )

① 말하는 시간을 길게 늘리려고

② 듣는 사람의 흥미를 불러일으키려고

③ 말하려는 내용을 효과적으로 전달하려고

④ 듣는 사람이 내용을 더 잘 이해하게 하려고

⑤ 듣는 사람이 내용을 한눈에 알아보게 하려고

[6~7] 다음을 보고 물음에 답하시오.

1

우리 반 친구들이 좋아하는 운동

종목	축구	배드민턴	줄넘기	합계
인원(명)	10	5	8	23

자료 종류
표

2

자료 종류
사진

3

2017년 서울 강수량 분석

(밀리미터)

출처: 기상청, 2018.

자료 종류
도표

4

자료 종류
동영상

6 자료 **1**의 특성으로 알맞지 <u>않은</u> 것은 무엇입니까?
( )

① 장면을 있는 그대로 보여 줄 수 있다.
② 여러 가지 자료의 수를 비교하기 쉽다.
③ 많은 양의 자료를 간단하게 나타낼 수 있다.
④ 대상의 수량이 얼마나 되는지 쉽게 알 수 있다.
⑤ 내용을 일정한 형식과 순서에 따라 나타내어 보기 쉽다.

7 자료 **4**를 활용하여 발표할 주제로 알맞지 <u>않은</u> 것은 어느 것입니까? ( )

① 연날리기를 하는 모습
② 우리나라 인구수의 변화
③ 어부가 오징어를 잡는 모습
④ 사라진 직업인 버스 안내원의 모습
⑤ 줄타기 놀이를 할 때 연주되는 음악

[8~10] 다음을 보고 물음에 답하시오.

과거에 있던 직업인 보부상을 소개하는 동영상을 보여 드리겠습니다.

이 표는 과거에는 있었지만 지금은 사라진 직업의 종류를 보여 줍니다. 기술이 발달해 사라진 직업이 많습니다.

8 **가**의 발표에서 자료를 활용하면 좋은 점은 무엇입니까?
( )

① 직업이 사라진 과정을 자세히 설명하기에 알맞다.
② 사라진 직업의 모습을 생생하게 보여 주기에 알맞다.
③ 사라진 직업을 대신하는 직업을 보여 주기에 알맞다.
④ 사라진 직업의 종류와 까닭을 정리해서 보여 주기에 알맞다.
⑤ 사라진 직업을 가졌던 사람의 현재 모습을 보여 주기에 알맞다.

9 **나**는 무엇에 대해서 발표하고 있습니까? ( )
① 보부상을 그린 민화
② 현재 각 도별 보부상의 수
③ 과거에 있던 직업인 보부상의 모습
④ 현재 보부상을 하고 있는 사람과의 면담
⑤ 과거부터 현재까지 보부상이 팔던 물건의 가격 변화

10 위와 같이 자료를 활용하여 발표할 때 주의할 점으로 알맞지 <u>않은</u> 것은 어느 것입니까? ( )
① 자료를 가져온 곳을 꼭 밝혀야 한다.
② 최대한 많은 자료를 보여 주어야 한다.
③ 한 번에 적절한 양을 보여 주어야 한다.
④ 자료가 너무 길거나 복잡하지 않아야 한다.
⑤ 멀리 있는 사람도 볼 수 있도록 자료를 확대해서 보여 주어야 한다.

11 가족과 다녀온 여행지에 대하여 소개하려고 할 때 활용할 자료로 알맞은 것은 무엇입니까? (   )

① 여행지의 문화재 – 사진
② 여행지까지 가는 길 – 표
③ 여행지의 자연환경 – 도표
④ 여행지의 축제 모습 – 지도
⑤ 여행지의 강수량과 기온 – 사진

12 발표할 내용을 준비하는 방법으로 알맞지 <u>않은</u> 것은 무엇입니까? (   )

① 발표할 주제는 발표할 때 정한다.
② 무엇을 조사해 발표할지 생각해 본다.
③ 발표하는 상황의 특성을 생각해 본다.
④ 자료를 활용할 때에 주의할 점을 의논해 본다.
⑤ 발표에 필요한 자료를 어떻게 찾으면 좋을지 생각해 본다.

13 발표 내용을 잘 구성했는지 점검할 내용을 모두 고른 것은 무엇입니까? (   )

> ⊙ 자료에 알맞은 설명이 잘 들어갔는지 살펴본다.
> ⓒ 발표 주제에 알맞은 자료로 구성했는지 살펴본다.
> ⓒ 발표할 자료를 순서대로 잘 구성했는지 살펴본다.
> ⓔ 친구들이 흥미 있을 만한 내용으로 구성했는지 살펴본다.

① ⊙, ⓒ 　② ⓒ, ⓔ 　③ ⊙, ⓒ, ⓒ
④ ⊙, ⓒ, ⓔ 　⑤ ⊙, ⓒ, ⓒ, ⓔ

[14~15] 다음 글을 읽고 물음에 답하시오.

> **시작하는 말** | 안녕하세요? 1모둠 발표를 맡은 김대한입니다. 우리의 미래를 생각하면서 우리 모둠은 '미래에는 어떤 인재가 필요할까'라는 주제로 발표를 준비했습니다. 우리 모둠이 준비한 자료는 표와 동영상입니다. 자료를 보면서 발표를 들어 주십시오.

자료 1 　100대 기업의 인재상 변화

	2008년	2013년	2018년
1순위	창의성	도전 정신	소통과 협력
2순위	전문성	주인 의식	전문성
3순위	도전 정신	전문성	원칙과 신뢰
4순위	원칙과 신뢰	창의성	도전 정신
5순위	소통과 협력	원칙과 신뢰	주인 의식

■ 출처: 대한상공회의소, 2018.

> **설명하는 말** | 미래에는 어떤 인재가 필요할까요? 대한상공회의소에서 조사한 '100대 기업의 인재상 변화'에 따르면 2008년에는 창의성이 1순위였는데 2013년에는 도전 정신이, 2018년에는 소통과 협력이 1순위입니다. 이처럼 시대에 따라 필요한 인재상은 달라지고 있습니다.
> 　우리가 어른이 되는 미래에는 어떤 인재가 필요할까요? 우리 모둠은 인공 지능, 사물 인터넷 같은 4차 산업 혁명으로 이전과는 다른 산업 형태가 나타나면서 필요한 인재상도 달라질 것이라고 예상했습니다. 미래에는 변화가 굉장히 빠른 속도로 일어나기 때문에 미래의 인재에게 가장 중요한 것은 계속 배우려는 의지라고 생각합니다.

14 시작하는 말에는 어떤 내용이 들어가 있습니까? (   )

① 발표 주제 말하기
② 자료를 조사한 출처 밝히기
③ 발표 내용에 대한 질문 받기
④ 자료의 구체적인 내용 말하기
⑤ 발표 준비를 하면서 느낀 점 말하기

15 자료 1에 대하여 알맞게 말한 것은 어느 것입니까?
(   )

① 미래에 필요한 인재를 구체적으로 설명하였다.
② 미래에 생길 직업의 종류를 알려 주는 내용이다.
③ 100대 기업에서 인재상을 정한 까닭을 알 수 있다.
④ 100대 기업의 인재상의 모습을 생생하게 볼 수 있다.
⑤ 시대에 따른 100대 기업의 인재상의 변화를 알 수 있다.

3
단원

[16~19] 다음 글을 읽고 물음에 답하시오.

자료 2

■ 출처: 한국교육방송공사(2018), 「지식 채널 e: 일자리의 미래」

3
단원

진도 완료
체크

설명하는 말 다음으로 준비한 자료는 한국교육방송공사에서 방송한 「일자리의 미래」입니다. 자료를 보면서 발표를 이어 가겠습니다.

이 동영상에서는 2020년까지 사라지는 일자리는 510만 개로, 미래에는 한 사람이 평균 4~5개의 직업을 가져야 한다고 합니다. 우리가 이러한 미래 사회에서 성공하려면 여러 분야에서 다양한 능력을 갖춰야 합니다. 경제협력개발기구[OECD]가 정리한 미래 핵심 역량은 도구 활용 능력, 사회적 상호 작용 능력, 자기 삶에 대한 자주적 관리 능력입니다. 앞서 발표한 '100대 기업의 인재상 변화'에서도 나타난 소통, 협력, 전문성과 관련 있다고 생각합니다. 이러한 능력을 키우려고 핀란드, 독일, 아르헨티나와 같은 세계 여러 나라에서는 단순한 암기 교육이 아니라 현실에 적용할 수 있는 능력을 키우는 역량 중심 교육을 강화한다고 합니다.

미래에는 더 많은 변화가 더 빨리 이루어질 것입니다. 미래에 우리에게 필요한 능력은 기계가 대신할 수 없는, 인간만이 지니는 능력이라고 생각합니다. 기술과 지식을 창의적으로 활용하고 이로써 문제를 해결해 내는 인간만이 지닐 수 있는 능력을 더욱 키워 나가야 할 것입니다.

끝맺는 말

ⓐ

16 자료 2의 종류는 무엇입니까? (   )
① 표   ② 도표   ③ 사진
④ 실물   ⑤ 동영상

17 자료 2의 내용이 <u>아닌</u> 것은 어느 것입니까? (   )
① 미래에는 하나의 직업만 가져야 한다.
② 2020년까지 510만 개의 일자리가 사라진다.
③ 도구 활용 능력은 미래 핵심 역량 중 하나이다.
④ 미래 핵심 역량은 소통, 협력, 전문성과 관련 있다.
⑤ 미래 사회에서 성공하려면 여러 분야에서 다양한 능력을 갖춰야 한다.

18 자료 2를 발표 마지막에 넣은 까닭은 무엇이겠습니까?
(   )
① 직접 만든 자료여서
② 가장 길이가 긴 자료여서
③ 주제를 다른 것으로 바꾸려고
④ 모둠의 생각과 반대 의견을 제시하는 자료여서
⑤ 친구들이 발표 마지막까지 집중해서 듣게 하려고

19 ⓐ에 들어갈 내용으로 가장 알맞은 것은 어느 것입니까?
(   )
① 자료를 다시 한번 제시한다.
② 발표한 내용을 간단히 정리한다.
③ 발표 주제를 정한 까닭을 발표한다.
④ 발표할 때 활용한 자료의 특징을 소개한다.
⑤ 듣는 사람의 흥미를 일으키는 내용을 반복한다.

20 자료를 활용하여 발표할 때 주의할 점으로 알맞지 <u>않은</u> 것은 무엇입니까? (   )
① 자료가 너무 복잡하면 안 된다.
② 자료가 너무 길지 않게 한다.
③ 꼭 필요한 내용만 자료에 정리한다.
④ 한 번에 적절한 양의 자료를 보여 준다.
⑤ 다른 사람이 만든 자료는 절대 사용하지 않는다.

· 답안 입력하기   · 평가 분석표 받기

개념 강의

논설문의 **타당성과 표현의 적절성**을 판단하기

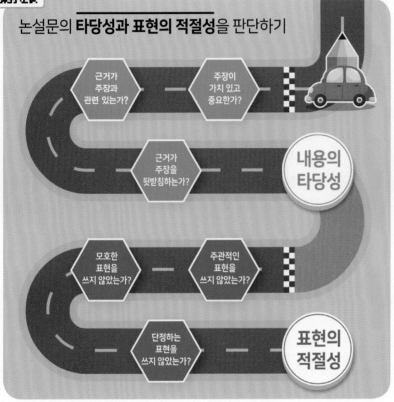

* 강의를 들으며 중요한 내용을 메모하세요!

● 논설문의 특성은?

● 논설문의 주장과 근거란?

● 근거의 타당성과 표현의 적절성을 판단하는 방법은?

4
단원

개념 확인하기 정답에 ✔표를 하시오.

정답 29쪽

1 논설문의 짜임 중 글쓴이의 주장에 대한 적절한 근거를 제시하는 부분은 어디입니까?

㉠ 서론 ☐ ㉡ 본론 ☐ ㉢ 결론 ☐

2 다음 주장을 뒷받침하기에 알맞은 근거는 무엇입니까?

> 동물원을 없애야 한다.

㉠ 동물원은 동물에게 사람의 구경거리가 되는 고통을 준다. ☐

㉡ 동물원에서 평소에 볼 수 없는 동물들을 보았을 때 동물을 사랑하는 마음이 생긴다. ☐

3 '적당히'와 같이 나타내는 의미가 분명하지 않아 정확하게 해석할 수 없는 표현을 무엇이라고 합니까?

㉠ 모호한 표현 ☐

㉡ 단정하는 표현 ☐

4 근거의 타당성을 판단하는 방법으로 알맞지 않은 것은 무엇입니까?

㉠ 근거가 주장을 뒷받침하는지 살펴보기 ☐

㉡ 근거가 주장과 관련이 있는지 살펴보기 ☐

㉢ 근거가 짧은 문장으로 쓰였는지 살펴보기 ☐

연습 도움말을 참고하여 내 생각을 차근차근 써 보세요.

1 주장과 근거를 구별하며 다음 글을 읽고 물음에 답하시오. [20점]

> **가** 시은이네 모둠은 '동물원은 필요한가'라는 주제로 서로 이야기해 보기로 했다.
>
> **나** 저는 동물원이 있어야 한다고 생각합니다. 그까닭은 첫째, 동물원은 우리에게 큰 즐거움을 줍니다. 3000년 전에 이미 동물원을 만들었을 만큼 사람은 동물을 좋아하고 가까이해 왔습니다. 동물원에서는 쉽게 만날 수 없는 동물을 가까이에서 볼 수 있는데, 열대 지역에 사는 사자나 극지방에 사는 북극곰도 쉽게 만날 수 있습니다. 서울 동물원에만 한 해평균 350만 명이 방문한다고 합니다. 이렇게 많은사람이 동물원을 좋아하고 동물원에서 즐거움을 느낍니다. 둘째, 동물원은 동물을 보호해 줍니다. 야생에서는 약한 동물이 더 강한 동물에게 공격당하거나먹이가 없어 굶어 죽기도 합니다. 동물원은 자유를제한하더라도 먹이와 안전을 보장하기 때문에 동물에게 훨씬 이롭습니다.

(1) 시은이네 모둠은 무엇을 주제로 이야기해 보기로 하였는지 찾아 쓰시오. [8점]

(2) 글 **나**에 나타난 주장과 근거를 쓰시오. [12점]

> 문제 상황에 대한 의견과 그 의견을 뒷받침하는 내용을 찾아 중심 문장을 토대로 정리해요.
> **꼭 들어가야 할 말** 동물원, 즐거움, 보호

2 글쓴이의 주장을 생각하며 다음 글을 읽고 물음에 답하시오. [20점]

> 동물원은 없애야 합니다. 첫째, 동물원은 동물의 자유를 구속하고, 동물에게 사람의 구경거리가 되는 고통을 줍니다. 동물원에서 동물은 제한된 공간에 갇혀수많은 관람객과 마주해야 합니다. 이러한 상황에서동물은 극심한 스트레스를 받습니다. 동물은 사람의눈요깃거리가 아니라 그 자체로 존중받아야 하는 소중한 생명체입니다. 둘째, 동물원은 인공적인 환경이기때문에 자연을 대신할 수 없습니다. 동물원의 우리는동물의 행동반경에 비해 턱없이 좁습니다. 친환경 동물원이 생기고 있지만 동물이 원래 살던 환경을 그대로 동물원으로 옮기는 것은 불가능합니다. 동물은 인위적으로 만든 동물원보다 생태계가 어우러진 광활한자연에서 살아야 합니다. 동물에게 이로움보다 해로움이 훨씬 더 많은 동물원은 없애야 한다고 생각합니다.

(1) 다음 주제에 대하여 글쓴이가 주장한 내용을 한 문장으로 쓰시오. [8점]

> 동물원은 필요한가?

(2) 글쓴이가 주장을 뒷받침하기 위해 제시한 근거 두 가지를 쓰시오. [12점]

근거 ①	
근거 ②	

[1~3] 다음 글을 읽고 물음에 답하시오.

> **가** 동물원은 우리에게 큰 즐거움을 줍니다. 3000년 전에 이미 동물원을 만들었을 만큼 사람은 동물을 좋아하고 가까이해 왔습니다. 동물원에서는 쉽게 만날 수 없는 동물을 가까이에서 볼 수 있는데, 열대 지역에 사는 사자나 극지방에 사는 북극곰도 쉽게 만날 수 있습니다. 서울 동물원에만 한 해 평균 350만 명이 방문한다고 합니다. 이렇게 많은 사람들이 동물원을 좋아하고 동물원에서 즐거움을 느낍니다.
>
> **나** 동물원은 동물을 보호해 줍니다. 야생에서는 약한 동물이 더 강한 동물에게 공격당하거나 먹이가 없어 굶어 죽기도 합니다. 동물원은 자유를 제한하더라도 먹이와 안전을 보장하기 때문에 동물에게 훨씬 이롭습니다. 최근에는 친환경 동물원으로 탈바꿈하는 곳도 많습니다. 동물들이 지내는 환경을 개선하면 동물원은 사람에게도, 동물에게도 이로운 곳이 될 것입니다.

1 이 글에 나타난 주장은 무엇입니까? (   )

① 동물원은 있어야 한다.
② 동물원은 필요하지 않다.
③ 동물원을 잘 관리해야 한다.
④ 동물원 입장료를 없애야 한다.
⑤ 동물원을 점점 줄여 가야 한다.

2 이 글의 내용으로 알맞지 <u>않은</u> 것은 무엇입니까?
(   )

① 동물원은 3000년 전에도 있었다.
② 동물원은 동물들의 먹이와 안전을 보장한다.
③ 동물원에서 극지방에 사는 북극곰을 볼 수 있다.
④ 최근에는 친환경 동물원으로 탈바꿈하는 곳이 많다.
⑤ 동물원에서는 약한 동물이 더 강한 동물에게 공격당하기도 한다.

3 글쓴이의 주장을 뒷받침하는 의견으로 알맞지 <u>않은</u> 것은 어느 것입니까? (   )

① 동물원은 지역 경제에 도움이 될 수 있다.
② 멸종 위기에 있는 동물의 경우 보호가 필요하다.
③ 동물을 직접 보면 동물을 사랑하는 마음이 생긴다.
④ 동물을 가까이 보면서 교육적인 효과를 얻을 수 있다.
⑤ 동물은 인간의 눈요깃거리가 아니므로 존중받아야 한다.

[4~5] 다음 글을 읽고 물음에 답하시오.

> 동물원은 인공적인 환경이기 때문에 자연을 대신할 수 없습니다. 동물원의 우리는 동물의 행동반경에 비해 턱없이 좁습니다. 친환경 동물원이 생기고 있지만 동물이 원래 살던 환경을 그대로 동물원으로 옮기는 것은 불가능합니다. 동물은 인위적으로 만든 동물원보다 생태계가 어우러진 광활한 자연에서 살아야 합니다.

4 이 글의 주장은 무엇이겠습니까? (   )

① 동물원을 만들자.
② 동물원을 없애자.
③ 동물원의 환경을 좋게 만들자.
④ 동물원을 방문하는 관람객의 수를 줄이자.
⑤ 동물원에 살고 있는 동물의 스트레스를 줄여 주자.

5 주장에 대한 근거로 알맞지 <u>않은</u> 것은 어느 것입니까?
(   )

① 친환경 동물원이 생기고 있다.
② 동물원은 자연을 대신할 수 없다.
③ 동물은 광활한 자연에서 살아야 한다.
④ 동물원의 우리는 동물의 행동반경에 비해 턱없이 좁다.
⑤ 동물이 원래 살던 환경을 그대로 동물원으로 옮기는 것은 불가능하다.

[6~10] 다음 글을 읽고 물음에 답하시오.

가 요즘에 우리 전통 음식보다 외국에서 유래한 햄버거나 피자와 같은 음식을 더 좋아하는 어린이를 쉽게 볼 수 있습니다. 이러한 음식은 지나치게 많이 먹으면 건강이 나빠지기도 합니다. 그에 비해 우리 전통 음식은 오랜 세월에 걸쳐 전해 오면서 우리 입맛과 체질에 맞게 발전해 왔기 때문에 여러 가지 면에서 우수합니다. 우리 전통 음식을 사랑합시다. 왜 전통 음식을 사랑해야 할까요?

나 첫째, 우리 전통 음식은 건강에 이롭습니다. 우리가 날마다 먹는 밥은 담백해 쉽게 싫증이 나지 않으며 어떤 반찬과도 잘 어우러져 균형 잡힌 영양분을 섭취하기 좋습니다. 또 된장, 간장, 고추장과 같은 발효 식품에는 무기질과 비타민이 풍부하게 들어 있어 몸을 건강하게 해 줍니다. 특히 청국장은 항암 효과는 물론 해독 작용까지 뛰어나다고 합니다. 된장도 건강에 이로운 식품으로 알려져 있습니다.

다 둘째, 우리 전통 음식을 가까이하면 계절과 지역에 따라 다양한 맛을 즐길 수 있습니다. 우리 조상은 생활 주변에서 나는 여러 가지 재료를 이용해 계절에 맞는 다양한 음식을 만들어 왔습니다. 주변 바다와 산천에서 나는 풍부하고 다양한 해산물과 갖은 나물이나 채소와 같은 재료에는 각각 고유한 맛이 있습니다. 이러한 재료를 이용해 만든 여러 가지 음식은 지역 특색을 살린 독특한 맛을 냅니다. 비빔밥의 경우, 콩나물을 비롯한 여러 가지 나물에 육회를 얹은 전주비빔밥, 기름에 볶은 밥에 고사리와 가늘게 찢은 닭고기, 각종 나물과 황해도 특산물인 김을 얹은 해주 비빔밥, 멍게를 넣은 통영비빔밥과 같이 그 지역 특산물에 따라 다양하게 만들었습니다.

6 글쓴이의 주장은 무엇입니까? (   )
① 전기를 아껴 씁시다.
② 꾸준히 운동을 합시다.
③ 음식을 골고루 먹읍시다.
④ 우리 전통 음식을 사랑합시다.
⑤ 평소에 책을 틈틈이 읽읍시다.

7 항암 효과가 뛰어난 전통 음식의 예로 무엇을 들었습니까? (   )
① 된장   ② 간장   ③ 식초
④ 청국장   ⑤ 고추장

8 글 **나**의 근거를 뒷받침하는 자료로 가장 알맞은 것은 무엇입니까? (   )
① 고추장의 맛을 표현한 시
② 외국 전통 음식을 소개한 신문 기사
③ 서울에서 비빔밥을 판매하는 식당의 수
④ 발효 식품에 들어 있는 영양소를 다룬 신문 기사
⑤ 된장, 간장, 고추장을 좋아하는 우리 반 친구들의 수

9 글 **다**에서 주장에 대한 근거로 제시한 내용은 무엇입니까? (   )
① 쉽게 싫증이 나지 않는다.
② 지역 간의 소통이 활발해진다.
③ 운동을 하지 않아도 건강을 지킬 수 있다.
④ 계절과 지역에 따라 다양한 맛을 즐길 수 있다.
⑤ 외국의 고급스러운 음식 재료를 맛볼 수도 있다.

10 논설문에서 글 **나**와 **다**의 역할은 무엇입니까?
(   )
① 글 전체 내용을 반복한다.
② 글쓴이의 주장을 다시 요약한다.
③ 글을 쓰게 된 문제 상황을 밝힌다.
④ 글을 읽는 사람에게 궁금한 점을 묻는다.
⑤ 글쓴이의 주장을 뒷받침하는 근거를 제시한다.

가 셋째, 우리 전통 음식에서 우리 조상의 슬기와 문화를 경험할 수 있습니다. 우리 조상은 겨울을 나려고 김장을 하고, 저장 온도와 저장 기간을 조절해 겨울철에도 신선하게 채소를 먹을 수 있도록 했습니다. 삼국 시대부터 발달한 염장 기술로 고기류와 어패류를 오랫동안 보관해 맛있게 먹을 수 있도록 했습니다. 또 농경 생활을 하면서 설이나 추석과 같은 명절에 가족이나 이웃과 함께 세시 음식을 만들어 먹으며 정답게 어울려 지냈습니다.

나 우리나라 전통 음식은 세계 여러 나라 사람에게 주목받고 있습니다. 우리 조상의 넉넉한 마음과 삶에서 배어 나온 지혜가 담긴 우리 전통 음식은 그 맛과 멋과 영양의 삼박자를 모두 갖추고 있습니다. 우리는 우리 전통 음식의 과학성과 우수성을 알고 우리 전통 음식에 관심을 가지고 우리 전통 음식을 사랑해야겠습니다.

11 다음 설명에 해당하는 기술은 무엇입니까? (　　　)

- 삼국 시대부터 발달하였다.
- 고기류와 어패류를 오랫동안 보관하며 먹을 수 있도록 해 준다.

① 김장　　② 저장 기술　　③ 농경 생활
④ 염장 기술　　⑤ 세시 음식

12 글 **가** 에서 주장에 대한 근거로 제시한 내용은 무엇입니까? (　　　)

① 삼국 시대부터 염장 기술이 발달했다.
② 우리 전통 음식은 세계 여러 나라 사람에게 주목받고 있다.
③ 다른 나라에서 들어온 음식은 우리 입맛에 맞도록 변형되었다.
④ 우리 전통 음식에서 우리 조상의 슬기와 문화를 경험할 수 있다.
⑤ 명절에 가족이나 이웃과 함께 세시 음식을 만들어 먹으며 정답게 어울려 지냈다.

13 글 **나** 에서 강조하는 글쓴이의 주장은 무엇입니까? (　　　)

① 우리 전통 음식을 사랑하자.
② 우리 전통 음식을 해외에 알리자.
③ 우리 전통 음식의 종류를 늘리자.
④ 우리 전통 음식의 부족한 점을 보완하자.
⑤ 우리 전통 음식과 외국 음식의 구분을 없애자.

14 글 **나** 에 대하여 바르게 설명한 친구는 누구입니까? (　　　)

① 정민: 글을 쓰게 된 문제 상황을 밝히는 부분이야.
② 은성: 글쓴이의 주장을 처음으로 펼치는 부분이야.
③ 채은: 글을 쓰면서 새롭게 알게 된 사실을 정리하는 부분이야.
④ 성우: 글 전체를 요약하고 글쓴이의 주장을 다시 강조하는 부분이야.
⑤ 대현: 글쓴이의 주장을 뒷받침하는 근거를 자세히 제시하는 부분이야.

15 우리나라 전통 음식에 대한 글쓴이의 생각으로 알맞지 않은 것은 무엇입니까? (　　　)

① 과학적이면서도 우수한 음식이다.
② 다른 나라에는 전혀 알려져 있지 않다.
③ 맛과 멋과 영양이 골고루 갖추어져 있다.
④ 세계 여러 나라 사람에게 주목받고 있다.
⑤ 우리 조상의 넉넉한 마음과 삶에서 배어 나온 지혜가 담겨 있다.

4
단원

[16~20] 다음 글을 읽고 물음에 답하시오.

가 우리나라뿐만 아니라 세계 곳곳에서 벌어지는 자연 개발은 우리 삶을 위협하고 있다. 이러한 무분별한 개발로 우리 삶의 터전인 자연은 몸살을 앓고, 이제 인류의 생존까지 위협하는 상황에 이르렀다. 우리는 자연의 목소리에 귀를 기울이고 자연을 보호해야 한다. 왜 자연을 보호해야 할까?

나 자연은 한번 파괴되면 복원되기가 어렵다. 어린나무 한 그루가 아름드리나무로 성장하는 데 약 30년에서 50년이 걸린다고 한다. 우유 한 컵(150밀리리터)으로 오염된 물을 물고기가 살 수 있는 깨끗한 물로 만들려면 우유 한 컵의 약 2만 배의 물이 필요하다. 이처럼 환경을 오염시키는 것은 순식간이지만 오염된 환경을 되살리는 데는 수십, 수백 배의 시간과 노력이 든다.

다 무리한 자연 개발은 [ⓐ]를 파괴한다. 생물은 서로 유기적인 생태계로 얽혀 있으며 주변 환경과 영향을 주고받으면서 살아간다. 자연 개발로 생태계를 파괴하면 결국 사람의 생활 환경을 악화시키는 결과를 초래한다. 예를 들어 사람의 편의를 돕는 시설을 만들면서 무분별하게 산을 파헤치면 동식물은 삶의 터전을 잃는다. 무리한 자연 개발의 결과로 기후 변화 현상까지 나타나 동물이 멸종 위기에 처하고, 지구 환경이 위협을 받기도 한다. 동식물이 살 수 없는 곳은 사람도 살 수 없는 곳이 된다. 사람도 자연의 일부분이므로 자연과 조화를 이루어야 우리 삶이 풍요로워진다.

16 글쓴이가 제시한 문제 상황은 무엇입니까? (   )
① 이상 기후 현상이 이어지고 있다.
② 자동차의 수가 계속 증가하고 있다.
③ 지구의 인구수가 계속 증가하고 있다.
④ 지하 자연 자원이 고갈되어 가고 있다.
⑤ 무분별한 자연 개발이 우리 삶을 위협하고 있다.

17 [ⓐ]에 들어갈 말로 가장 알맞은 것은 무엇입니까? (   )
① 식물계   ② 동물계   ③ 산업계
④ 생태계   ⑤ 교육계

18 글쓴이의 주장은 무엇입니까? (   )
① 자연을 개발해야 한다.
② 자연을 보호해야 한다.
③ 전기를 아껴 써야 한다.
④ 편의 시설을 늘려야 한다.
⑤ 천연자원을 아껴 써야 한다.

19 이 글에서 무리한 자연 개발의 결과로 말한 내용이 아닌 것은 무엇입니까? (   )
① 동물이 멸종 위기에 처한다.
② 기후 변화 현상이 나타난다.
③ 동식물이 삶의 터전을 잃는다.
④ 사람의 생활 환경을 악화시킨다.
⑤ 사람의 편의를 돕는 시설이 줄어든다.

20 이 글의 내용으로 알맞지 <u>않은</u> 것은 어느 것입니까?
(   )
① 자연은 한번 파괴되면 금방 복원된다.
② 생물은 주변 환경과 서로 영향을 주고받으면서 살아간다.
③ 무리한 자연 개발의 결과로 기후 변화 현상까지 나타났다.
④ 어린나무 한 그루가 아름드리나무로 성장하는 데 약 30년에서 50년이 걸린다.
⑤ 우유 한 컵으로 오염된 물을 깨끗하게 만들기 위해 우유 한 컵의 약 2만 배의 물이 필요하다.

· 답안 입력하기   · 평가 분석표 받기

개념 강의

교훈성
백지장도 맞들면 낫다

비유성
티끌 모아 태산

속담의
특성

풍자성
방귀 뀐 놈이 성낸다

✳ 강의를 들으며 중요한 내용을 메모하세요!

● 속담의 뜻은?

● 속담을 사용하는 까닭은?

● 여러 가지 속담의 뜻은?

5
단원

개념 확인하기 정답에 ✔표를 하시오.

정답 31쪽

1 속담을 사용하는 까닭으로 알맞은 것은 무엇입니까?

　㉠ 듣는 사람 앞에서 지식을 자랑할 수 있다. ☐

　㉡ 재미있는 말을 사용해 듣는 사람이 흥미를 느낄
　　수 있다. ☐

2 아무리 작은 것이라도 모이고 모이면 나중에 큰 덩어리가
되다는 뜻의 속담은 무엇입니까?

　㉠ 티끌 모아 태산 ☐

　㉡ 소 잃고 외양간 고친다 ☐

3 어떤 일이든 한 가지 일을 끝까지 해야 성공할 수 있다는
뜻의 속담은 무엇입니까?

　㉠ 지렁이도 밟으면 꿈틀한다 ☐

　㉡ 우물을 파도 한 우물을 파라 ☐

　㉢ 가는 말이 고와야 오는 말이 곱다 ☐

4 속담을 활용하여 자신의 생각을 표현할 때 어떤 속담을
사용해야 합니까?

　㉠ 상황에 어울리는 속담을 사용한다. ☐

　㉡ 상대방이 모를 것 같은 속담을 사용한다. ☐

연습 🦉 도움말을 참고하여 내 생각을 차근차근 써 보세요.

1 다음을 보고 물음에 답하시오. [12점]

(1) 속담을 사용하면 좋은 점 중에서, 그림 **가**를 보고 알 수 있는 내용은 무엇입니까? [4점]

• 우진이처럼 속담을 사용하여 말을 하면 듣는 사람이

　　　　　　　(이)나 흥미를 느낄 수 있다.

(2) 글 **나**와 같이 속담을 사용해서 말을 하면 어떤 점이 좋은지 쓰시오. [8점]

> 🦉 아이는 친구들이 바른 몸가짐으로 웃으며 인사하면 좋겠다는 의견을 말하고 있습니다.
> **꼭 들어가야 할 말** 주장(의견)

2 속담의 뜻을 짐작하며 다음을 보고 물음에 답하시오.

[24점]

(1) 첫 번째 대화에 나온 속담을 찾고 그 뜻을 완성하여 쓰시오. [12점]

① 속담	
② 뜻	아주 작은 것이라도

(2) 두 번째 대화에 나온 속담을 찾고 그 뜻을 짐작하여 쓰시오. [12점]

① 속담	
② 뜻	어떠한 일이든 한 가지 일을

5 단원

1 다음과 같은 특징을 지닌 것은 무엇입니까? (   )

> 예로부터 민간에 전해 오는 쉬운 격언이나 잠언으로 우리 민족의 지혜와 해학, 교훈이 담겨 있음.

① 시조   ② 전설   ③ 속담
④ 이야기   ⑤ 표준어

[2~3] 다음 글을 읽고 물음에 답하시오.

> 영주네 가족은 이삿짐 싸는 차례를 서로 다르게 생각했어요.
> 할머니와 이모께서는 깨지기 쉬운 항아리나 유리그릇부터 싸라고 하셨고, 삼촌께서는 텔레비전이나 컴퓨터부터 옮기라고 하셨어요. "⊙이 많으면 배가 산으로 간다."라는 속담처럼 서로 의견을 굽히지 않아 시간만 흘러갔어요.

2 ⊙에 들어갈 알맞은 말은 무엇입니까? (   )
① 동물   ② 사공   ③ 어른
④ 학생   ⑤ 선생님

3 이 글에 나온 속담과 비슷한 뜻으로 사용할 수 있는 속담은 어느 것입니까? (   )
① 백지장도 맞들면 낫다
② 아는 길도 물어 가랬다
③ 닭 쫓던 개 지붕 쳐다보듯
④ 두 손뼉이 맞아야 소리가 난다
⑤ 목수가 많으면 집을 무너뜨린다

4 다음 속담을 쓰기에 알맞은 상황은 언제입니까?
(   )

> 바다는 메워도 사람의 욕심은 못 채운다

① 내가 잘못을 한 친구에게 사과할 때
② 책을 빌려준 친구에게 고맙다고 할 때
③ 숙제를 자꾸 미루는 친구에게 충고할 때
④ 다른 아이들을 잘 돕는 친구를 칭찬할 때
⑤ 아이스크림을 혼자 다 먹으려는 동생을 타이를 때

5 다음 상황에 알맞은 속담은 무엇입니까? (   )

> 아버지께서는 어렸을 때부터 나쁜 습관은 고치고 좋은 습관이 몸에 배도록 노력했습니다.

① 티끌 모아 태산
② 쥐구멍에도 볕 들 날 있다
③ 우물을 파도 한 우물을 파라
④ 세 살 적 버릇이 여든까지 간다
⑤ 하룻강아지 범 무서운 줄 모른다

6 다음 중 '말'과 관련 있는 속담이 아닌 것은 무엇입니까?
(   )
① 우물에 가 숭늉 찾는다
② 발 없는 말이 천 리 간다
③ 말이 많으면 쓸 말이 적다
④ 아 해 다르고 어 해 다르다
⑤ 살은 쏘고 주워도 말은 하고 못 줍는다

5 단원

7 빈칸에 들어갈 가장 알맞은 말은 무엇입니까? (   )

> [   ] 잃고 외양간 고친다

① 돈   ② 밥   ③ 소
④ 논   ⑤ 친구

[8~10] 다음 글을 읽고 물음에 답하시오.

> ㉠독장수는 지게 옆에 벌렁 누웠습니다.
> "야, 정말 시원하구나. 저 독 둘은 팔아 빚을 갚는 데 쓰고, 나머지 독을 팔면 다른 독 두 개는 살 수 있겠지? 그 독 둘을 다시 팔면 독 네 개를 살 수 있고, 넷을 팔면 가만있자, 이 이는 사, 이 사 팔. 그래 여덟 개를 살 수 있구나. 그다음에 여덟 개를 팔면, 가만있자……."
> 이렇게 계산해 나가니 열여섯 개가 서른두 개가 되고, 서른두 개면 예순네 개가 되고, 예순네 개는 백스물여덟 개가 되었습니다.
> "야, 이렇게 계산해 보니 며칠 안 가 독이 천만 개나 되겠는걸. 그럼 그 돈으로 논과 밭을 사는 거야. 그리고 남는 돈으로는 고래 등 같은 기와집을 짓는 거야."
> 독장수는 너무 기쁜 나머지 팔을 번쩍 들었습니다. 그러다가 팔로, 지게를 받치던 지겟작대기를 밀어 버렸습니다. 지게는 기우뚱하더니 옆으로 팍 쓰러졌습니다. 지게에 있던 독들도 와장창 깨지고 말았습니다.
> "아이고, 망했다. 이걸 어쩐다?"
> ㉡독장수는 눈물을 뚝뚝 흘리며 박살 난 독 조각들을 쓰다듬었습니다. 이와 같이 허황된 것을 궁리하고 미리 셈하는 것을 '독장수구구'라고 하고, [ⓒ] 뜻으로 "독장수구구는 독만 깨뜨린다."라는 속담이 쓰입니다.

8 ㉠에서 짐작할 수 있는 독장수의 마음으로 가장 알맞은 것은 무엇입니까? (   )

① 걱정스럽다.
② 기대가 된다.
③ 집에 가고 싶다.
④ 피곤하고 졸립다.
⑤ 시원하고 편하다.

9 이 이야기의 주제를 떠올릴 때, [ⓒ]에 들어갈 내용으로 알맞은 것은 무엇입니까? (   )

① 언제나 자기의 이익만 챙긴다는
② 힘들어도 포기하지 않고 노력한다는
③ 무슨 일이나 그 일의 시작이 중요하다는
④ 말은 순식간에 퍼지므로 조심해야 한다는
⑤ 실현성이 없는 허황된 계산은 도리어 손해만 가져온다는

10 ㉡에서 짐작할 수 있는 독장수의 마음으로 가장 알맞은 것은 무엇입니까? (   )

① 시기하는 마음
② 기뻐하는 마음
③ 후회하는 마음
④ 신기해하는 마음
⑤ 의아해하는 마음

11 속담을 사용하면 좋은 점으로 알맞지 않은 것은 무엇입니까? (   )

① 말을 빠르게 할 수 있다.
② 듣는 사람이 흥미를 느낄 수 있다.
③ 조상의 지혜와 슬기를 알 수 있다.
④ 자신의 의견을 쉽고 효과적으로 전달할 수 있다.
⑤ 주장의 논리를 뒷받침해 상대방을 쉽게 설득할 수 있다.

가 "아무 말 말고 어서 이 편지를 강 도령에게 전해 줘라."
염라대왕이 말했습니다.

"강 도령요?"

"그래, 이 녀석아, 인간 세상의 모든 일을 맡아보는 강 도령을 모른단 말이냐!"

"아, 그 강 도령요. 알고말고요. 어서 편지나 주세요. 휭하니 다녀오겠습니다."

까마귀가 머리를 긁적이며 말했습니다.

나 까마귀는 메밀밭가에 죽어 쓰러져 있는 말에게 날아갔습니다.

"꼴깍!"

까마귀는 침을 삼키며 강 도령에게 빨리 편지를 전하고 와서 배불리 먹어야겠다고 생각했습니다.

'아냐, 그새 누가 와서 다 먹어 버리면 어떡하지? 조금만 먹고 빨리 갔다 와야지.'

까마귀는 생각을 바꿔 말고기를 먹고 가기로 했습니다. 까마귀가 말고기를 먹으려고 입을 벌리는 순간, 입에 문 편지가 바람에 날려 어디론가 사라졌습니다. 그래도 까마귀는 정신없이 말고기를 먹었습니다.

"후유, 정말 잘 먹었다. 인간 세상은 참 좋아. 나도 여기서 살았으면 좋겠다. 배불리 먹고 나니 부러울 게 하나도 없구나."

까마귀는 좀 쉬고 난 뒤 편지를 찾았습니다. 그러나 편지는 온데간데없었습니다.

"아니, 편지가 없어졌네. 이거 큰일 났다."

까마귀는 높이 날아올라 이리저리 편지를 찾았습니다. 지나가는 새들을 붙잡고 물어보았지만 편지를 본 새가 아무도 없었습니다.

㉠"하는 수 없다. 아무렇게나 꾸며 댈 수밖에!"

12 이 글의 내용과 사실이 <u>다른</u> 것은 무엇입니까? (   )
① 강 도령은 인간 세상에 살고 있다.
② 염라대왕은 까마귀에게 심부름을 시켰다.
③ 강 도령은 인간 세상의 모든 일을 맡아보고 있다.
④ 까마귀는 인간 세상으로 가는 도중에 편지를 잃어버렸다.
⑤ 염라대왕은 까마귀가 심부름을 제대로 못할 것이라 생각했다.

13 염라대왕이 시킨 심부름의 내용은 무엇입니까? (   )
① 인간 세상의 모든 일을 맡아라.
② 인간 세상을 조사하여 글을 써라.
③ 인간 세상으로 가서 강 도령을 데려와라.
④ 지나가는 새들에게 강도령에 대해 물어보아라.
⑤ 인간 세상으로 가서 강 도령에게 편지를 전해라.

14 까마귀가 편지를 잃어버리게 된 까닭은 무엇입니까?
(   )
① 잠깐 잠이 들어서
② 정신없이 말고기를 먹느라
③ 염라대왕의 말을 떠올리느라
④ 쓰러져 있는 말을 보고 놀라서
⑤ 지나가는 새들과 이야기를 하느라

15 ㉠에서 알 수 있는 까마귀의 성격으로 알맞은 것은 무엇입니까? (   )
① 성실하다.   ② 정직하다.
③ 욕심이 많다.   ④ 수줍음이 많다.
⑤ 책임감이 없다.

16 다음 속담을 쓰기에 알맞은 상황은 어느 것입니까?
(   )

> 떡 줄 사람은 꿈도 안 꾸는데 김칫국부터 마신다

① 친구가 나에게 잘못을 하였을 때
② 청소를 할 때 장난만 치는 친구에게
③ 책을 빌려 준 친구에게 고맙다고 할 때
④ 다른 아이들을 잘 돕는 친구를 칭찬할 때
⑤ 삼촌이 사 오신 통닭을 보고 배불러서 못 먹겠다는 동생에게

[17~20] 다음 글을 읽고 물음에 답하시오.

가 까마귀는 편지 찾는 걸 포기하고 강 도령에게 갔습니다. / "강 도령님, 염라대왕께서 보내서 왔습니다."

"그런데 왜 이리 늦었느냐?"

"네, 염라대왕께서 다른 곳에도 심부름을 시켜 거기 먼저 다녀오느라 늦었습니다."

까마귀가 시치미를 떼고 말했습니다.

"그건 그렇고, 어디 편지를 보자꾸나."

강 도령이 손을 내밀며 말했습니다.

"편지는 안 주시고 그냥 아무나 빨리 끌어 올리라고 하셨습니다."

"뭐, 아무나 끌어 올리라고? 그럴 리가 없을 텐데."

강 도령은 고개를 갸우뚱했습니다.

"저는 염라대왕께서 말씀하신 대로 전하는 것입니다."

"그래, 알았다. 어서 가 봐라." / 강 도령이 말했습니다.

나 "어휴, 간이 콩알만 해졌네. 이럴 줄 알았으면 편지 내용을 한번 보는 건데. 그러나저러나 큰일이네. 하늘에 올라가면 분명 염라대왕께서 이 사실을 알고 호통을 치실 텐데. 할 수 없지, 인간 세상에 눌러앉는 수밖에. 여기서는 누가 뭐라는 사람도 없겠지."

까마귀는 하늘로 올라가는 것을 포기하고 말고기가 있는 자리로 갔습니다.

강 도령은 갑자기 바빠졌습니다. 아무나 되는대로 저승으로 보내야 했기 때문입니다. 그전까지는 나이 많은 순서대로 저승에 보내졌습니다. 그래서 사람들은 죽음을 슬픔이 아닌 당연한 일로 받아들였습니다. 본디 왔던 곳으로 돌아간다고 생각했기 때문입니다.

그러나 까마귀가 염라대왕의 뜻을 잘못 전한 뒤부터는 어른, 아이 할 것 없이 아무나 먼저 죽게 되었답니다. 이때부터 나이에 상관없이 사람들이 죽게 되었지요.

"까마귀 고기를 먹었나."라는 속담은 이런 경우와 같이 [㉠]을 가리켜 사용됩니다.

17 까마귀에게 해 주고 싶은 말을 썼습니다. 빈칸에 알맞은 말은 무엇입니까? ( )

> 가랑잎으로 [ ] 가리고 아웅 하지 말고, 어서 올라가서 용서를 비는 것이 좋을 것 같아.

① 입   ② 눈   ③ 코
④ 손   ⑤ 얼굴

18 편지를 찾지 못한 까마귀는 강 도령에게 무엇이라고 하였습니까? ( )

① 염라대왕님이 먹을 것을 보냈습니다.

② 염라대왕님이 심부름을 시키지 않으셨습니다.

③ 염라대왕님이 아무나 끌어 올리라고 하셨습니다.

④ 염라대왕님이 빨리 저승으로 오라고 하셨습니다.

⑤ 염라대왕님이 나이가 많은 사람부터 데려오라고 하셨습니다.

19 까마귀가 인간 세상에 눌러앉기로 한 까닭은 무엇이겠습니까? ( )

① 인간 세상이 더 즐거워서

② 강 도령과 헤어지기 싫어서

③ 염라대왕에게 호통을 듣기 싫어서

④ 염라대왕과 함께 사는 것이 지겨워서

⑤ 날개를 다쳐 하늘로 올라갈 수가 없어서

20 이 이야기의 주제와 관련지었을 때 [㉠]에 알맞은 내용은 무엇입니까? ( )

① 거짓말을 자주 하는 사람

② 입만 열면 험담을 하는 사람

③ 다른 사람과 자주 다투는 사람

④ 무엇인가를 잘 잊어버리는 사람

⑤ 아주 게을러서 아무 일도 하지 않는 사람

· 답안 입력하기   · 평가 분석표 받기

5
단원

진도 완료 체크

개념 강의

추론하는 방법

- 이야기에서 찾을 수 있는 단서 확인하기
- 자신의 경험 떠올리기
- 다의어나 동형어의 뜻 이해하기

✻ 강의를 들으며 중요한 내용을 메모하세요!

● 추론하며 읽으면 좋은 점은?

● 내용을 추론하는 방법은?

● 내용을 추론하며 글을 읽는 방법은?

6
단원

개념 확인하기 정답에 ✔표를 하시오.

정답 33쪽

1 다음 빈칸에 들어갈 말로 알맞은 것은 무엇입니까?

> 이미 아는 정보를 근거로 삼아 다른 판단을 이끌어 내는 것을 □□□이라고 합니다.

㉠ 추론 ☐   ㉡ 의논 ☐   ㉢ 토의 ☐

2 추론하며 글을 읽을 때의 좋은 점은 무엇입니까?

㉠ 글에 대해 생각을 너무 오래 하게 된다. ☐

㉡ 내용이나 상황을 좀 더 깊고 넓게 이해할 수 있다. ☐

3 이야기를 듣고 드러나지 않은 내용을 짐작할 때 떠올릴 점은 무엇입니까?

㉠ 이야기의 길이 ☐

㉡ 자신이 평소에 아는 사실과 경험한 것 ☐

4 뜻을 알지 못하는 낱말이나 문장의 뜻을 추론하는 방법은 무엇입니까?

㉠ 글쓴이의 이름을 떠올리면 추론할 수 있다. ☐

㉡ 앞뒤 문장에서 알 수 있는 사실을 살펴보면 추론할 수 있다. ☐

6단원

연습 🦉 도움말을 참고하여 내 생각을 차근차근 써 보세요.

1 다음 글을 읽고 물음에 답하시오. [14점]

> **가** 『화성성역의궤』는 수원 화성에 성을 쌓는 과정을 기록한 책인 의궤야. 수원 화성은 일제 강점기를 거치면서 성곽 일대가 훼손되기 시작하고 6.25 전쟁 때 크게 파괴되었는데, 『화성성역의궤』를 보고 원래의 모습대로 다시 만들어졌단다.
>
> **나** 『화성성역의궤』는 정조 임금이 갑자기 세상을 떠나는 바람에 다음 임금인 순조 때 만들어졌는데, 건축과 관련된 의궤 가운데에서도 가장 내용이 많아. ㉠수원 화성 공사와 관련된 공식 문서는 물론, 참여 인원, 사용된 물품, 설계 등의 기록이 그림과 함께 실려 있는 일종의 보고서인 셈이야. 내용이 아주 세세하고 치밀해서 공사에 참여한 기술자 1800여 명의 이름과 주소, 일한 날수와 받은 임금까지 적혀 있어.

(1) 『화성성역의궤』에는 어떤 기록을 담았는지 쓰시오.

[2점]

> 🦉 『화성성역의궤』에 그림과 함께 어떤 기록이 실려 있는지 알아보세요.

• 참여 인원, 사용된 물품, ☐☐☐ 등의 기록이

그림과 함께 실려 있다.

(2) ㉠에서 추론할 수 있는 사실을 쓰시오. [12점]

> 🦉 글 **가**와 **나**를 관련지어 살펴보세요.
> **꼭 들어가야 할 말** 『화성성역의궤』, 수원 화성

_____

_____

2 다음 영상에서 추론할 수 있는 내용을 생각하며 물음에 답하시오. [28점]

① 1999년 10월 탈북

② 2006년 8월 탈북

③ 2006년 8월 탈북 선생님 김선경

④ 건강하세요! 2007년 8월 탈북 봉사단 방은화

⑤ 1999년 10월 탈북 한의사 정일경

⑥ 같은 일상을 살아가는 우리는 이미 하나입니다

(1) ②를 보고 짐작한 내용은 무엇인지 쓰시오. [10점]

_____

_____

(2) 영상에 나오는 사람들의 표정은 어떠한지 쓰시오. [6점]

_____

_____

(3) 이 영상을 보고 추론할 수 있는 내용을 쓰시오. [12점]

_____

_____

6단원

[1~5] 다음 영상을 보고 물음에 답하시오.

1999년 10월 탈북

2006년 8월 탈북

2006년 8월 탈북 선생님 김선경

건강하세요!

2007년 8월 탈북 봉사단 방은화

1999년 10월 탈북 한의사 정일경

같은 일상을 살아가는 우리는 이미 하나입니다

1 이와 같은 영상을 보고 내용을 추론할 때 생각하지 <u>않아</u>도 되는 것은 무엇입니까? (　　　)

① 인물의 표정　　　② 인물의 행동
③ 자막의 내용　　　④ 영상 편집 장소
⑤ 자신의 배경지식

2 이 영상의 내용으로 보아 ②의 가려진 부분에 있는 사람의 직업은 무엇이겠습니까? (　　　)

① 의사　　　② 간호사　　　③ 선생님
④ 변호사　　　⑤ 건축가

3 다음은 ①~⑤ 중 어떤 영상을 보고 생각한 내용입니까? (　　　)

> 다른 사람에게 봉사하면서 짓는 밝은 표정에서 즐겁게 일을 하시는 것을 느낄 수 있다.

① ①　　　② ②　　　③ ③
④ ④　　　⑤ ⑤

4 이 영상에 나오는 사람들의 공통점은 무엇입니까?
(　　　)

① 모두 북한 이탈 주민들이다.
② 모두 혼자 일하는 사람들이다.
③ 모두 직업이 여러 개인 사람들이다.
④ 모두 학교와 관련된 직업을 가지고 있다.
⑤ 우리 주변에서 거의 볼 수 없는 사람들이다.

5 이 영상을 보고 추론할 수 있는 내용으로 알맞지 <u>않은</u> 것은 어느 것입니까? (　　　)

① 우리 주위에 북한 이탈 주민이 많이 있다.
② 서로 존중하고 더불어 살아가야 행복하다.
③ 북한 이탈 주민은 매우 힘들게 살아가고 있다.
④ 북한 이탈 주민은 여러 가지 직업을 가지고 열심히 살고 있다.
⑤ 우리 주변의 북한 이탈 주민들은 우리 사회의 구성원으로 함께 살아가고 있다.

6 오른쪽 그림을 보고 추론할 수 있는 사실을 <u>잘못</u> 말한 것은 어느 것입니까? (　　　)

① 사람들의 표정을 보니 흥미진진한 경기로 보인다.
② 갓을 벗어 놓은 것에서 씨름에 집중하는 모습이 보인다.
③ 몇몇은 부채를 들고 있는 것으로 보아 날씨가 더울 것이다.
④ 경기하는 사람을 등지고 있는 엿장수는 엿을 많이 팔고 싶은 것 같다.
⑤ 어른과 아이들이 앉아 있는 곳을 보니 아이들은 보면 안 되는 경기인 것 같다.

[7~10] 다음 글을 읽고 물음에 답하시오.

가 『화성성역의궤』는 수원 화성에 성을 ㉮쌓는 과정을 기록한 책인 의궤야. 수원 화성은 일제 강점기를 거치면서 성곽 일대가 훼손되기 시작하고 6.25 전쟁 때 크게 파괴되었는데, 『화성성역의궤』를 보고 원래의 모습대로 다시 만들어졌단다. ㉠덕분에 수원 화성이 1997년에 유네스코 세계 문화유산으로 등록될 수 있었어.

나 『화성성역의궤』는 정조 임금이 갑자기 세상을 떠나는 바람에 다음 임금인 순조 때 만들어졌는데, 건축과 관련된 의궤 가운데에서도 가장 내용이 많아. ㉡수원 화성 공사와 관련된 공식 문서는 물론, 참여 인원, 사용된 물품, 설계 등의 기록이 그림과 함께 실려 있는 일종의 보고서인 셈이야. 내용이 아주 세세하고 치밀해서 공사에 참여한 기술자 1800여 명의 이름과 주소, 일한 날수와 받은 임금까지 적혀 있어. 공사에 사용된 모든 물건의 크기와 값은 또 얼마나 상세히 적었는지 입이 떡 벌어질 정도라니까. ㉢당시에 이렇게 자세한 공사 보고서를 남긴 나라는 우리나라밖에 없다고 해.

다 수원 화성은 정조 임금의 원대한 꿈이 담긴 곳으로 볼거리가 많아. 건물 하나만 보는 것보다는 주변 경치를 함께 감상하는 것이 더 좋아. ㉣정조 임금이 엄격하게 고른 좋은 자리에 지었으니까. 수원 화성은 규모가 커서 다 돌아보려면 꽤 시간이 걸려. 다리가 아프면 화성 열차를 타는 것도 좋겠지. 화성 열차는 수원 화성 구경을 하러 온 사람들을 위해 마련한 열차야.

라 ㉤더 둘러보고 싶은 친구가 있다면 근처에 있는 융건릉과 용주사에 가 볼 것을 추천할게. 융건릉은 사도 세자의 무덤인 융릉과 정조 임금의 무덤인 건릉을 합쳐서 부르는 이름이고, 용주사는 사도 세자의 명복을 빌려고 지은 절이야.

7 『화성성역의궤』에 담겨 있는 기록이 <u>아닌</u> 것은 무엇입니까? ( )
① 수원 화성 공사의 설계
② 수원 화성 공사에 참여한 인원
③ 수원 화성 공사에 사용된 물품
④ 수원에 화성을 세우려고 했던 까닭
⑤ 수원 화성 공사에 참여한 기술자들이 일한 날수

8 이 글에 쓰인 ㉮'쌓는'의 뜻으로 가장 알맞은 것은 무엇입니까? ( )
① 신뢰를 많이 얻다.
② 재산을 많이 모으다.
③ 밑바탕을 닦아서 든든하게 준비하다.
④ 오랫동안 기술이나 경험 등을 많이 익히다.
⑤ 물건을 차곡차곡 포개어 얹어서 구조물을 이루다.

9 『화성성역의궤』가 순조 때 만들어진 까닭은 무엇입니까? ( )
① 순조 때 수원 화성이 완성되어서
② 정조 임금이 갑자기 세상을 떠나서
③ 의궤는 다음 임금이 기록하는 것이어서
④ 정조 임금이 순조에게 기록하라고 해서
⑤ 순조가 정조 임금이 한 일을 모두 기록해서

10 ㉠~㉤을 읽고 추론한 내용으로 알맞지 <u>않은</u> 것은 무엇입니까? ( )
① ㉠: 수원 화성은 세계적인 문화유산으로 인정받을 만큼 훌륭한 건축물이다.
② ㉡: 『화성성역의궤』가 자세하게 기록되었기 때문에 수원 화성을 원래의 모습대로 다시 만들 수 있었다.
③ ㉢: 공사 보고서를 남긴 나라는 우리나라뿐이다.
④ ㉣: 정조 임금은 수원 화성을 건축하는 데 많은 관심을 가졌다.
⑤ ㉤: 융건릉과 용주사에도 볼거리가 많다.

[11~15] 다음 글을 읽고 물음에 답하시오.

궁궐의 건물

궁궐에는 왕과 왕비뿐만 아니라 왕실의 가족과 관리, 군인, 내시, 나인 등 많은 사람이 살았다. 이 사람들은 각자 자신의 신분에 알맞은 건물에서 생활했고, 건물의 명칭 또한 주인의 신분에 따라 달랐다. 예컨대 궁궐에는 강녕전이나 교태전과 같이 '전' 자가 붙는 건물이 있는데, 이러한 건물에는 궁궐에서 가장 신분이 높은 왕과 왕비만 살 수 있었다. 왕실 가족이나 후궁들은 주로 '전'보다 한 단계 격이 낮은 '당' 자가 붙는 건물을 사용했다. 그 밖의 궁궐 사람들은 주로 '각', '재', '헌'이 붙는 건물에서 생활했다. 그러나 경우에 따라서는 왕도 '전'이 아닌 다른 건물을 사용했다.

경복궁

'큰 복을 누리며 번성하라'는 뜻을 지닌 경복궁은 조선 시대 최초의 궁궐이면서 여러 궁궐 가운데 가장 대표적인 것이다. 경복궁은 태조 이성계가 조선을 세운 뒤에 한양, 즉 지금의 서울에 세운 조선의 법궁이다.

경복궁의 건물은 7600여 칸으로 규모가 어마어마하다. 경복궁에서 가장 웅장한 건물은 '부지런히 나라를 다스리라'는 뜻을 지닌 근정전이다. 근정전은 왕의 ㉠즉위식, 왕실의 혼례식, 외국 사신과의 만남과 같은 나라의 중요한 행사를 치르던 곳이다.

경복궁에서 안쪽에 자리 잡은 교태전은 왕비가 생활하던 곳이다. 교태전은 중앙에 대청마루를 두고 왼쪽과 오른쪽에 온돌방을 놓은 구조로 되어 있다. 교태전 뒤쪽으로는 아미산이라는 작고 아름다운 후원이 있다.

'경사스러운 연회'라는 뜻의 경회루는 커다란 연못 중앙에 섬을 만들고 그 위에 지은, 우리나라에서 가장 큰 누각이다. 이곳은 왕이 외국 사신을 접대하거나 신하들에게 연회를 베풀던 장소이다.

11 다음과 같은 건물에 살 수 있었던 사람은 누구입니까?

( )

> 강녕전, 교태전

① 후궁들 ② 군인들 ③ 왕과 왕비
④ 왕실의 가족 ⑤ 내시와 나인들

12 다음 빈칸에 들어갈 알맞은 말은 무엇입니까? ( )

> 궁궐에는 많은 사람이 살았는데, 각자 자신의 ☐에 알맞은 건물에 살았다.

① 나이 ② 재산 ③ 성별
④ 신분 ⑤ 이름

13 ㉠'즉위식'이라는 낱말의 뜻을 추론할 때 앞뒤 문장에서 살펴볼 낱말은 무엇입니까? ( )

① 왕 ② 단청 ③ 손님
④ 연못 ⑤ 휘말리다

14 다음에서 설명하는 건물의 이름은 무엇입니까? ( )

> • '경사스러운 연회'라는 뜻을 가졌다.
> • 커다란 연못 중앙에 섬을 만들고 그 위에 지은, 우리나라에서 가장 큰 누각이다.

① 강녕전 ② 교태전 ③ 근정전
④ 경회루 ⑤ 창덕궁

15 경복궁에 대한 설명으로 알맞지 <u>않은</u> 것은 어느 것입니까? ( )

① 조선 시대 최초의 궁궐이다.
② 여러 궁궐 가운데 가장 대표적인 것이다.
③ 경복궁에서 가장 웅장한 건물은 교태전이다.
④ '큰 복을 누리며 번성하라'는 뜻을 지니고 있다.
⑤ 태조 이성계가 조선을 세운 뒤에 지은 궁궐이다.

[16~20] 다음 글을 읽고 물음에 답하시오.

창덕궁

창덕궁은 경복궁 동쪽에 있다고 하여 창경궁과 함께 '동궐'로도 불렸다. 건물과 후원이 잘 어우러져 아름다우며 유네스코 세계 문화유산으로 기록되었다. 산이 많은 우리나라답게 산자락에 자연스럽게 배치한 건물이 인상적이다. 넓은 후원의 정자와 연못들은 우리나라 전통 정원의 모습을 잘 보여 주고 있다.

특히 부용지는 '하늘은 둥글고 땅은 네모나다'는 전통적 사상을 반영하여, 땅을 나타내는 네모난 연못 가운데 하늘을 뜻하는 둥근 섬을 띄워 놓은 형태이다. 연못 가장자리에 있는 부용정은 십자(+) 모양의 정자로, ㉠단청이 화려하고 처마 끝 곡선이 무척 아름답다.

창경궁

창경궁은 성종이 할머니들을 모시려고 지은 궁궐로, 효자로 유명한 정조가 태어난 곳이기도 하여 효와 인연이 깊다. 창경궁은 임진왜란 때 불탔다가 광해군 때 제 모습을 찾았으나, 그 뒤로도 큰 화재를 겪는 수난을 당했다. 문정전 앞뜰은 사도 세자가 목숨을 잃은 비극이 일어난 곳으로 유명하다. 왕비가 생활하던 통명전 서쪽에는 아름다운 연못이 있고, 뒤쪽에는 '열천'이라는 우물이 남아 있다.

한편 일제 강점기에는 일본 사람들이 창경궁에 동물원과 식물원을 만들면서 많은 건물을 헐고, 이름도 '창경원'으로 바꾸었다. 1983년에 동물원과 식물원 일부를 옮기고 창경궁이라는 이름을 되찾았다.

16 서울에 남아 있는 궁궐 중 유네스코 세계 문화유산으로 등록된 궁궐은 무엇입니까? (   )
① 경복궁
② 창덕궁
③ 창경궁
④ 경희궁
⑤ 경운궁

17 다음은 이 글을 읽고 새롭게 안 내용을 정리한 것입니다. 빈칸에 알맞은 말은 무엇입니까? (   )

> 창덕궁은 건물과 [   ]이 잘 어우러져 아름답다.

① 연못   ② 후원   ③ 앞뜰
④ 동궐   ⑤ 창경궁

18 ㉠'단청'의 뜻을 바르게 추론한 사람은 누구입니까? (   )
① 영아: 궁에 있는 우물이라는 뜻 같아.
② 지철: 우리나라에서 가장 큰 정자라는 뜻 같아.
③ 수희: 부용지 근처에 있는 연못이라는 뜻 같아.
④ 동구: 정자 지붕에 튀어나와 있는 부분인 것 같아.
⑤ 연주: 궁궐이나 절의 벽에 여러 가지 빛깔로 그린 무늬나 그림을 말하는 것 같아.

19 창덕궁에 대한 설명으로 알맞지 않은 것은 어느 것입니까? (   )
① 동궐이라고도 불렸다.
② 경복궁의 동쪽에 있다.
③ 부용정의 단청이 화려하다.
④ 유네스코 세계 문화유산으로 기록되었다.
⑤ 부용지는 중국 전통 정원을 본떠 만들었다.

20 창경궁에 대한 설명으로 알맞지 않은 것은 어느 것입니까? (   )
① 성종이 지은 궁이다.
② 수난을 많이 당한 궁이다.
③ 연못과 우물이 남아 있다.
④ 효와 인연이 깊은 궁이다.
⑤ '창경궁'이라는 이름을 계속 유지하였다.

· 답안 입력하기   · 평가 분석표 받기

개념 강의

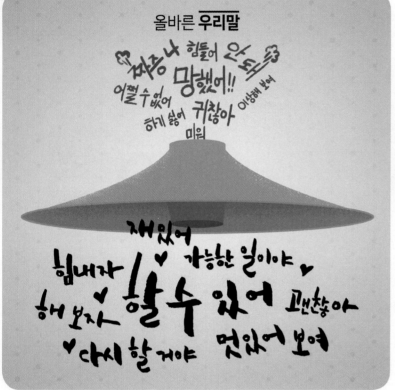

* 강의를 들으며 중요한 내용을 메모하세요!

● 우리말 사용 실태를 조사하여 발표하는 방법은?

● 발표할 때 주의할 점은?

● 조사를 바탕으로 하여 글을 쓰는 방법은?

● 글쓴이가 말하고자 하는 생각을 파악하는 방법은?

개념 확인하기 정답에 ✔표를 하시오.

정답 35쪽

1 우리말 사용 실태 조사를 계획할 때 생각할 것으로 알맞은 것은 무엇입니까?

⊙ 조사 날짜 ☐

ⓒ 입고 갈 옷 ☐

2 발표할 때 주의할 점으로 알맞은 것은 무엇입니까?

⊙ 중요한 부분을 강조하여 말한다. ☐

ⓒ 집중도를 높이기 위해 그림이나 동영상은 사용하지 않는다. ☐

3 조사한 자료를 바탕으로 글을 쓸 때 주의할 점으로 알맞은 것은 무엇입니까?

⊙ 목적에 맞게 주장과 근거를 정한다. ☐

ⓒ 조사한 자료를 참고하여 자유롭게 쓰고 싶은 말을 모두 쓴다. ☐

4 글쓴이가 말하고자 하는 생각을 파악하는 방법으로 알맞은 것은 무엇입니까?

⊙ 글의 첫 낱말을 살펴본다. ☐

ⓒ 글쓴이의 이름을 살펴본다. ☐

ⓒ 글의 중심 문장을 살펴본다. ☐

연습 🐱 도움말을 참고하여 내 생각을 차근차근 써 보세요.

1 다음 대화를 보고 물음에 답하시오. [18점]

아빠, 이번 생선은 뭐예요? 🎁

생선이라니? 🐟

생일 선물요.

우리말을 그렇게 줄여서 말하면 어떡하니?

1

2

?

헐, 이것도 못 알아들으세요?

친구들이 다 그렇게 말해요. 그렇게 안 하면 핵노잼이란 말이에요.

3

4

(1) 아빠는 여자아이가 한 어떤 말이 잘 이해되지 않았는지 쓰시오. [6점]

(   )

(2) 여자아이가 ①과 같은 표현을 사용한 까닭은 무엇일지 쓰시오. [2점]

🐱 줄임 말을 사용하는 것에 대한 아빠의 말에 여자아이가 어떻게 대답했는지 살펴보세요.

• [   ] 이 재밌어서이다.

(3) 아빠와 여자아이는 왜 말이 통하지 않았는지 쓰시오. [10점]

🐱 여자아이가 사용한 말과 아빠의 반응을 생각해 보세요.

2 올바른 우리말에 대해 생각하며 물음에 답하시오. [24점]

가 며칠 전 우리 반 교실에서 일어난 일입니다. 준형이와 수진이가 교실 뒤쪽을 걷다가 뜻하지 않게 서로 부딪혔습니다. 준형이와 수진이는 서로 노려보면서 눈살을 찌푸렸습니다.

ⓒ

뭐라고? 재수 없어. 네가 날 쳤잖아.

나 우리가 사용하는 반려동물 관련 용어가 대부분 외래어·외국어라는 사실, 아시나요?

• 추석 때 고향에 내려가 있는 동안 반려견을 ⓒ펫시터에게 맡겨야겠어!

• 이번 여행은 반려견을 ⓒ켄넬에 넣어서 이동해야지.

• 우리 동네에는 길고양이를 보살피는 ②캣맘과 캣대디가 많아!

(1) ①에서 무엇이라고 말하였을지 쓰시오. [8점]

_____

_____

(2) ⓒ~②을 올바른 우리말로 바꾸어 쓰시오. [각 2점]

① ⓒ: (   )
② ⓒ: (   )
③ ②: (   )

(3) 글 **가**, **나**와 같은 언어생활을 지속한다면 어떤 일이 벌어질지 짐작하여 쓰시오. [10점]

_____

_____

7. 우리말을 가꾸어요

 문제 풀이

[1~3] 다음 그림을 보고 물음에 답하시오.

1 아빠가 여자아이의 말을 이해하지 못한 이유는 무엇입니까? (   )

① 다른 생각을 하고 있어서
② 여자아이의 말이 너무 빨라서
③ 여자아이의 목소리가 너무 작아서
④ 여자아이가 바른 말을 사용하지 않아서
⑤ 여자아이의 생일이 다가오는 것을 몰라서

2 아빠는 여자아이가 사용한 말에 대해 어떻게 생각하고 있습니까? (   )

① 자신도 배워야겠다고 생각한다.
② 대화가 재미있어졌다고 생각한다.
③ 우리말을 줄여서 말하면 안 된다고 생각한다.
④ 말을 더 빠르게 할 수 있어서 좋다고 생각한다.
⑤ 외국어보다는 아름다운 우리말을 써야 한다고 생각한다.

3 여자아이가 사용한 말에 대한 설명으로 알맞지 <u>않은</u> 것은 무엇입니까? (   )

① 우리말을 파괴하는 말을 사용했다.
② 재미를 위해 잘못된 말을 사용했다.
③ 줄임 말, 신조어, 비속어를 사용했다.
④ 아빠와 의사소통이 안 되는 말을 사용했다.
⑤ 평소에 친구들과 즐겨 사용하지 않는 말을 썼다.

[4~5] 다음 그림을 보고 물음에 답하시오.

7 단원

4 ②의 내용으로 보아 솔연이에 대한 남자아이의 마음은 어떻겠습니까? (   )

① 친해지고 싶다.　　② 도와주고 싶다.
③ 무시하고 싶다.　　④ 같이 놀고 싶다.
⑤ 격려해 주고 싶다.

5 ②와 ③의 상황에 대한 내용으로 알맞지 <u>않은</u> 것은 무엇입니까? (   )

① ②에서 남자아이는 부정적으로 말했다.
② ②에서 솔연이는 남자아이의 말을 듣고 기분이 상했을 것이다.
③ ③에서 여자아이는 긍정적으로 말했다.
④ ③에서 여자아이는 듣는 사람의 마음을 배려하지 않았다.
⑤ ③에서 여자아이는 강민이에게 힘과 긍정의 마음을 주는 말을 했다.

7단원

[6~8] 다음 글을 읽고 물음에 답하시오.

㉠평범한 중고등학생 네 명을 대상으로 욕 사용 실태를 관찰했더니 네 시간 동안 평균 500여 번의 욕설이 쏟아졌습니다.

충격적인 것은 이 학생들이 문제아나 불량 청소년이 아니라는 것입니다. 이제 욕은 많은 학생들의 입에서 거침없이 터져 나오는 일상어가 되어 버렸습니다.

그렇다면 아이들이 최초로 욕을 대하는 때는 언제일까요?

대중 매체 환경이 빠르게 바뀌면서 욕설이나 비속어를 대하는 나이가 더욱 어려지는 지금, ㉡초등학교 교실을 찾아 그들이 아는 욕설을 적어 보도록 했습니다.

그 결과, 절반 가까운 학생이 욕을 열 개 이상 버릇처럼 사용하고, 서른 개 이상 사용하는 아이도 있었습니다.

출처: 한국교육방송공사, 2011.

6 ㉠의 결과는 무엇입니까? (   )

① 불량 청소년들이 빠르게 늘어난다.
② 학생들이 욕을 너무 많이 사용한다.
③ 문제아들이 욕을 너무 많이 사용한다.
④ 여학생이 남학생보다 욕을 더 적게 한다.
⑤ 문제가 있는 학생들이 욕을 사용하지 않는다.

7 욕설이나 비속어를 대하는 나이가 더욱 어려지는 까닭은 무엇입니까? (   )

① 대중 매체 환경이 빠르게 바뀌기 때문에
② 많은 사람들이 새로운 언어를 원하기 때문에
③ 대중 매체와 친해지는 계기가 없었기 때문에
④ 올바른 우리말에 대해서 배우지 않기 때문에
⑤ 대중 매체를 대하는 태도를 배우지 않기 때문에

8 ㉡과 같은 일을 한 까닭으로 알맞은 것은 무엇입니까?
(   )

① 초등학생은 욕설을 사용하지 않아서
② 욕설을 누구에게 배우는지 조사하려고
③ 초등학생이 욕을 얼마나 아는지 알아보려고
④ 욕설을 적게 사용하는 학생에게 상을 주려고
⑤ 중고등학생과 초등학생이 사용하는 욕설이 달라서

[9~10] 다음을 보고 물음에 답하시오.

며칠 전 우리 반 교실에서 일어난 일입니다. 준형이와 수진이가 교실 뒤쪽을 걷다가 뜻하지 않게 서로 부딪혔습니다. 준형이와 수진이는 서로 노려보며 눈살을 찌푸렸습니다.

9 위의 상황에서 준형이와 수진이가 다툰 이유는 무엇입니까? (   )

① 수진이만 사과를 해서
② 수진이가 준형이에게 시비를 걸어서
③ 비속어를 사용하며 서로 비난을 해서
④ 준형이가 수진이의 물건을 떨어뜨려서
⑤ 준형이와 수진이가 원래 사이가 좋지 않아서

10 위와 같은 상황에서 준형이와 수진이가 해야 할 바람직한 말과 행동으로 알맞은 것은 무엇입니까? (   )

① 상대방을 배려하는 말을 한다.
② 상대방이 먼저 사과하기를 기다린다.
③ 아무 말도 하지 않고 자리로 돌아간다.
④ 비속어를 사용하며 상대방에게 화를 낸다.
⑤ 부정적인 말을 사용하며 상대방을 비난한다.

[11~13] 다음 글을 읽고 물음에 답하시오.

우리가 사용하는 반려동물 관련 용어가 대부분이 외래어 · 외국어라는 사실, 아시나요?

• 추석 때 고향에 내려가 있는 동안 반려견을 ㉠펫시터에게 맡겨야겠어!

• 이번 여행은 반려견을 켄넬에 넣어서 이동해야지.

11 이 사례에 나타난 문제점은 무엇입니까? (   )

① 국어보다 외국어 수업 시간이 많다.

② 청소년들이 욕을 너무 많이 사용한다.

③ 사람들이 줄임 말을 너무 많이 사용한다.

④ 우리 반 친구들이 서로를 비난하는 말을 너무 많이 사용한다.

⑤ 우리가 사용하는 반려동물 관련 용어가 대부분 외래어와 외국어이다.

12 ㉠을 우리말로 바르게 고쳐 쓴 것은 어느 것입니까?

(   )

① 반려동물 예절

② 길고양이 보호소

③ 반려동물 돌봄이

④ 반려동물 이동 장

⑤ 길고양이 돌봄이

13 이 사례를 통해 알 수 있는 올바른 우리말 사용 방법은 무엇입니까? (   )

① 줄임 말로 내용을 간추려 말한다.

② 맞춤법을 잘 지키기 위해 노력한다.

③ 우리말을 외국어로 번역해서 널리 알린다.

④ 외래어나 외국어보다 다듬은 말을 사용한다.

⑤ 욕설이나 비속어보다는 올바른 우리말을 사용한다.

[14~15] 다음 그림을 보고 물음에 답하시오.

14 가 ~ 바 에 대한 설명으로 알맞지 <u>않은</u> 것은 무엇입니까? (   )

① 가 는 외국어가 사용된 간판이 많다는 것을 보여 준다.

② 나 는 청소년들의 잘못된 언어생활을 다룬 뉴스이다.

③ 다 는 우리 토박이말을 알려 주는 사전이다.

④ 라 와 바 는 학부모를 대상으로 우리말의 소중함을 알리는 것이다.

⑤ 마 는 순화어를 알려 주는 국립국어원 누리집이다.

15 가 ~ 바 를 보고 알 수 있는 문제점은 무엇입니까?

(   )

① 우리말이 파괴되고 있다.

② 새로운 우리말이 많이 생겨나고 있다.

③ 우리말의 인기가 점점 많아지고 있다.

④ 다양한 곳에서 우리말이 사용되고 있다.

⑤ 우리말을 살리려고 선생님이 노력하고 있다.

[16~18] 다음 글을 읽고 물음에 답하시오.

> 가 요즘 우리 반 친구들이 대화할 때 짜증 난다는 말이나 비속어, 욕설 따위를 사용합니다. 그런 말을 들으면 기분이 나빠지고 화가 나서 다툼도 일어납니다.
> ㉠우리 반에는 공놀이할 때마다 실수해서 같은 편이 되기를 꺼려 하는 친구가 있습니다. 대부분 그 친구와 같은 편이 되면 "짜증 나."라는 말이나 비속어, 욕설을 합니다. 그러던 어느 날, 그 친구가 안쓰러워서 "괜찮아, 넌 잘할 수 있어."라고 말했습니다. ㉡그랬더니 신기하게도 그 친구가 승점을 냈습니다.
>
> 나 긍정하는 표현은 자신은 물론 주변 사람들 마음에 긍정하는 힘을 줍니다. 그리고 고운 우리말 사용이 아름다운 소통을 이루고, 진정한 말맛을 느끼게 합니다. ㉢그러므로 긍정하는 말과 고운 우리말을 사용해야 합니다.

16 다음 중 ㉠~㉢에 대한 설명으로 알맞지 <u>않은</u> 것은 무엇입니까? (   )

① ㉠의 이유로 글쓴이가 욕설을 했다.
② ㉡은 글쓴이의 긍정하는 말 덕분이다.
③ ㉢은 글쓴이가 말하고자 하는 내용이다.
④ ㉡은 글쓴이의 생각을 뒷받침하는 근거이다.
⑤ ㉢은 욕설과 비속어를 사용하지 말자는 뜻을 담고 있다.

17 이 글은 무엇에 대하여 쓴 글입니까? (   )

① 외국의 언어생활 문화
② 줄임 말과 신조어 사용
③ 긍정하는 말과 부정하는 말
④ 늘어나는 외래어와 외국어 사용
⑤ 서로 대화를 잘 나누지 않는 우리 반의 실태

18 글쓴이가 이 글을 쓴 까닭은 무엇입니까? (   )

① 우리말의 우수성을 알려 주려고
② 비속어나 욕설의 다양성을 알려 주려고
③ 책에 나와 있는 바른 말을 알자는 주장을 펴려고
④ 긍정적인 생각이 어떤 영향을 미치는지 알려 주려고
⑤ 긍정하는 말과 고운 우리말을 사용하자는 주장을 펴려고

19 다음 중 긍정하는 말이 <u>아닌</u> 것은 무엇입니까?

(   )

① 괜찮아.　　② 망했어.　　③ 힘내자.
④ 할 수 있어.　⑤ 가능한 일이야.

20 ❶과 ❷의 주제는 무엇입니까? (   )

① 책을 많이 읽자.
② 친구와 싸우지 말자.
③ 줄임 말에 관심을 가지자.
④ 올바른 우리말을 사용하자.
⑤ 외국어 공부를 열심히 하자.

・답안 입력하기　・평가 분석표 받기

개념 강의

인물이 추구하는 가치 파악하기

가치: 사람이 어떤 행동이나 일을 선택하고 실천하는 데 바탕이 되는 생각

> 인물이 처한 상황 알아보기

> 일본군과 울돌목에서 싸우는 상황

> 인물의 말과 행동 알아보기

> • 배와 군사를 많아 보이게 하는 작전을 짬.
> • "죽으려 하면 살고, 살려 하면 죽는다."

> 인물이 그렇게 말하고 행동한 까닭

> 어떤 어려움도 극복할 수 있다고
> 생각하는 사람이기 때문임.

> 인물이 추구하는 가치

> 어떤 고난도 포기하지 않고
> 극복하려는 의지를 추구

✱ 강의를 들으며 중요한 내용을 메모하세요!

● 인물이 추구하는 가치를 파악하는 방법은?

● 인물이 추구하는 가치를 자신의 삶과 관련짓는 방법은?

● 인물 소개서에 들어갈 내용은?

● 문학 작품 속 인물을 소개하는 방법은?

8 단원

개념 확인하기 정답에 ✔표를 하시오.

정답 37쪽

1 인물이 추구하는 가치를 파악할 때 살펴볼 것은 무엇입니까?

- ㉠ 인물의 말 ☐
- ㉡ 인물의 나이 ☐
- ㉢ 글쓴이가 처한 상황 ☐

2 인물이 추구하는 가치를 자신의 삶과 관련짓는 방법은 무엇입니까?

- ㉠ 이야기와 관련된 자신의 경험을 생각한다. ☐
- ㉡ 자신이 처한 고민과 반대되는 상황에 처한 인물의 말을 찾아본다. ☐

3 인물 소개서에 들어갈 내용으로 알맞은 것은 무엇입니까?

- ㉠ 인물에게 일어난 일 ☐
- ㉡ 책을 읽은 날의 날씨 ☐

4 문학 작품 속 인물을 소개하는 방법으로 알맞은 것은 무엇입니까?

- ㉠ 작품 제목은 소개하지 않는다. ☐
- ㉡ 읽은 사람의 이름을 이야기한다. ☐
- ㉢ 인물이 추구하는 가치를 파악할 수 있는 내용을 말한다. ☐

연습 🦉 도움말을 참고하여 내 생각을 차근차근 써 보세요.

1 글쓴이가 말하고자 하는 생각이 무엇인지 찾으며 다음 글을 읽고 물음에 답하시오. [8점]

> 가 내가 처음으로 재미있게 읽은 책은 발데마르 본젤스의 『꿀벌 마야의 모험』인데, 아기 꿀벌이 꿀을 모으러 바깥세상에 나갔다가 모험을 시작하는 이야기야. 그 꿀벌이 여러 가지 경험을 하며 자신의 삶을 이끌어 가는 모습이 내게 꿈과 희망을 줬어. 이야기가 어찌나 흥미로웠던지 발데마르 본젤스처럼 작가가 되는 꿈을 갖게 되었지.
> 나 책 속에는 많은 이야기가 숨어 있어. 그리고 이야기 속 인물들은 우리를 다양한 경험 세계로 데려다주지. 꿈과 희망, 소외된 사람들에 대한 관심, 용기와 도전같이 작가가 말하고자 하는 생각도 듣는단다. 그 많은 이야기에 공감하며 이야기 속 인물의 삶에서 내 삶을 돌아보는 기회가 되는 것도 책이 주는 선물이야. 그래서 책을 읽는 사람은 지혜롭게 세상을 살 수 있다고 해.

(1) 글쓴이가 말하고자 하는 생각을 알 수 있는 낱말을 세 개 찾고 그 중에서 가장 중요한 낱말은 무엇인지 쓰시오. [4점]

> 🦉 글에서 자주 사용하거나 중요하다고 생각하는 낱말은 무엇인지 살펴보세요.

(2) 글쓴이가 말하고자 하는 생각을 쓰시오. [4점]

> 🦉 가장 중요한 낱말을 통하여 글쓴이가 말하고자 하는 생각을 파악해 봅니다.

2 다음 글을 읽고 물음에 답하시오. [10점]

> 이순신은 작전을 짰습니다.
> "우리는 모든 것이 적다. 무기도 적고, 군사도 적고, 배도 적다. 적은 것을 갑자기 늘릴 방법은 없다. 그러나 많아 보이게 할 수는 있을 것이다."
> 이순신은 우선 고기잡이배와 피난 가는 배들을 판옥선처럼 꾸미게 했습니다. 비록 실제로 싸울 수 있는 배는 먼저 구한 12척과 나중에 구한 1척, 이렇게 총 13척밖에 안 되었지만, 멀리서 보면 수십 척의 판옥선이 갖추어진 것처럼 보이게 한 것입니다. 백성들에게는 바다가 보이는 육지의 산봉우리에서 계속 돌아다니게 했습니다. 마치 우리 군사의 수가 많은 것처럼 보이도록 한 것입니다.
> 이순신은 모든 준비를 끝낸 뒤 부하 장수들을 불러 모았습니다.
> "㉠죽으려 하면 살고, 살려 하면 죽는다. 오늘 우리는 이 말처럼 죽기를 각오하고 싸워야 한다."
> 마침내 수많은 적선이 흐르는 물살을 타고 우리 수군 쪽으로 빠르게 쳐들어왔습니다. 그러나 이순신은 물살 방향이 조선 수군에게 유리해질 때까지 공격하지 못하게 했습니다. 드디어 물살 방향이 반대로 바뀌자 이순신은 일제히 공격하도록 지시했습니다. 단번에 30척이 넘는 적의 배가 부서져 버렸습니다. 일본 배들은 뒤로 물러나려고 했습니다. 그렇지만 물살이 너무 세서 배를 돌릴 수도 없고 앞으로 나아갈 수도 없었습니다.

(1) 다음과 같은 상황에서 이순신이 한 행동을 쓰시오. [4점]

> 일본군과 울돌목에서 싸우는 상황

(2) ㉠의 말에서 어떤 느낌을 받았는지 쓰세요. [6점]

[1~2] 다음 글을 읽고 물음에 답하시오.

> 가 내가 처음으로 재미있게 읽은 책은 발데마르 본젤스의 『꿀벌 마야의 모험』인데, 아기 꿀벌이 꿀을 모으러 바깥세상에 나갔다가 모험을 시작하는 이야기야. 그 꿀벌이 여러 가지 경험을 하며 자신의 삶을 이끌어 가는 모습이 내게 꿈과 희망을 줬어.
>
> 나 이야기 속 인물들은 우리를 다양한 경험 세계로 데려다주지. 꿈과 희망, 소외된 사람들에 대한 관심, 용기와 도전같이 작가가 말하고자 하는 생각도 듣는단다. 그 많은 이야기에 공감하며 이야기 속 인물의 삶에서 내 삶을 돌아보는 기회가 되는 것도 책이 주는 선물이야. 그래서 책을 읽는 사람은 지혜롭게 세상을 살 수 있다고 해. 나는 책에서 꿈을 찾았고 꿈을 이루는 방법까지 배웠으니 책이 주는 더 특별한 선물을 받은 거지.
>
> 책이 주는 선물을 받고 싶니? 너희도 책을 읽어 봐.

1 글쓴이는 누구에게 이 글을 썼습니까? ( )

① 책을 써 본 어린이들
② 집에 책이 없는 어린이들
③ 책을 읽기 싫어하는 어린이들
④ 도서관을 가 본 적이 없는 어린이들
⑤ 책이 주는 선물을 받고 싶은 어린이들

2 글쓴이가 처음으로 재미있게 읽은 책에서 받은 것은 무엇입니까? ( )

① 꿈과 희망
② 절망과 좌절
③ 이해와 용서
④ 봉사와 희생
⑤ 열정과 패기

[3~5] 다음 글을 읽고 물음에 답하시오.

> 가 고려 말에 새로 등장한 정치 세력과 무인들은 고려 사회를 개혁하려고 했다. 그러나 그들 가운데에서 정몽주와 이성계가 생각하는 개혁 방법은 서로 달랐다. 정몽주는 고려를 유지하면서 개혁해야 한다고 생각했고, 이성계는 고려를 무너뜨리고 새로운 왕조를 세우고자 했다. 이러한 상황에서 이성계의 아들 이방원은 「하여가」를 썼고, 정몽주는 「단심가」를 썼다.
>
> 나 　　　　　하여가
> 이런들 어떠하며 저런들 어떠하리
> 만수산 드렁칡이 얽혀진들 어떠하리
> 우리도 이같이 얽혀져 백 년까지 누리리
>
> 다 　　　　　단심가
> 이 몸이 죽고 죽어 일백 번 고쳐 죽어
> 백골이 진토 되어 넋이라도 있고 없고
> 임 향한 일편단심이야 가실 줄이 있으랴

3 가 를 바탕으로 나 와 다 를 설명할 때 알맞지 <u>않은</u> 것은 무엇입니까? ( )

① 나 와 다 의 글쓴이의 생각은 서로 다르다.
② 나 에는 새 나라를 세우자는 뜻이 담겨 있다.
③ 다 에는 새 나라를 세우는 것을 돕겠다는 뜻이 담겨 있다.
④ 나 와 다 의 글쓴이는 자신의 생각을 시조로 표현하고 있다.
⑤ 나 와 다 의 글쓴이는 자신의 생각을 다른 것에 빗대어서 말하고 있다.

4 나 와 다 에서 쓰인 낱말 중 뜻을 같이하자는 친근함을 나타내는 것은 무엇입니까? ( )

① 백골
② 우리
③ 진토
④ 백 년
⑤ 만수산

5 다 에서 글쓴이의 생각이 잘 드러난 낱말은 무엇입니까?
( )

① 몸
② 넋
③ 임
④ 죽어
⑤ 일편단심

8 단원

[6~7] 다음 글을 읽고 물음에 답하시오.

이순신이 물러난 뒤 원균이 삼도 수군통제사가 되었습니다. 원균은 삼도 수군통제사가 되자마자 부산을 치라는 명령을 받았습니다. 원균 역시 처음에는 그렇게 할 수 없다고 했습니다. 그렇지만 계속해서 명령이 떨어지자 따를 수밖에 없었습니다. 결과는 뻔했습니다. 조선 수군은 무참하게 져서 원균은 죽고, 배는 부서졌으며, 싸움에 나갔던 병사들도 대부분 죽거나 포로가 되었습니다.

1597년 8월, 나라에서는 이순신을 다시 삼도 수군통제사로 세웠습니다. 이순신은 전라도로 내려가면서 남은 배와 군사를 모았습니다. 그나마 여기저기 상한 배 12척과 120여 명의 군사를 모을 수 있었습니다. 나라에서는 아예 바다를 포기하고 육군으로 싸우라고 했습니다. 이순신은 임금님께 글을 올렸습니다.

"지난 5, 6년 동안 일본이 충청도와 전라도 쪽으로 공격해 오지 못한 것은 수군이 그 길목을 막고 있었기 때문입니다. 이제 제게 12척의 배가 있으니 죽을 힘을 다해 싸운다면 이길 수 있을 것입니다."

6 이 글에 대한 설명으로 알맞은 것은 무엇입니까?
( )

① 이순신은 12척의 배를 모을 수 있었다.
② 이순신은 전투에서 질 것이라고 생각했다.
③ 원균이 이끄는 조선 수군은 큰 승리를 거두었다.
④ 나라에서는 이순신에게 수군으로 싸우라고 했다.
⑤ 충청도와 전라도는 지난 5년 동안 일본의 심한 공격을 받았다.

7 이순신이 임금님께 글을 올렸을 때의 마음으로 알맞은 것은 무엇입니까? ( )

① 전쟁을 포기하려고 한다.
② 자신이 질 것을 확신하고 있다.
③ 군사와 배가 매우 적어 불안하다.
④ 죽음을 각오할 정도로 필사적이다.
⑤ 자신을 믿어 주지 않는 임금님이 원망스럽다.

[8~11] 다음 글을 읽고 물음에 답하시오.

가 이상하게도 이순신의 마음은 불안하기만 했습니다. 꿈자리도 뒤숭숭했습니다. 말을 타고 언덕 위를 가다가 말에서 떨어졌는데 막내아들 면이 밑에서 이순신을 받는 꿈이었습니다.

나 면은 이제 겨우 스물한 살의 젊디젊은 청년이었습니다. 이순신은 이 일이 자기 탓처럼 여겨졌습니다.

'내가 죽을 것을 그 애가 대신 죽었구나.'

마음속에서는 이런 소리가 터져 나왔습니다. 밤이면 몇 번씩 자다 깨다 했습니다. 그러다가 코피를 한 사발씩 쏟기도 했습니다. 잠깐만 눈을 붙여도 아들 면의 모습이 보였습니다. 이순신은 자기도 모르게 이를 악물었습니다.

㉠'이제는 끝내야만 해.'

"아직도 저에게는 12척의 배가 있습니다. 비록 배는 적지만, 제가 죽지 않는 한 적이 감히 우리를 업신여기지 못할 것입니다."

8 **가**에서 느껴지는 이순신의 마음으로 가장 알맞은 것은 무엇입니까? ( )

① 기쁨　　② 무서움　　③ 신기함
④ 불안함　　⑤ 기대감

9 **나**에서 이순신이 처한 상황은 무엇입니까? ( )

① 일본군과 싸움
② 아들 면이 죽음
③ 배를 다시 만듦
④ 말을 타다 바다에 빠짐
⑤ 가족과 오랜만에 만남

10 ㉠을 통해 알 수 있는 이순신의 생각은 무엇입니까?
( )

① 더는 아들의 꿈을 꾸지 않겠다.
② 아들이 죽어서 모든 것을 포기하고 싶다.
③ 적은 병력으로 더는 전쟁을 이어 나갈 수 없다.
④ 지금 군대를 버리고 고향으로 돌아가 싸우겠다.
⑤ 꼭 승리해서 더는 일본군 때문에 죽는 이가 없게 하겠다.

11 이 글에서 알 수 있는 이순신이 추구하는 가치는 무엇입니까? (   )

① 부   ② 명예   ③ 겸손

④ 극복 의지   ⑤ 빠른 포기

13 ㉠을 통해 알 수 있는 버들이가 추구하는 가치는 무엇입니까? (   )

① 충   ② 효   ③ 절약

④ 평화   ⑤ 정직

[12~16] 다음 글을 읽고 물음에 답하시오.

가 "우리는 친구가 되었지. 나는 숲에서 버섯이랑 산딸기, 머루를 구해 주고 버들이는 내게 음식을 주었어. 잔칫집에서 일하는 날에는 떡이랑 메밀묵도 가져다주었단다. 버들이는 참 좋은 아가씨였어. 버들이를 좋아할수록 내가 사람이 아니고 도깨비라는 사실이 참 슬펐어."

"와! 도깨비는 대단하다. 하지만 사람이 될 수 없다는 건 정말 고통이지."

"언제부터인가 버들이가 고생하는 게 가엾어지기 시작했어. 그래서 재주를 부려 가랑잎으로 돈을 만들어다 주고 부잣집 돈을 훔쳐 내기도 했지. 나는 풋내기 도깨비라서 큰 재주를 못 부리니까 도둑질하는 날이 많았단다."

나 "어느 날, 버들이가 울면서 어머니가 위독하다고 했어. ㉠어머니께 샘물을 좀 더 드리고 싶은데 샘이 너무 멀어서 조금밖에 못 길어 가니까 샘가에 오두막을 짓고 살겠다더군. 하지만 그건 위험한 생각이었어. 그 물은 산에 사는 온갖 동물들도 마시거든. 밤이면 여우도 나오고 호랑이도 나오는 곳이야. 밤마다 도깨비들까지 모였으니 사람이 얼씬거릴 곳이 아니었지."

미미는 더 물을 수가 없었습니다. 왠지 도깨비는 인형과 뭔가 다를 것 같았기 때문입니다.

14 버들이가 '나'에게 바란 것은 무엇입니까? (   )

① 돈을 많이 가져다 달라고 하였다.

② '나'와 더 오래 만나고 싶어 하였다.

③ 어머니의 병을 낫게 해 달라고 하였다.

④ 샘가에 오두막을 짓고 살고 싶어 하였다.

⑤ 도깨비들이 샘물을 마음껏 마실 수 있기를 바랐다.

15 버들이가 문제 **14**의 답과 같이 바란 이유는 무엇입니까?
(   )

① 새집을 갖고 싶어서

② 동물들이 보고 싶어서

③ 몽당깨비와 더 놀고 싶어서

④ 샘물을 더 많이 길어 가려고

⑤ 몽당깨비의 능력을 시험해 보려고

12 버들이가 처한 상황으로 알맞은 것은 무엇입니까?
(   )

① 숲에 숨어 있다.

② 혼자 외롭게 살고 있다.

③ 도깨비들에게 쫓기고 있다.

④ 도깨비들과 숨바꼭질을 하고 있다.

⑤ 어머니가 편찮으셔서 돌봐 드려야 한다.

16 다음 중 '나'의 생각으로 알맞은 것은 무엇입니까?
(   )

① 샘가에 사는 것은 위험한 일이야.

② 돈이 없어서 오두막을 짓지 못할 거야.

③ 산속에서 살면 마을이 멀어서 힘들 거야.

④ 나도 물을 마시기 편하도록 샘가에서 살고 싶어.

⑤ 낯선 곳에서 살면 어머니의 병이 더 심해질 거야.

[17~18] 다음 글을 읽고 물음에 답하시오.

가 1940년, 아프리카 케냐 중앙 고원 지역 이히테의 작은 마을에서 왕가리 마타이가 태어났다.

집안의 맏딸인 왕가리 마타이는 어머니를 도와 집안 일을 하고 동생들을 보살폈다. 그 당시 케냐에서는 여 자아이를 학교에 보내는 경우가 매우 드물었다. 왕가리 마타이도 자신이 학교에 다니게 될 것이라고는 생각하 지 못했다. 그러던 어느 날, 오빠 은데리투가 어머니에 게 왕가리 마타이는 왜 학교에 다니지 않느냐고 물었 고, 어머니는 고민 끝에 왕가리 마타이를 학교에 보내 기로 결심했다.

왕가리 마타이는 학교에서 성실하게 공부해 좋은 성 적을 거두었다. 선생님들은 왕가리 마타이의 남다른 총 명함과 성실함을 눈여겨보고 그녀가 장학금을 받아 외 국에서 공부할 수 있도록 도와주었다.

나 외국에서 공부를 마치고 케냐로 돌아온 왕가리 마 타이는 황폐해진 케냐의 마을 풍경을 보고 깜짝 놀랐 다. 케냐의 새로운 지도자들이 돈벌이를 위해 숲을 없 애고 차나무와 커피나무를 심은 것이었다. 울창했던 숲 은 벌목으로 벌거벗은 모습이 되었고, 비옥했던 토양은 영양분이 고갈되어 동물과 식물을 제대로 길러 낼 수 없는 상태가 되었다.

17 왕가리 마타이에 대한 설명으로 알맞지 않은 것은 무엇 입니까? (　　　)

① 케냐에서 태어났다.
② 오빠 덕분에 학교에 다니게 되었다.
③ 처음에는 어머니를 도와 집안일을 하였다.
④ 장학금을 받고 외국에서 공부할 수 있었다.
⑤ 학교에 보내 주지 않는 어머니에게 투정을 부렸다.

18 케냐의 새로운 지도자들이 숲을 없앤 까닭은 무엇입니 까? (　　　)

① 돈벌이를 위해서
② 자연환경을 보호하기 위해서
③ 토양을 비옥하게 만들기 위해서
④ 아름다운 풍경을 만들기 위해서
⑤ 동물과 식물이 잘 자라게 하기 위해서

[19~20] 다음 글을 읽고 물음에 답하시오.

1989년, 케냐 정부는 나이로비 시내 한복판에 있는 우후루 공원에 복합 빌딩을 건설하려고 했다. 우후루 공원은 대도시 나이로비에 남아 있는 유일한 녹지 공간 으로, 콘크리트 건물 사이에서 시민들의 쉼터 역할을 하고 있었다. 왕가리 마타이는 도심 속 녹지대와 시민 들의 쉼터가 계속 보전되어야 한다고 생각했다. 그녀는 관련 회사와 정부에 편지를 쓰고 언론에 자신의 주장을 알리며 우후루 공원을 지키려고 애썼다. 친구들은 힘들 어하는 왕가리 마타이를 걱정했다.

"왜 이렇게까지 하는 거야? 그건 네가 간섭할 일은 아니잖아?"

㉠"우후루 공원은 모든 사람의 것이야. 그러니까 누 군가는 그 잘못을 말해야 해."

19 왕가리 마타이가 우후루 공원을 보전하기 위해 한 일로 알맞은 것은 무엇입니까? (　　　)

① 책을 출판함.　　　② 학생을 가르침.
③ 나무를 수입함.　　④ 나무로 물건을 만듦.
⑤ 언론에 자신의 주장을 알림.

20 ㉠에서 알 수 있는 왕가리 마타이가 추구하는 가치는 무엇입니까? (　　　)

① 케냐의 발전
② 편안하고 행복한 삶
③ 자신의 현실적 이익
④ 모두의 이익과 행복
⑤ 나무 심기를 사람들에게 가르치기

· 답안 입력하기　· 평가 분석표 받기

마음을 나누는 **글 쓰기**

1 **상황과 목적 파악하기**
■ 일어난 사건을 토대로 상황과 목적 파악하기

2 **쓸 내용 정하기**
■ 일어난 사건 떠올리기
■ 사건과 관련된 생각이나 행동 떠올리기
■ 나누려는 마음 생각하기

3 **표현하기**
■ 나누려는 마음 잘 전달하기
■ 맞춤법, 띄어쓰기 지키기
■ 읽을 사람을 생각하며 표현하기

4 **글 점검하고 고쳐 쓰기**
■ 마음을 나누는 글을 쓰는 방법에 알맞게 썼는지 점검하고 고쳐 쓰기

＊ 강의를 들으며 중요한 내용을 메모하세요!

● 마음을 나누는 글을 쓰는 상황과 목적을 파악하는 방법은?

● 글 쓸 계획을 세울 때 고려할 점은?

● 마음을 나누는 글을 쓰는 방법은?

● 마음을 나누는 글을 쓰고 점검하는 방법은?

9 단원

개념 확인하기 정답에 ✓표를 하시오.

정답 39쪽

1 마음을 나누는 글을 쓰는 상황을 파악할 때 생각해야 할 것이 <u>아닌</u> 것은 무엇입니까?

㉠ 일어난 사건 ☐

㉡ 글을 쓴 뒤 할 일 ☐

㉢ 글을 전하는 방법 ☐

2 마음을 나누는 글을 쓸 때 고려할 점은 무엇입니까?

㉠ 맞춤법을 잘 지켜 표현한다. ☐

㉡ 존중하는 마음을 담아 높임말로만 쓴다. ☐

3 마음을 나누는 글을 쓰는 방법으로 알맞은 것은 무엇입니까?

㉠ 읽을 사람과의 관계를 고려해서 표현한다. ☐

㉡ 나누려는 마음보다는 친근감이 드러나게 글을 쓴다. ☐

4 마음을 나누는 글을 쓰고 점검할 때 고쳐야 할 내용으로 알맞은 것은 무엇입니까?

㉠ 나누려는 마음이 나타나 있다. ☐

㉡ 일어난 사건을 자세히 밝혔다. ☐

㉢ 지식을 자랑하기 위해 어려운 낱말을 사용했다. ☐

연습 🦉 도움말을 참고하여 내 생각을 차근차근 써 보세요.

1 글을 쓰는 상황과 목적을 생각하며 다음을 보고 물음에 답하시오. [10점]

나무와 같은 자원을 아껴 써야겠구나.

연필과 지우개가 떨어져 있네.

뭐야, 주인이 없는 연필과 지우개가 이렇게나 많아?

어떻게 하면 안타까운 내 마음을 전할 수 있을까?

(1) 서연이가 글을 쓸 생각을 하게 된 것은 무엇 때문인지 쓰시오. [5점]

┌ 🦉 서연이에게 어떤 일이 일어났는지 살펴봅니다.

• 무분별한 벌목으로 자연이 파괴된다는 뉴스를 시청한 일 때문이다.

•_____

(2) 서연이가 글을 쓰는 목적은 무엇인지 쓰시오. [5점]

┌ 🦉 서연이가 글을 쓸 생각을 하게 된 상황을 파악해 보고 글을 쓰는 목적을 생각해 봅니다.

• 친구들이 [　　　　　　　　　　　　　　　]을 가지고 학용품을 아꼈으면 하는 마음을 표현하기 위해서이다.

2 다음을 보고 물음에 답하시오. [10점]

> 지수: 정민아, 아까 과학 시간에 물을 엎질러서 정말 미안해.
>
> 정민: 아니야, 지수야. 일부러 그런 것도 아니잖아.
>
> 지수: 그래도 옷이 젖어서 불편했지?
>
> 정민: 아니야. 괜찮았어. 그나저나 너도 많이 놀랐겠다.
>
> 지수: 응, 사실 나도 깜짝 놀랐어.
>
> 정민: 그래, 난 정말 괜찮으니까 너도 너무 걱정하지 마.
>
> 지수: 그래. 고마워. 그리고 진심으로 미안해.

(1) 지수에게 일어난 일은 무엇인지 쓰시오. [4점]

_____

_____

(2) 지수가 문자 메시지를 보낸 목적은 무엇인지 쓰시오. [4점]

_____

_____

(3) 지수처럼 나누려는 마음을 문자 메시지로 쓰면 좋은 점을 쓰시오. [2점]

• 내 생각이나 느낌을 바로 전할 수 있다.

•_____

[1~2] 다음을 보고 물음에 답하시오.

나무와 같은 자원을 아껴 써야겠구나.

서연

연필과 지우개가 떨어져 있네.

뭐야, 주인이 없는 연필과 지우개가 이렇게나 많아?

어떻게 하면 안타까운 내 마음을 전할 수 있을까?

1 서연이가 자원을 아끼자는 생각을 한 까닭은 무엇입니까? (   )

① 자원 부족에 대한 수업을 들었기 때문이다.
② 환경 오염에 대해 쓴 책을 읽었기 때문이다.
③ 분실물 보관함에서 자신의 학용품을 보았기 때문이다.
④ 물건을 아껴 쓰지 않는다고 부모님께 꾸중을 들었기 때문이다.
⑤ 무분별한 벌목으로 자연이 파괴된다는 뉴스를 시청했기 때문이다.

2 서연이가 친구들에게 글을 쓴다면 어떤 마음을 나누는 글을 쓰겠습니까? (   )

① 아끼던 학용품을 잃어버려 슬픈 마음
② 친구들의 학용품을 망가뜨려 미안한 마음
③ 잃어버린 학용품을 찾아 주어 고마운 마음
④ 학용품을 소중히 다루지 않아 안타까운 마음
⑤ 친구들이 음식을 남기지 않기를 바라는 마음

[3~5] 다음 글을 읽고 물음에 답하시오.

선생님께

선생님, 안녕하세요? 저는 최연아입니다.

올해 선생님을 만난 건 저에게 큰 행운입니다. 저는 이상하게 국어 공부가 싫었습니다. ㉠책은 만화책 말고는 모두 재미가 없고, 글쓰기도 팔만 아픈 것 같았습니다. 그런데 선생님과 함께 국어를 공부하고 나서는 조금씩 달라지기 시작했습니다.

㉡선생님께서는 읽기와 쓰기를 할 때 도움이 되는 여러 가지 재미있는 방법을 알려 주셨습니다. 그리고 이해가 되지 않는 부분은 없는지, ㉢더 알고 싶은 것이 있는지를 물어봐 주시고 진지하게 들어 주셨습니다. 그래서 저는 용기를 내어 궁금한 점이나 더 알고 싶은 것을 여쭈어보았고, 새로운 내용을 알면서 ㉣국어 공부가 점점 더 좋아지기 시작했습니다.

㉤국어 공부를 좋아하게 되니 다른 과목 공부도 재미있었습니다. 모두 선생님 덕분입니다. 선생님께서 수업 시간에 늘 말씀하신 것처럼 몸과 마음이 건강한 사람이 되도록 노력하겠습니다. 선생님, 정말 고맙습니다.

3 이 글에 대한 설명으로 알맞지 <u>않은</u> 것은 무엇입니까? (   )

① 쓴 사람은 최연아이다.
② 글의 종류는 편지글이다.
③ 높임말로 예의를 갖추어 쓴 글이다.
④ 국어를 가르쳐 주신 선생님께 쓴 글이다.
⑤ 읽을 사람의 반응을 바로 확인할 수 있다.

4 이 글은 어떤 마음을 표현하기 위해 쓴 글입니까? (   )

① 실망   ② 그리움   ③ 미안함
④ 서운함   ⑤ 고마움

5 ㉠~㉤ 중에서 문제 **4**번의 마음을 느낀 이유로 알맞지 <u>않은</u> 것은 무엇입니까? (   )

① ㉠   ② ㉡   ③ ㉢
④ ㉣   ⑤ ㉤

[6~8] 다음 글을 읽고 물음에 답하시오.

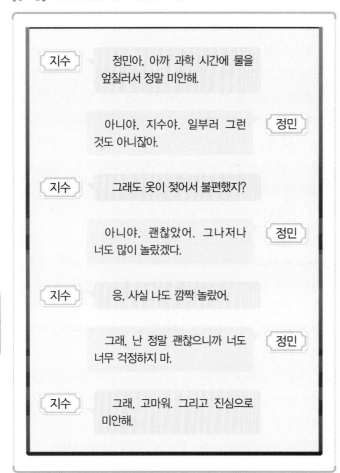

지수 | 정민아, 아까 과학 시간에 물을 엎질러서 정말 미안해.

정민 | 아니야, 지수야. 일부러 그런 것도 아니잖아.

지수 | 그래도 옷이 젖어서 불편했지?

정민 | 아니야, 괜찮았어. 그나저나 너도 많이 놀랐겠다.

지수 | 응. 사실 나도 깜짝 놀랐어.

정민 | 그래. 난 정말 괜찮으니까 너도 너무 걱정하지 마.

지수 | 그래. 고마워. 그리고 진심으로 미안해.

6 과학 시간에 지수에게 있었던 일은 무엇입니까? (   )
① 친구와 떠들었다.
② 친구와 다투었다.
③ 친구에게 물을 엎질렀다.
④ 친구에게 연필을 빌렸다.
⑤ 친구와 과학 실험을 했다.

7 지수는 무엇을 통해 정민이와 소통을 하였습니까?
(   )
① 편지   ② 전화   ③ 동영상
④ 영상 통화   ⑤ 문자 메시지

8 나누려는 마음을 이와 같은 형식으로 쓰면 좋은 점은 무엇입니까? (   )
① 일상생활을 기록할 수 있다.
② 표현을 다양하게 할 수 있다.
③ 상대방을 쉽게 설득시킬 수 있다.
④ 생각이나 느낌을 바로 전달할 수 있다.
⑤ 하고 싶은 말을 자세히 표현할 수 있다.

[9~10] 다음을 보고 물음에 답하시오.

아까 점심시간에 미역국을 엎질러서 지효 가방이 더러워졌어. 하지만 지효는 나를 이해해 주었지. 지효에게 　㉠　 마음과 고마운 마음을 나누는 글을 써 볼까?

신우

9 신우가 글을 쓰게 된 상황은 무엇입니까? (   )
① 지효와 다투게 된 상황
② 지효의 사과를 받아 주는 상황
③ 지효의 가방을 떨어뜨려 더럽힌 상황
④ 점심시간에 미역국을 남기게 된 상황
⑤ 점심시간에 미역국을 엎질러서 지효 가방이 더러워진 상황

10 　㉠　에 알맞은 말은 무엇입니까? (   )
① 기쁜   ② 미안한   ③ 서운한
④ 뿌듯한   ⑤ 만족스러운

11 마음을 나누는 글을 쓸 계획을 세울 때 고려할 점이 아닌 것은 무엇입니까? (   )
① 상황을 파악한다.
② 나누려는 마음을 생각한다.
③ 읽을 사람을 생각해서 표현한다.
④ 맞춤법, 띄어쓰기를 지키지 않는다.
⑤ 일어난 사건에 대한 자신의 생각이나 행동을 떠올린다.

지효에게

지효야, 안녕? 나 신우야.

지효야, 아까 내가 네 책상 옆에서 미역국을 엎질렀지? 너는 네 가방이 더러워져서 많이 속상했을 텐데 나에게 "괜찮아?"하면서 걱정을 해 주었어. 그리고 미역국 치우는 것을 도와주었어.

나는 미역국을 엎지르고 너에게 미안하다는 말도 못 하고 멍하니 서 있었어. 너무 당황스러워서 어떻게 해야 할지 생각이 나지 않았어. 그런데 네가 오히려 나를 걱정해 주고 같이 치워 주어서 감동했단다.

지효야, 아까는 당황스러워서 너에게 고맙다는 말을 제대로 못 했어. 정말 고마워! 네 따뜻한 마음을 잊지 않을게.

앞으로 내가 도와줄 일이 있으면 꼭 도와줄게. 그리고 우리 앞으로도 친하게 지내자.

안녕.

친구 신우가

12 신우는 어떤 형식으로 지효에게 마음을 전달하였습니까? (   )

① 전화   ② 편지   ③ 동영상
④ 영상 통화   ⑤ 문자 메시지

13 신우가 쓴 편지에 대한 설명으로 알맞은 것은 무엇입니까? (   )

① 일어난 사건을 자세히 쓰지 않았다.
② 마지막에는 글을 쓴 날짜를 밝혔다.
③ 쓴 사람을 밝히지 않으며 첫인사를 하였다.
④ 나누려는 마음을 표현하고 끝인사를 하였다.
⑤ 앞으로 지효와의 사이가 나쁘게 될 것임을 예측하여 썼다.

[14~16] 정약용이 두 아들에게 보낸 다음 글을 읽고 물음에 답하시오.

❶ ㉮너희는 항상 버릇처럼 말하기를 "일가친척 중에 한 사람도 불쌍히 여겨 돌보아 주는 사람이 없다."라고 개탄하였다. 더러는 험난한 물길 같다느니, 꼬불꼬불 길고 긴 험악한 길을 살아간다느니 하며 한탄하고 있다. 하지만 이는 모두 하늘을 원망하고 사람을 미워하는 말투로, 큰 병이다.

❷ 너희가 아픈 데가 있으면 다른 사람들이 돌보아 주기 마련이었다. 날마다 어떠냐는 안부를 전해 오고, 안아서 부축해 주는 사람도 있었다. 약을 먹여 주고 양식까지 대 주는 사람도 있었다. 이런 일에 너희가 너무 익숙해져 항상 은혜를 베풀어 주기만 바라고 있구나. 너희가 사람의 본분을 망각하지는 않았는지 걱정이다. 그래서 내가 이 편지를 보낸다.

❸ 예나 지금이나 남의 도움만을 받으면서 살라는 법은 애초에 없었다. 마음속으로 남의 은혜를 받고자 하는 생각을 버린다면, 절로 마음이 평안하고 기분이 화평해져 하늘을 원망한다거나 사람을 미워하는 그런 병폐는 없어질 것이다.

14 정약용이 걱정하는 두 아들의 말버릇은 무엇입니까?
(   )

① 남을 험담하는 말버릇
② 자기를 높이는 말버릇
③ 건방지고 버릇없는 말버릇
④ 남의 도움을 바라는 말버릇
⑤ 비속어를 많이 쓰는 말버릇

15 ㉮가 가리키는 사람은 누구이겠습니까? (   )

① 관리들   ② 두 아들   ③ 일가친척들
④ 집안사람들   ⑤ 일반 백성들

16 정약용이 두 아들에게 익숙해져 있는 일이라고 본 것이 아닌 것은 무엇입니까? (   )

① 약을 먹여 주는 사람이 있는 것
② 양식을 대 주는 사람이 있는 것
③ 땔감을 구해 오는 사람이 있는 것
④ 안부를 전해 오는 사람이 있는 것
⑤ 안아서 부축해 주는 사람이 있는 것

[17~20] 정약용이 두 아들에게 보낸 다음 글을 읽고 물음에 답하시오.

> 가 여러 날 밥을 끓이지 못하고 있는 집이 있을 텐데 너희는 쌀이라도 퍼 주고, 추운 집에는 장작개비라도 나누어 따뜻하게 해 주어라. 병들어 약을 먹어야 할 사람들에게는 한 푼의 돈이라도 쪼개어 약을 지을 수 있도록 도와주어라. 가난하고 외로운 노인이 있는 집에는 때때로 찾아가 무릎 꿇고 모시어 따뜻하고 공손한 마음으로 공경해야 한다. 그리고 근심 걱정에 싸여 있는 집에 가서 연민의 눈빛으로 그 고통을 함께 나누며 잘 처리할 방법을 의논해야 한다.
>
> 나 남이 어려울 때 자기는 은혜를 베풀지 않으면서 남이 먼저 은혜를 베풀어 주기만 바라는 것은 너희가 지닌 그 오기 근성이 없어지지 않았기 때문이다. 이후로는 평상시 일이 없을 때라도 항상 공손하고 화목하며, 조심하고 자기 정성을 다해 다른 사람의 환심을 얻는 일에 힘쓸 것이지, 마음속에 보답받을 생각은 가지지 않도록 해라.
>
> 다른 사람을 위해 먼저 베풀어라. 그러나 뒷날 너희가 근심 걱정할 일이 있을 때 다른 사람이 보답해 주지 않더라도 부디 원망하지 마라. 가벼운 농담일망정 "나는 지난번에 이렇게 저렇게 해 주었는데 저들은 그렇지 않구나!" 하는 소리도 입 밖에 내뱉지 말아야 한다.

○ 정약용 동상

17 정약용이 두 아들에게 당부한 것이 <u>아닌</u> 것은 무엇입니까? ( )

① 가난하고 외로운 노인을 공손한 마음으로 공경해야 한다.

② 근심 걱정에 싸여 있는 집에 가서 그 고통을 함께 나누라.

③ 여러 날 밥을 끓이지 못하고 있는 집이 있으면 쌀이라도 퍼 주라.

④ 병들어 약을 먹어야 할 사람들에게는 약을 지을 수 있도록 도와주어라.

⑤ 공부를 하고 싶어도 돈이 없어 못하는 아이들을 모아 공부를 가르쳐라.

18 정약용이 두 아들에게 해서는 안 되는 것이라고 이야기한 것은 무엇입니까? ( )

① 공경 ② 보답 ③ 사과
④ 원망 ⑤ 환심 사기

19 정약용이 이 글을 통해 두 아들에게 말하려는 것은 무엇입니까? ( )

① 성실하게 일해야 한다.

② 베푸는 삶을 살아야 한다.

③ 항상 건강을 챙겨야 한다.

④ 백성을 위하면 근심 걱정이 없다.

⑤ 먼저 은혜를 베풀지 않는 사람을 용서해 주어야 한다.

20 다음을 읽고 이 글에 대하여 판단한 내용으로 알맞지 <u>않은</u> 것은 무엇입니까? ( )

> 정약용은 천주교도를 박해한 사건에 연루되어 40세부터 18년 동안 전남 강진에서 유배 생활을 했다. 정약용은 유배 생활 중에도 많은 책을 썼고, 가족과 친지들에게 가끔씩 보내는 편지로 바깥세상과 연락하였다. 특히 아들들에게 근검절약과 사람들과 사귀며 살아가는 방법 등 좋은 가르침을 주고자 하였는데, 그중 하나가 자신의 두 아들인 정학연과 정학유에게 쓴 이 글이다.

① 이 글은 가족에게 보낸 편지 중의 하나이겠군.

② 이 글은 정약용이 유배 생활을 하던 중에 쓴 글이겠군.

③ 정약용은 정학연과 정학유를 생각하며 이 글을 썼겠군.

④ 이 글에서 정약용이 자식 교육에 대하여 걱정하는 모습을 볼 수 있군.

⑤ 정약용은 이 글을 유배지에서 책을 쓰는 즐거운 마음을 두 아들과 나누려고 썼겠군.

· 답안 입력하기 · 평가 분석표 받기

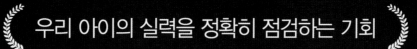

우리 아이의 실력을 정확히 점검하는 기회

40년의 역사
전국 초·중학생 213만 명의 선택

HME 학력평가
해법수학·해법국어

응시 학년
수학 | 초등 1학년 ~ 중학 3학년
국어 | 초등 1학년 ~ 초등 6학년

응시 횟수
수학 | 연 2회 (6월 / 11월)
국어 | 연 1회 (11월)

주최 **천재교육** | 주관 **한국학력평가 인증연구소** | 후원 **서울교육대학교**

*응시 날짜는 변동될 수 있으며, 더 자세한 내용은 HME 홈페이지에서 확인 바랍니다.

온라인
학습북

수학 전문 교재

● 연산 학습

빅터연산   예비초~6학년, 총 20권

창의융합 빅터연산   예비초~4학년, 총 16권

● 개념 학습

개념클릭 해법수학   1~6학년, 학기용

● 수준별 수학 전문서

해결의법칙(개념/유형/응용)   1~6학년, 학기용

● 단원평가 대비

수학 단원평가   1~6학년, 학기용

밀등전략 초등 수학   1~6학년, 학기용

● 단기완성 학습

초등 수학전략   1~6학년, 학기용

● 상위권 학습

최고수준 S 수학   1~6학년, 학기용

최고수준 수학   1~6학년, 학기용

최강 TOT 수학   1~6학년, 학년용

● 경시대회 대비

해법 수학경시대회 기출문제   1~6학년, 학기용

예비 중등 교재

● 해법 반편성 배치고사 예상문제   6학년

● 해법 신입생 시리즈(수학/영어)   6학년

맞춤형 학교 시험대비 교재

● 열공 전과목 단원평가   1~6학년, 학기용(1학기 2~6년)

한자 교재

● 한자능력검정시험 자격증 한번에 따기   8~3급, 총 9권

● 씽씽 한자 자격시험   8~5급, 총 4권

● 한자 전략   8~5급II, 총 12권

배움으로 행복한 내일을 꿈꾸는
천재교육 커뮤니티 안내

교재 안내부터 구매까지 한 번에!
천재교육 홈페이지

자사가 발행하는 참고서, 교과서에 대한 소개는 물론
도서 구매도 할 수 있습니다. 회원에게 지급되는 별을 모아
다양한 상품 응모에도 도전해 보세요!

다양한 교육 꿀팁에 깜짝 이벤트는 덤!
천재교육 인스타그램

천재교육의 새롭고 중요한 소식을 가장 먼저 접하고 싶다면?
천재교육 인스타그램 팔로우가 필수!
깜짝 이벤트도 수시로 진행되니 놓치지 마세요!

수업이 편리해지는
천재교육 ACA 사이트

오직 선생님만을 위한, 천재교육 모든 교재에 대한 정보가 담긴
아카 사이트에서는 다양한 수업자료 및 부가 자료는 물론
시험 출제에 필요한 문제도 다운로드하실 수 있습니다.

https://aca.chunjae.co.kr

천재교육을 사랑하는 샘들의 모임
천사샘

학원 강사, 공부방 선생님이시라면 누구나 가입할 수 있는 천사샘!
교재 개발 및 평가를 통해 교재 검토진으로 참여할 수 있는 기회는 물론
다양한 교사용 교재 증정 이벤트가 선생님을 기다립니다.

아이와 함께 성장하는 학부모들의 모임공간
튠맘 학습연구소

튠맘 학습연구소는 초·중등 학부모를 대상으로 다양한 이벤트와 함께
교재 리뷰 및 학습 정보를 제공하는 네이버 카페입니다.
초등학생, 중학생 자녀를 둔 학부모님이라면 튠맘 학습연구소로 오세요!

수학의 해법이 풀리다!

해결의 법칙 시리즈

단계별 맞춤 학습

개념, 유형, 응용의 단계별 교재로
교과서 차시에 맞춘 쉬운 개념부터
응용·심화까지 수학 완전 정복

혼자서도 OK!

이미지로 구성된 핵심 개념과 셀프 체크,
모바일 코칭 시스템과 동영상 강의로
자기주도 학습 및 홈 스쿨링에 최적화

300여 명의 검증

수학의 메카 천재교육 집필진과
300여 명의 교사·학부모의
검증을 거쳐 탄생한 친절한 교재

흔들리지 않는 탄탄한 수학의 완성! (초등 1~6학년 / 학기별)

홈스쿨링
우등생

정답은 정확하게
풀이는 자세하게

꼼꼼 풀이집

초등 국어 **6·1**

꼼꼼 풀이집

정답과 풀이

6-1

6 1. 비유하는 표현

1 ①   **2** (1) ① (2) ②   **3** ②   **4** 서준
5 교향악   **6** ⑤   **7** 예 큰 소리가 나는 것이 비슷해서이다. / 크기가 크기 때문이다.   **8** 봄비
9 ⑤   **10** ④   **11** ①   **12** ①
13 예 꽃잎 같은 친구 좋아 / 언제나 아름답고 예쁜 꽃을 피우는 꽃잎처럼   **14** ②   **15** ①, ②   **16** 예 깊고 넓다.
17 ①   **18** 은수

1 뻥튀기가 튀겨질 때 사방으로 튀는 모습과 뻥튀기를 튀길 때 나는 고소한 냄새를 표현하려고 합니다.

2 뻥튀기가 사방으로 날리는 모양은 봄날 꽃잎에, 뻥튀기 냄새는 고소한 새우 냄새에 비유하였습니다.

3 '뻥이요'라는 글자를 진하고 구불구불하게 표현한 까닭은 뻥튀기하는 상황을 강조하기 위한 까닭도 있습니다.

4 뻥튀기는 쌀, 감자, 옥수수 등을 튀겨서 크게 만들어서 먹는 과자입니다. 이런 뻥튀기의 재료나 특성을 생각하면서 빗대어 표현하고 싶은 사물을 알맞게 정해서 빗대어 표현한 까닭을 말해야 합니다.

5 '봄비 내리는 소리'를 '교향악'에 빗대어 표현한 까닭은 여러 가지 소리가 섞여 있는 것이 비슷해서입니다.

6 지붕, 세숫대야 바닥, 앞마을 냇가, 뒷마을 연못, 외양간 엄마 소가 악기가 된다고 하였습니다.

7 시 「봄비」에서는 봄비가 내리면서 다른 사물에 부딪칠 때 나는 소리를 음악으로 생각하고 여러 가지 사물을 악기라고 표현하였습니다. '지붕'을 '큰북'에 비유하여 표현한 까닭은 봄비가 지붕에 떨어지면서 나는 소리가 큰북을 칠 때처럼 크기 때문입니다.

8 "앞마을 냇가에선 / 퐁퐁 포옹 퐁 / 뒷마을 연못에선 / 풍풍 푸웅 풍"은 앞마을 냇가와 뒷마을 연못에 봄비가 경쾌하게 내리는 장면을 표현한 것입니다.

9 운율은 시가 음악처럼 느껴지게 하는 요소로, 소리가 비슷한 글자나 일정한 글자 수가 반복될 때 생깁니다.

10 친구와 헤어질 때 손을 흔들고, 만나서 얼싸안는 장면이 떠오릅니다.

11 풀잎하고 헤어졌다가 되찾아 온 바람의 모습이 만나면 얼싸안는 친구 같기 때문입니다.

12 시 「풀잎과 바람」에는 친구 사이의 우정이 드러납니다.

13

평가	답안 내용
상	예 공기 같은 친구 좋아 언제나 내 옆에서 함께해 주는 공기처럼
	→ 비유하는 표현을 사용하여 시의 짜임에 맞추어 씀.
중	예 햇볕 같은 친구가 좋다. 내 마음을 따뜻하게 비추어 주기 때문이다.
	→ 비유하는 표현을 사용하였지만 시의 짜임에 맞지 않아 일부 어색한 부분이 있음.

채점 기준

14 봄이 되어 새롭게 만난 대상에 대한 생각이나 마음을 표현하는 것이므로 새롭게 만난 친구들과 잘 지내고 싶은 마음을 표현하는 것이 알맞습니다.

15 봄에 피는 꽃을 보고 표현하고 싶은 생각이나 마음으로는 화사함이나 새로운 시작 등이 알맞습니다.

16

채점 기준

평가	답안 내용
상	예 보고 있으면 마음이 편해진다.
	→ 친구를 호수나 바다에 빗대어 표현할 때 공통점을 알맞게 쓰면 정답으로 인정
중	예 늘 푸르다.
	→ 공통점을 썼지만 특성이 명확하게 드러나지 않음.

부족한 답안 친구가 호수나 바다를 좋아한다.
    ↳ 모든 것을 보듬어 준다.
→ 친구와 호수나 바다의 공통점을 써야 해요.

17 직유법이나 은유법을 알맞게 사용하여 짧고 간단하게 시로 표현하여 봅니다.

18 시 낭송을 할 때에는 노래하듯이 부드럽고 자연스럽게 읽는 것이 좋습니다.

1 ①, ②   **2** ①   **3** ①   **4** 수민   **5** ②
6 ③   **7** ④   **8** 민정   **9** (1) ② (2) ① (3) ③
10 예 경쾌하고 가볍게 움직이는 것이 비슷해서이다.
11 운율   **12** ①   **13** ⑤   **14** ①   **15** ③
16 ①   **17** (1) ① (2) ③ (3) ④ (4) ②   **18** 은아
19 예 언제나 나와 함께 있는 내 그림자   **20** ②

2 뻥튀기가 사방으로 날리는 모양과 봄날 꽃잎은 하늘에 흩날린다는 공통점이 있습니다.

4 '뻥튀기'를 다른 사물에 빗대어 표현한 까닭은 뻥튀기하는 상황을 훨씬 실감 나게 표현하고, 뻥튀기하는 상황을 읽는 사람들에게 더 생생하게 전달하기 위해서입니다.

6 예전에는 뻥튀기하는 모습을 동네나 시장에서 자주 볼 수 있었지만 요즈음에는 거의 볼 수 없습니다. 글쓴이는 뻥튀기를 튀기는 모습과 같은 사라져 가는 모습의 소중함에 대해서 알려 주려고 합니다.

7 "하루 종일 연주한다."라는 표현에서 봄비가 하루 종일 내리고 있다는 것을 알 수 있습니다.

8 교향악이 여러 가지 악기로 연주되듯이 봄비가 여러 사물에 내리면서 다양한 소리가 나기 때문입니다.

9 '이 세상 모든 것'을 '악기'에, '지붕'을 '큰북'에, '세숫대야 바닥'을 '작은북'에 비유하여 표현하였습니다.

10

평가	답안 내용
상	정답 키워드 예 경쾌하다 / 가볍다. 예 가볍고 경쾌하게 움직인다. → 왈츠의 특성을 떠올리며 봄비 내리는 모습과의 공통점을 알맞게 씀.
중	(2) 예 부드러운 느낌이 든다. → 왈츠의 특성을 떠올리며 공통점을 썼지만 조금 어색한 부분이 있음.

11 시가 음악처럼 느껴지게 하는 요소로, 소리가 비슷한 글자나 일정한 글자 수가 반복될 때 생기는 것은 '운율'입니다.

12 직유법이 쓰였습니다.

13 바람하고 엉켰다가 풀 줄 아는 풀잎의 모습이 헤어질 때 또 만나자고 손 흔드는 친구 같기 때문입니다.

14 새로운 표현으로 바꿀 때에는 원래 시의 짜임과 비슷하게 바꾸는 것이 좋습니다.

15 의미와 비유하는 까닭 사이에 관련이 있어야 합니다.

16 두 대상을 직접 견주어 표현하는 방법을 직유법이라고 합니다.

17 원에서 뻗어 나간 가지에서 떠올린 내용을 보고 어떤 대상인지 파악합니다.

18 경찰관 아저씨는 봄에만 새롭게 만날 수 있는 사람은 아닙니다.

19

평가	답안 내용
상	예 언제나 내 곁에 있는 내 그림자 → 비유하는 표현을 알맞게 사용하여 시의 짜임에 맞추어 씀.
중	예 연예인처럼 멋있다. → 비유하는 표현을 사용하여 썼지만 시의 짜임에 알맞지 않음.

2. 이야기를 간추려요

진도 학습　　　　　　　　　교과서 진도북 **21~37** 쪽

1 황금 사과　　**2** ①　　**3** ①　　**4** ④

5 ①　　**6** 소율　　**7** ②　　**8** ⑤　　**9** 정인

10 예 앞으로 사과와 담 너머의 아이들이 서로 친해지게 되고 두 동네 사람들도 서로 오해를 풀어 사이좋게 지내게 될 것이다.

11 ①　　**12** ①, ④　　**13** 저승　　**14** ①

15 (1) 사건의 원인 찾기 (2) 중요하지 않은 내용 삭제하기 (3) 관련 있는 사건은 하나로 묶기　　**16** ⑤　　**17** 덕진

18 예 저승사자는 원님에게 덕진이라는 아가씨의 곳간에서 쌀을 꾸어 계산하게 하고 원님을 이승으로 보냈다.　　**19** ⑤

20 ①　　**21** 예 마을 앞을 가로지르는 강가에 다리를 놓았다.

22 ②　　**23** ③　　**24** ④　　**25** ①　　**26** (1) 땅 (2) 종이　　**27** ④　　**28** ②　　**29** ②　　**30** ②

31 ①, ②　　**32** 예 현재의 삶이 행복하지 않다.　　**33** ②

34 부스러기　　**35** ③　　**36** ①

37 ①, ②, ③　　**38** 날다람쥐　　**39** ⑤

40 ①　　**41** ③　　**42** ③　　**43** 우주 그림

44 ⑤　　**45** 우주 호텔　　**46** ②, ⑤

47 (1) 땅 (2) 하늘　　**48** ⑤　　**49** 예 메이가 그린 우주 그림을 보고 어릴 적 꿈을 떠올렸다.　　**50** (1) ② (2) ①

51 예 행복할 것 같다. 눈에 혹이 난 할머니와 함께 마음을 나누며 살기 때문이다.　　**52** ①, ③　　**53** ⑤　　**54** ④

55 (1) ② (2) ①　　**56** ⑤　　**57** ④

58 (1) 예 소년과 소녀가 개울가에서 만나는 장면 (2) 예 개울가의 물소리를 듣고 내 마음이 설렜다.

자습서 확인 문제 **27**쪽

1 ㉠　　**2** 수고비　　**3** 이승　　**4** 다리

자습서 확인 문제 **36**쪽

1 종이　　**2** 외계인　　**3** 땅　　**4** 우주 호텔

1 어느 작은 도시의 한가운데에 황금 사과가 열리는 예쁜 사과나무가 자라고 있었습니다.

2 두 동네 사람들이 황금 사과를 서로 가지겠다고 싸우는 것에서 갈등이 시작됩니다.

3 황금 사과를 잘 나누기 위해서 땅바닥에 금을 긋고, 금 오른쪽에 열리는 사과는 윗동네, 금 왼쪽에 열리는 사과는 아랫동네에서 갖도록 결정하였습니다.

4 두 동네 사람들은 황금 사과를 서로 더 많이 가지겠다는 욕심이 생겼습니다.

5 두 동네 사람들은 다른 동네에 있는 황금 사과를 갖지 못하게 하려고 나무 울타리를 세우고 담을 높게 쌓았는데, 점점 담을 세운 까닭을 잊고 미워하는 마음만 남았습니다.

6 황금 사과를 서로 가지겠다고 욕심을 부리고 서로를 미워하게 된 두 동네 사람들에 대한 생각이나 느낌을 알맞게 말합니다.

7 황금 사과를 따서 똑같이 나누어 가지거나 황금 사과를 팔아서 두 동네에 필요한 일에 사용하는 것이 알맞습니다.

8 두 동네 사람들은 서로 오가지 않고 미워하는 마음만 남게 되어서 다른 동네 사람들을 괴물이라고 생각하였습니다.

9 아이의 이름이 사과인 것은 먹는 사과가 아닌 화해의 의미로 사용되는 사과로, 두 동네 사람들이 서로 화해하고 대화와 소통을 하라는 뜻이 담겨 있습니다.

10

채점 기준	
평가	답안 내용
상	예 사과와 아이들이 친해지게 되면서 차츰 어른들도 서로의 동네를 오가다가 마지막에는 담을 없앨 것이다.
	→ 예시 답안처럼 사과와 아이들이 친해지고 두 동네 사이의 관계도 좋아질 것이라는 내용을 구체적으로 씀.
중	예 사과와 아이들이 친해질 것이다.
	→ 이어질 내용을 썼지만 이야기의 주제를 생각하면서 자세하게 쓰지 못함.

11 괴물이 살고 있다며 담 근처에도 가지 말라는 어른들과 달리 먼저 가서 대화를 나누는 사과는 용기가 있습니다.

12 황금 사과를 서로 가지겠다고 욕심을 부리다가 소통하지 않게 된 두 동네 사람들의 모습을 통해 주제를 파악할 수 있습니다.

13 영암 원님이 죽어서 저승에 가는 것에서 사건이 시작됩니다.

14 저승에 있는 곳간 안의 재물이 사람마다 다른 까닭은 이승에서 좋은 일을 한 만큼 재물이 쌓이기 때문입니다.

15 원님이 이승에서 좀 더 살게 해 달라고 간청한 것이 원인이고, 염라대왕이 원님을 저승사자에게 돌려보낸 것이 결과입니다. 그리고 원님이 이승으로 가려고 한다는 비슷한 사건이 계속 나오므로 하나로 묶어서 간추리는 것이 좋습니다.

16 원님이 이승에서 남에게 덕을 베푼 일이 몹시 가난한 아낙이 아기를 낳을 때 볏짚 한 단을 구해다 준 것이 전부였기 때문입니다.

17 원님은 저승사자에게 줄 수고비를 마련하기 위해 이승에서 덕진에게 갚기로 하고 저승에 있는 덕진의 곳간에서 쌀 삼백 석을 꾸었습니다.

18

채점 기준	
평가	답안 내용
상	정답 키워드 저승사자 / 원님 / 덕진의 곳간 / 이승
	예 원님이 덕진의 곳간에서 쌀 삼백 석을 꾸어서 셈을 치르자 저승사자가 원님을 이승을 보냈다.
	→ 예시 답안처럼 원님이 덕진의 곳간에서 쌀 삼백 석을 꾸어 저승사자에게 준 것과 저승사자가 원님을 이승으로 보낸 사건이 모두 나타나게 쓰면 정답으로 인정
중	예 원님이 덕진의 곳간에서 쌀 삼백 석을 꾸었다. / 저승사자가 원님을 이승으로 보냈다.
	→ 두 사건이 자연스럽게 이어지게 쓰지 못하고 한 가지 사건만 나타나게 씀.

19 덕진이 어렵고 불쌍한 사람을 대가를 바라지 않고 도왔기 때문에 감동적인 마음이 들었을 것입니다.

20 덕진이 저승에 가서 저승 곳간을 보게 되었을 때 원님이 쌀을 갚은 까닭을 알게 될 것입니다.

21 결말 부분 사건의 중심 내용은 덕진이 원님에게 받은 쌀로 마을 앞을 가로지르는 강가에 다리를 놓았다는 것입니다.

22 덕진의 행동을 통해 덕을 베풀며 살자는 주제를 전하고 있습니다.

23 글 ❶은 이야기의 발단 부분으로 할머니가 땅만 보고 종이를 주우며 시작됩니다.

24 할머니와 수수깡은 말랐다는 공통점이 있습니다.

25 고단한 현실을 살아가느라 하늘과 구름을 쳐다볼 여유가 없다는 뜻입니다.

26 할머니가 땅만 살피며 종이를 주워서 사람들은 할머니를 '종이 할머니'라고 불렀습니다.

27 글 ❷에서는 종이 할머니가 눈에 혹이 난 할머니를 만나 싸우게 되는 사건이 나옵니다. 그래서 앞으로 펼쳐질 이야기에서는 둘 사이의 관계가 어떻게 될지 생각하면서 읽게 됩니다.

28 작고 뚱뚱한 할머니의 한쪽 눈두덩에 불룩한 혹이 나 있어서 깜짝 놀랐습니다.

29 동네에는 폐지를 줍는 노인이 여럿 있었지만 노인마다 빈 상자를 거두는 가게가 따로 있었습니다.

30 '화가 치밀어 오른'이라는 말에서 종이 할머니의 마음을 알 수 있습니다.

31 종이 할머니는 눈에 혹이 난 할머니를 밀어 넘어뜨려서 미안하기도 하였지만 자기보다 약할 것 같아서 안심이 되었습니다.

32

채점 기준	
평가	답안 내용
상	예 자신의 몸이 사라져도 상관이 없을 정도로 사는 것에 재미가 없다. → 예시 답안 외에도 종이 할머니가 행복하지 않다, 헌재의 삶에 의미를 두지 않는다, 꿈이 없다 등과 같은 내용을 쓰면 정답으로 인정
중	예 세상에서 사라져도 괜찮다. → 종이 할머니의 생각을 간단하게 씀.

33 종이 할머니는 폐지를 팔아서 받은 돈이 자신이 일한 것보다는 적다고 생각합니다.

34 두 대상의 비슷한 점을 찾습니다.

35 맞은편 집에 이사 온 여자아이는 눈이 컸다고 하였습니다.

36 새로 이사 온 아이는 다 쓴 공책이나 광고지를 떼어 와 종이 할머니에게 주었습니다.

37 종이 할머니는 메이의 이름이 궁금하였고, 메이의 뒷모습이 사라지는 것이 아쉬웠습니다. 그리고 메이가 오기를 기다리게 되었습니다.

38 메이가 뛰어다니는 모습을 날다람쥐에 빗대어 표현하였습니다.

39 메이의 그림에는 메이가 비누 거품 속에서 노는 모습, 알록달록한 꽃밭에서 메이가 친구랑 노는 모습, 메이가 친구와 싸우고 친구와 따로 떨어져서 고개를 숙이고 있는데, 시커먼 먹구름이 화난 표정으로 비를 퍼붓고 있는 모습, 우주의 모습 등이 그려져 있었습니다.

40 메이의 그림을 보고 종이 할머니는 하늘을 본 지 꽤 오래되었다는 생각을 하였습니다.

41 메이가 그린 우주 그림을 보고 종이 할머니는 하늘을 올려다보게 된 것입니다.

42 종이 할머니의 생각과 생활은 메이가 그린 우주 그림을 보기 전과 보고 난 후로 달라집니다. 메이가 그린 우주 그림을 보고 어릴 적 꿈을 떠올린 종이 할머니는 감동적일 것입니다.

43 종이 할머니가 가장 마음에 들어 한 그림은 스케치북의 마지막 장에 그려진 우주 그림이었습니다.

44 메이가 그린 우주 그림에 있는 포도 모양의 성의 포도 알갱이들은 하나하나가 작은 방 같았습니다. 그리고 그 알갱이들은 투명하고 푸른빛을 띠며 빛나고 있어서 꼭 유리로 만든 바다처럼 보였습니다.

45 종이 할머니가 우주 속에 떠 있는 포도 모양의 성이 무엇이냐고 묻자 메이가 우주 호텔이라고 대답하였습니다.

46 메이는 우주 호텔은 우주를 여행하다가 쉬는 곳이고 외계인 친구를 만나서 차도 마실 수 있다고 하였습니다.

47 메이가 그린 우주 그림을 보기 전에 종이 할머니는 매일 폐지를 주우려고 땅만 쳐다보며 의미 없이 살았습니다. 그러다가 메이가 그린 우주 그림을 본 뒤에는 무기력했던 삶에 조금씩 애착이 생겨서 하늘을 보며 살게 되었습니다.

48 비둘기처럼 날아가고 싶어서 허리를 펴고 고개를 드는 할머니 모습이 머릿속에 그려져서 인상 깊습니다.

49 절정 부분 사건의 중심 내용을 간추릴 때에는 종이 할머니가 꿈을 되찾게 된 사건이 잘 나타나야 합니다.

50 종이 할머니는 도서관 앞에 있는 눈에 혹이 난 할머니를 보고 먼저 다가가 말을 걸었습니다.

51

채점 기준	
평가	답안 내용
상	예 마음이 따뜻할 것 같다. 눈에 혹이 난 할머니와 친구가 되었기 때문이다. → '행복할 것 같다.', '마음이 따뜻할 것 같다.' 등과 같이 종이 할머니의 마음을 알맞게 쓰고 그 까닭으로 눈에 혹이 난 할머니와 같이 지내거나 친구가 되었기 때문이라는 내용을 쓰면 정답으로 인정
중	→ 종이 할머니의 감정은 썼지만, 그 까닭을 알맞게 쓰지 못함.

부족한 답안 좋을 것이다. 밥을 같이 먹을 사람이 생겼기 때문이다.
 └→ 행복할 것 같다. 눈에 혹이 난 할머니와 함께 나누며 살기 때문이다.
→ 이야기에 나오는 인물의 감정에 대해 쓸 때에는 단순하게 '좋다', '나쁘다' 등이 아니라 감정을 나타내는 말을 사용하여 구체적으로 쓰는 것이 좋아요. 그리고 인물의 행동에 담긴 의미를 찾아 써요.

52 결말 부분의 중요한 사건은 종이 할머니가 눈에 혹이 난 할머니와 친구처럼 지내고, 종이 할머니가 자신이 사는 곳을 우주 호텔이라고 생각한다는 것입니다.

53 종이 할머니는 자신이 사는 곳을 인생이라는 여행에서 잠시 쉬어 가는 곳이라고 생각했기 때문에 우주 호텔이라고 하였습니다.

54 이야기 「우주 호텔」의 주제는 '이웃과 마음을 나눌 줄 아는 사람이 되자.'입니다.

55 이야기의 시간적 배경은 늦여름에서 초가을, 공간적 배경은 농촌 마을입니다.

56 갑자기 소나기가 내려 소년과 소녀가 수숫단 속에서 비를 피하는 부분에서 긴장됩니다.

57 인물의 말과 행동은 만화 영화에 나오는 인물들을 보면서 알 수 있습니다.

58

채점 기준

평가	답안 내용
상	(1) 예 소나기가 멎은 뒤에 소년이 소녀를 업고 물이 불어 나 돌다리가 없어진 개울을 건너는 장면 (2) 예 몸이 약한 소녀를 배려하는 소년의 마음이 느껴 졌다. → 예시 답안처럼 인상 깊었던 장면과 그것에 대한 생각이 나 느낌을 모두 알맞게 쓰면 정답으로 인정.
중	→ 인상 깊었던 장면을 썼지만, 그 까닭을 알맞게 쓰지 못함.

부족한 답안 (1) 소년이 징검다리 한가운데에 앉아 있는 소녀 에게 비켜 달라고 말하지 못하는 장면

(2) 쑥스럽기 때문이다.
↳ 쑥스럽고 수줍어하는 소년의 마음이 잘 느껴지기 때문이다.
→ 인물의 행동에 담겨 있는 마음을 파악하는 문제가 아니므로 인상 깊었던 장면에 대한 생각이나 느낌을 써요.

단원 평가
교과서 진도북 **38~40** 쪽

1 황금 사과 **2** ② **3** ④ **4** 공을 가 지고 즐겁게 노는 아이들 **5** 수아 **6** ② **7** 수고비 **8** 재물 **9** ⑤ **10** 예 덕진의 곳간에서 쌀 삼백 석을 꾸었다. **11** ② **12** ② **13** 예 덕진 은 고민 끝에 쌀을 팔아 마을 앞을 가로지르는 강가에 다리를 놓 기로 했다. **14** 초록색 외계인 친구 **15** ① **16** 눈에 혹 이 난 할머니 **17** ③ **18** 예 인생이라는 여행 을 하다가 잠시 쉬어 가는 곳이라고 생각했기 때문이다. **19** ③ **20** ②

1 두 동네 사람들은 황금 사과를 가지겠다고 싸웠습니다.

2 시간이 지나면서 담을 세운 까닭도 잊고 서로 미워하는 마음만 남게 되었습니다.

3 오해가 생겨서 다른 동네에는 심술궂고 못된 아주 나쁜 사람들이 살고 있다고 믿게 되었습니다.

4 아이는 다른 동네에도 자신과 똑같은 아이들이 있는 것을 보았습니다.

5 '환한 햇살'이라는 표현에서 두 동네 사람들 사이가 좋아 질 것임을 예상할 수 있습니다.

6 사과는 용기를 내어서 담에 있는 문을 열고 다른 동네의 아이들에게 먼저 다가가서 말을 걸었습니다.

7 저승사자는 원님에게 저승까지 데려온 수고비를 달라고 하였습니다.

8 저승 곳간은 이승에서 좋은 일을 한 만큼 재물이 쌓입니다.

9 덕진이 이승에서 덕을 많이 베풀며 살고 있다는 것을 뜻 합니다.

10 원님은 덕진의 곳간에서 쌀 삼백 석을 꾸어서 저승사자에 게 수고비로 주었습니다.

11 덕진이 정말로 덕을 베푸는 사람인지 알아보기 위해서였 습니다.

12 덕진은 저승에서의 일을 알지 못해 원님이 쌀을 주는 까 닭을 몰라서 받을 수 없다고 하였습니다.

13 **채점 기준**

평가	답안 내용
상	예시 답안처럼 덕진이 원님에게 받은 쌀로 마을 앞을 가로 지르는 강가에 다리를 놓기로 하였다는 내용을 씀.
중	덕진이 다리를 놓기로 하였다는 내용만 간단하게 씀.

14 종이 할머니는 눈에 혹이 난 할머니를 보고 메이가 그린 초록색 외계인 친구를 닮은 것도 같다고 생각하였습니다.

15 종이 할머니는 눈에 혹이 난 할머니에게 자신의 집을 알 려 주며 놀러 오라고 말하였습니다.

16 눈에 혹이 난 할머니와 폐지도 같이 줍고 밥도 같이 먹고 생강차도 나누어 마셨기 때문입니다.

17 친구가 생긴 종이 할머니는 행복할 것입니다.

18 **채점 기준**

평가	답안 내용
상	**정답 키워드** 인생 / 여행 / 쉬어 가는 곳 예 인생이라는 여행을 하다가 잠시 쉬어 가는 곳이라고 생각했기 때문이다. → 예시 답안 외에도 '세상을 살아가다가 친구와 잠시 쉴 수 있는 곳이기 때문이다.' 등과 같이 '여행'과 '우주 호텔' 이 뜻하는 것이 무엇일지 생각하며 문장에 담긴 의미를 알 맞게 씀.
중	예 눈에 혹이 난 할머니와 밥을 먹고 차를 마실 수 있기 때문이다. → 예시 답안처럼 문장의 숨은 의미를 파악하지 못하고 겉 으로 드러난 내용만 씀.

부족한 답안 예 쉴 수 있는 곳이기 때문이다.
↳ 일상적인 삶이 여행이므로, 이웃과 함께하는 곳이 우주 호텔이 된다고 생각했기 때문이다.
→ '여행'과 '우주 호텔'이 뜻하는 것이 무엇인지 파악하여 종이 할머니의 생각을 정확하게 써요.

19 소년이 개울 돌다리에 앉아 있는 소녀를 만나는 장면에서 이야기가 시작됩니다.

20 소년과 소녀는 소나기가 내리던 날 둘만의 여러 가지 추 억을 쌓았습니다.

3. 짜임새 있게 구성해요

진도 학습   교과서 진도북 **43~49**쪽

1 (1) ① (2) ❸ (3) ❷   **2** ⑤   **3** (1) ○ (2) ○
4 영훈   **5** ①   **6** ⑤   **7** ①, ⑤
8 예 여러 사람 앞에서 말하기 때문에 높임 표현을 사용하였다.
9 ❷   **10** ④, ⑤   **11** ❶, ❸   **12** (1) ② (2) ③ (3) ①
13 (2) ×   **14** ③   **15** ⑤   **16** 꼭 필요한 내용만
17 예 자료를 가져온 곳을 밝히지 않았다.   **18** 민재
19 미래에는 어떤 인재가 필요할까   **20** ①   **21** ①
22 ④   **23** ⑤   **24** ②   **25** (1) ② (2) ① (3) ③
26 ④

자습서 확인 문제   **49**쪽

1 ©   **2** 적으며   **3** 저작권

1 어떤 상황에서 말하는 그림인지 살펴봅니다.

2 공식적인 말하기 상황에서는 여러 사람 앞에서 말해야 하므로 높임 표현을 사용해야 합니다.

3 공식적인 말하기 상황은 여러 사람 앞에서 발표하는 상황입니다.

4 자료를 활용하여 발표하면 설명하는 대상을 한눈에 알아보기 쉽고, 설명하는 내용을 쉽게 전달할 수 있습니다.

5 깨끗한 화장실을 만들어 달라는 의견입니다.

6 후보자는 깨끗한 화장실과 꿈이 있는 학교를 만들겠다고 하였습니다.

7 작년에 학교에서 학생들을 대상으로 학교에 바라는 점을 설문 조사 한 결과와 『오늘의 순위』라는 책의 내용을 활용하였습니다.

8

채점 기준	
평가	답안 내용
상	**정답 키워드** 높임 표현 예 공식적인 말하기 상황이기 때문에 높임 표현을 사용하여 바른 자세와 태도로 말하였다. → 여러 사람 앞에서 말하는 공식적인 말하기 상황이라는 점과 높임 표현을 사용하여 말하였다는 내용을 모두 포함하여 씀.
중	예 전교 학생회 회장단 선거 후보의 연설이기 때문에 높임 표현을 사용하였다. → 높임 표현을 사용하였다는 내용을 썼지만 여러 사람 앞에서 말하는 공식적인 상황임을 구체적으로 나타내어 쓰지 못함.

9 대상의 정확한 모습이나 장면을 한눈에 있는 그대로 보여 줄 수 있는 것은 사진의 특성입니다.

10 동영상은 대상이 움직이는 모습을 생생하게 전달할 수 있고, 음악이나 자막을 넣어 분위기를 잘 전달할 수 있습니다.

11 우리나라 인구수의 변화를 친구들에게 한눈에 알기 쉽게 보여 주고 싶을 때 활용하면 좋은 자료는 표와 도표입니다.

12 여행지의 자연환경은 사진을 활용하여 한눈에 보여 줄 수 있고, 여행지의 평균 기온은 도표로 보여 줄 수 있습니다. 여행지까지 가는 길은 지도로 확인할 수 있습니다.

13 지금은 사라진 과거의 직업은 우리 반 친구들이 원하는 직업과 관련이 없습니다.

14 친구들의 장래 희망을 순위대로 간단하게 정리할 수 있는 표를 활용하는 것이 좋습니다.

15 발표 장소가 넓을 때에는 모든 사람이 자료를 볼 수 있도록 자료를 크게 확대해서 사용하는 것이 좋습니다.

16 발표할 때에는 자료에 꼭 필요한 내용만 정리하는 것이 듣는 사람이 이해하기에 더 쉽습니다.

17

채점 기준	
평가	답안 내용
상	**정답 키워드** 자료를 가져온 곳 예 자료를 가져온 곳을 밝히지 않았다. → 자료를 가져온 곳을 밝히지 않았다는 내용을 씀.
중	예 자료를 함부로 사용하였다. → 자료를 잘못 사용한 점은 알지만 자료를 가져온 곳을 밝히지 않았다는 내용을 쓰지 못함.

18 꼭 필요한 내용만 정리하여 한 번에 적절한 양의 자료를 복잡하지 않게 보여 주는 것이 좋습니다.

19 시작하는 말에서 대한이네 모둠의 발표 주제를 알 수 있습니다.

20 시작하는 말에는 발표하려는 주제나 제목을 넣거나 듣는 사람의 주의를 집중시킬 수 있는 내용을 넣어야 합니다.

21 100대 기업의 인재상 변화를 나타낸 표를 활용하였습니다.

22 시대에 따라 필요한 인재상이 달라지는 것을 알 수 있습니다.

23 동영상은 어떤 모습을 생생하게 전달하는 자료로 알맞습니다.

24 기계가 대신할 수 없는, 인간만이 지니는 능력이 필요하다고 하였습니다.

25 자료를 설명하는 말에는 자료의 핵심 내용을 설명하고 자료의 출처를 반드시 밝혀야 합니다.

26 발표 내용을 잘 구성하려면 어떤 자료를 활용해야 효과적으로 내용을 전달할 수 있을지 생각해야 합니다.

단원 평가
교과서 진도북 **50~52**쪽

1 ② **2** 깨끗한 화장실 **3** ⑤ **4** ①, ②
5 『오늘의 순위』책 **6** ⑦ **7** ③ **8** 도표
9 지희 **10** 예 멀리 있는 친구에게도 잘 보이도록 자료를 크게 확대해서 사용한다. **11** 예 과거의 직업 **12** ②, ③
13 ③ **14** ① **15** 표 **16** ④
17 배우려는 **18** 예 자료를 가져온 곳을 꼭 밝힌다. / 한 번에 적절한 양의 자료를 보여 준다. **19** (2) ×
20 ①

1 후보자는 학생들에게 전교 학생회 회장단 선거의 공약을 말하고 있습니다.

2 지난해 학생들이 학교에 바라는 점을 설문 조사 한 결과를 바탕으로 꼭 깨끗한 화장실을 만들겠다는 공약을 말하였습니다.

3 전교 학생회 회장단 선거 후보의 연설은 공식적인 말하기 상황입니다. 공식적인 말하기 상황은 여러 사람 앞에서 말하는 상황으로, 공식적인 말하기 상황이 아닌 것은 짝에게 어제 본 만화 영화에 대해 말하는 상황입니다.

4 후보자가 우리 학교 학생들이 꿈을 하나씩 정하고 그 꿈을 이루려고 노력하도록 도와주기 위해 첫째, 둘째로 하겠다고 말한 내용을 살펴봅니다.

5 최근에 읽은 『오늘의 순위』책의 내용을 자료로 활용하였습니다.

6 우리나라 초등학생들 가운데에서 꿈이 없는 학생이 많다는 내용입니다.

7 자료를 활용하여 발표하면 듣는 사람이 더 이해하기 쉽습니다.

8 수량의 변화 정도를 보여 주거나 정확한 수치를 나타낼 수 있고, 대상의 수량을 견주어 볼 수 있는 자료는 도표입니다.

9 제주도의 위치를 설명하려면 지도 등을 활용하는 것이 좋습니다.

10 넓은 장소에서 여러 사람 앞에서 발표하려면 자료를 어떻게 활용하는 것이 좋을지 생각해 봅니다.

채점 기준

평가	답안 내용
상	예 모든 친구가 다 볼 수 있도록 자료를 크게 확대해서 사용한다.
	→ 멀리 있는 친구까지 다 볼 수 있도록 자료를 크게 확대해서 사용한다는 내용을 씀.
중	예 모든 사람이 다 볼 수 있도록 한다. / 주제에 알맞은 자료를 활용한다.
	→ 발표하는 상황의 특성을 알고 있지만 자료를 활용하는 방법을 구체적으로 쓰지 못하거나 상황의 특성과 관련 없이 자료를 활용하는 방법을 씀.

부족한 답안 모든 사람이 볼 수 있도록 자료를 활용한다.
　　　　　　　　　　　　　　　크게 확대하여
→ 모든 사람이 다 볼 수 있도록 하려면 어떻게 해야 하는지 구체적으로 밝혀서 쓰는 것이 좋아요.

11 그림 가 에서는 사라진 직업의 종류를, 그림 나 에서는 지금은 사라진 직업인 보부상에 대한 내용을 발표하였습니다.

12 그림 가 에서 활용한 자료는 표, 그림 나 에서 활용한 자료는 동영상입니다. 동영상은 설명하는 대상의 정확한 모습과 움직임 등을 생생하게 알 수 있습니다.

13 자료의 출처를 정확히 밝혀야 합니다. 교실에서 학급 친구들에게 발표할 때에는 꼭 필요한 자료만 정리하여 보여 주고, 모든 친구가 볼 수 있도록 확대하여 활용하는 것이 좋습니다.

14 발표 주제와 제목을 말하였습니다.

15 100대 기업의 인재상 변화를 정리한 표입니다.

16 표의 특성을 생각해 봅니다.

17 미래에는 변화가 굉장히 빠른 속도로 일어나기 때문에 미래의 인재에게 가장 중요한 것은 계속 배우려는 의지라고 하였습니다.

18 자료를 활용할 때 주의할 점을 생각해 봅니다.

채점 기준

평가	답안 내용
상	예 자료의 출처를 밝힌다. / 자료가 너무 길거나 복잡하지 않아야 한다. / 꼭 필요한 내용만 자료에 정리해야 한다.
	→ 자료를 활용할 때 주의할 점을 알맞게 씀.
중	예 친구들이 잘 이해할 수 있도록 자료를 활용한다.
	→ 자료를 활용할 때 주의할 점을 구체적으로 나타내어 쓰지 못함.

19 발표하는 내용 가운데에서 중요한 부분을 적으며 들어야 합니다.

20 우리 반 친구들이 가장 원하는 직업을 설문 조사 한 결과 표가 가장 알맞습니다.

4. 주장과 근거를 판단해요

1 동물원은 필요한가   **2** (1) ① (2) ②   **3** ①, ③
4 세민   **5** ⑤   **6** (1) ❶ (2) ❷, ❸, ❹ (3) ❺
7 (1) ㉠ (2) ㉢ (3) ㉡   **8** 우리 전통 음식   **9** ㉠
10 자정 능력   **11** ④   **12** (2) ◯
13 (1) ① (2) ②   **14** ⑤   **15** ①, ③, ⑤
16 예 국립 공원에 케이블카를 설치해서는 안 된다.
17 ③   **18** (2) ×   **19** ②   **20** (1) 예 일회용품을
많이 사용하는 친구가 있다. (2) 예 일회용품 사용을 줄이자.
(3) 예 일회용품은 땅속에서 분해가 잘 되지 않는다.

자습서 확인 문제   58쪽

1 ㉡   **2** 결론   **3** (2) ◯   **4** ×

1 시은이네 모둠은 '동물원은 필요한가'라는 주제로 서로 이야기하고 있습니다.

2 지훈이와 미진이가 한 말의 첫 문장에 각자의 주장이 나타나 있습니다. 지훈이는 동물원이 있어야 한다고 주장하였고, 미진이는 동물원을 없애야 한다고 주장하였습니다.

3 지훈이는 동물원이 우리에게 큰 즐거움을 주고, 동물원이 동물을 보호해 준다는 것을 근거로 자신의 주장을 내세웠습니다.

4 미진이는 동물원을 없애야 한다고 주장하였으므로 미진이와 생각이 같은 친구는 세민입니다. 권익이와 정은이는 동물원이 필요하다는 주장을 뒷받침하는 근거를 말하였습니다.

5 문단 ❶에 우리 전통 음식보다 외국에서 유래한 음식을 좋아하는 어린이가 많다는 문제 상황이 나타나 있습니다.

6 문단 ❶에는 우리 전통 음식보다 외국에서 유래한 음식을 좋아하는 어린이가 많다는 문제 상황과 우리 전통 음식을 사랑하자는 글쓴이의 주장이 나타나 있으므로 서론입니다. 문단 ❷, ❸, ❹는 우리 전통 음식을 사랑하자는 주장에 대한 근거가 나타나 있으므로 본론입니다. 문단 ❺는 글 내용을 요약하고 글쓴이의 주장을 다시 한번 강조하는 내용이므로 결론입니다.

7 문단 ❷에는 우리 전통 음식이 건강에 이로운 점, 문단 ❸에는 우리 전통 음식으로 계절과 지역에 따라 다양한 맛을 즐길 수 있는 점, 문단 ❹에는 우리 전통 음식을 통해 조상의 슬기와 문화를 경험할 수 있는 점이 나타나 있습니다.

8 글의 서론과 결론에서 '우리 전통 음식을 사랑합시다.'라는 글쓴이의 주장이 나타나 있습니다.

9 문제 상황은 서론에서 확인할 수 있습니다.

10 문단 ❷의 마지막 문장에 나타나 있습니다.

11 본론은 문단 ❷, ❸, ❹로 글쓴이의 주장에 대한 근거가 나타나 있습니다.

12 자연을 보호하자는 글쓴이의 주장을 뒷받침하는 근거를 찾아봅니다.

13 '나는 ~을/를 좋아한다.', '내 생각에 ~것 같다.'와 같은 주관적인 표현으로는 다른 사람을 논리적으로 설득하기 어렵습니다. 논설문에서는 사실을 있는 그대로 드러내는 객관적인 표현을 써야 합니다.

14 '적당히', '~하면 좋겠지만, 재미는 없을 것이다.'와 같이 낱말이나 문장이 나타내는 의미가 분명하지 않아 정확하게 해석할 수 없는 모호한 표현은 논설문에 적절하지 않습니다. 논설문에서는 자신의 견해나 관점을 정확하게 표현하는 문장을 쓰는 것이 좋습니다.

15 '반드시', '절대로', '결코'와 같은 표현은 단정하는 표현이므로 조심해서 써야 합니다.

16 '절대로'는 어떤 사실을 단정하는 표현이므로 논설문을 쓸 때 적절한 표현이 아닙니다.

17 스마트폰 중독을 문제 상황으로 제시하고 있으므로 '사용 계획을 세워 스마트폰을 사용해야 한다'는 내용의 주장을 해야 합니다. 주장과 근거는 문제 상황을 해결할 수 있고 실천할 수 있는 내용이어야 합니다.

18 즉석 음식을 자주 섭취했을 때의 나쁜 점이나 즉석 음식을 섭취하지 않았을 때의 좋은 점을 근거로 들어야 합니다.

19 주장은 문제 상황을 해결할 수 있는 내용이지만 근거가 믿을 만한 내용이 아닙니다.

20 우리 주변에서 주장을 펼치고 싶은 문제 상황을 떠올려 봅니다.

채점 기준

평가	답안 내용
상	(1) 예 일회용품을 많이 사용하는 친구가 있다. (2) 예 일회용품 사용을 줄이자. (3) 예 일회용품은 땅속에서 분해가 잘 되지 않는다. → (1)에 주장을 펼치고 싶은 문제 상황을 쓰고, (2)에 (1)의 문제 상황을 해결할 수 있는 주장을 쓰고, (3)에 (2)의 주장을 뒷받침하는 근거를 씀.
중	→ (1)에 주장을 펼치고 싶은 문제 상황을 쓰고, (2)에 (1)의 문제 상황을 해결할 수 있는 주장을 썼지만 (3)에 (2)의 주장을 뒷받침하는 근거를 쓰지 못함.
하	→ (1)에 주장을 펼치고 싶은 문제 상황을 썼지만 (2)와 (3)에 (1)의 문제 상황을 해결할 수 있는 주장과 근거를 쓰지 못함.

단원 평가
교과서 진도북 **61~64**쪽

1 ①	**2** ①	**3** 먹이와 안전	**4** ⑤
5 미준	**6** (개) → (내) → (래) → (대)		**7** ④
8 ①	**9** ②	**10** 예 우리 전통 음식을 사랑합시다.	
11 (1) ①, ③ (2) ②	**12** 자정 능력		**13** ④
14 (3) ×	**15** 미란	**16** ①	**17** (1) 주관적인

(2) 모호한 (3) 단정하는 **18** ①, ⑤ **19** ③ **20** 예 화단에 쓰레기를 함부로 버리지 말자. 쓰레기가 많은 화단에서 식물이 잘 자랄 수 없기 때문이다.

1 지훈이와 미진이는 동물원의 필요성에 대한 자신의 의견을 제시하고 있습니다.

2 지훈이는 동물원이 우리에게 큰 즐거움을 준다는 것과 동물원이 동물을 보호해 준다는 것을 근거로 들어 동물원이 있어야 한다고 주장하였습니다.

3 지훈이는 동물의 자유를 제한하더라도 먹이와 안전을 보장하는 것이 훨씬 이롭다고 생각합니다.

4 동물이 더 강한 동물에게 공격당하거나 먹이가 없어 굶어 죽게 하지 않는다는 것은 지훈이의 주장에 대한 근거입니다.

5 주장을 뒷받침하는 근거가 타당하다면 내 생각과 다른 주장이라도 존중해야 합니다.

6 각 문단을 논설문의 서론, 본론, 결론으로 나누어 순서를 생각해 봅니다.

7 콩나물을 비롯한 여러 가지 나물에 육회를 얹은 것은 전주비빔밥입니다.

8 문단 (내)는 '우리 전통 음식은 건강에 이롭다'는 중심 생각과 이를 뒷받침하는 문장으로 구성되어 있습니다.

9 ㉠은 우리 전통 음식을 가까이하면 다양한 맛을 즐길 수 있다는 근거에 대한 예입니다.

10 이 글에서 글쓴이가 내세우는 생각이 무엇인지 생각해 봅니다.

채점 기준

평가	답안 내용
상	예 우리 전통 음식을 사랑하자. / 우리 전통 음식에 관심을 가지고 전통 음식을 사랑하자. → 우리 전통 음식의 과학성과 우수성을 알고 전통 음식에 관심을 가지고 사랑하자는 내용을 씀.
중	예 우리 전통 음식을 먹자. → 우리 전통 음식을 사랑하자는 내용과 관련이 있지만 글에 나타난 주장으로 보기에 부족한 부분이 있음.

11 문단 (개)는 논설문의 서론으로 문제 상황과 글쓴이의 주장이 나타나 있고, 문단 (내)는 논설문의 본론으로 주장에 대한 근거가 나타나 있습니다.

12 '자정 능력'의 뜻입니다.

13 이어지는 뒷받침 문장을 살펴보면 '자연은 한번 파괴되면 복원되기가 어렵다'는 것을 뒷받침하고 있습니다.

14 근거가 주장과 관련되어 있는지, 근거가 주장을 뒷받침하는지 판단해야 합니다.

> **더 알아보기**
> **내용의 타당성을 판단하는 방법**
> ① 주장이 가치 있고 중요한지 판단해 봅니다.
> ② 근거가 주장과 관련 있는지 판단해 봅니다.
> ③ 근거가 주장을 뒷받침하는지 판단해 봅니다.

15 이 글의 글쓴이는 자연을 보호해야 한다는 주장을 내세우고 있습니다.

16 주관적인 표현, 모호한 표현, 단정하는 표현은 논설문을 쓸 때 적절하지 않은 표현입니다.

17 각 표현이 논설문을 쓸 때 적절하지 않은 까닭을 생각해 봅니다.

> **더 알아보기**
> **표현의 적절성을 판단하는 방법**
> ① 주관적인 표현을 쓰지 않았는지 살펴봅니다.
> ② 모호한 표현을 쓰지 않았는지 살펴봅니다.
> ③ 단정하는 표현을 쓰지 않았는지 살펴봅니다.

18 ②, ③, ④는 교실 청소를 점심시간에 하면 안 된다는 주장에 대한 근거로 알맞습니다.

19 화단에 쓰레기가 버려져 있는 그림이므로 화단에 쓰레기가 함부로 버려져 있는 것이 문제 상황임을 알 수 있습니다.

20 쓰레기를 함부로 버리는 문제 상황을 해결할 수 있는 주장과 근거를 생각해 봅니다.

채점 기준

평가	답안 내용
상	예 쓰레기를 화단에 버리지 말고 쓰레기통에 잘 넣자. 화단에 쓰레기가 버려져 있으면 냄새가 나고 보기 싫기 때문이다. → 화단에 쓰레기를 함부로 버리는 문제 상황을 해결할 수 있는 주장과 주장을 잘 뒷받침하는 근거를 씀.
중	예 화단에 쓰레기를 버리지 못하도록 아주 높고 두꺼운 담장을 치자. 그렇게 하면 쓰레기를 버릴 수 없기 때문이다. → 문제 상황과 관련된 주장을 썼지만 실천하기 어렵거나 알맞은 주장이 아님.

5. 속담을 활용해요

진도 학습

1 ① **2** ㉣ **3** ③ **4** 지윤 **5** ⑤
6 ⑤ **7** 예 자신의 생각을 효과적으로 드러낼 수 있다.
8 (2) ○ **9** ② **10** 주장 / 의견
11 (1) 가 (2) 소 잃고 외양간 고친다. **12** 지우
13 (1) 우물을 파도 한 우물을 파라 (2) 예 많은 / 여러 가지
14 라 **15** ⑤ **16** ②. ③ **17** (1) ㉢ (2) ㉡
18 ⑤ **19** ⑤ **20** 예 거기에 걸맞은 결과가 나타난다.
21 ③ **22** ④ **23** ① **24** ㉮
25 (1) ○ (2) ○ **26** ⑤ **27** 저승
28 (1) 인간 세상 (2) 강 도령 **29** ②
30 (1) 편지 (2) 조금 **31** ⑤ **32** ④ **33** ③, ⑤
34 예 염라대왕께서 그냥 아무나 빨리 저승으로 보내라고 하셨
습니다. **35** ④ **36** (1) 강 도령 (2) 나이 **37** 미희
38 ④ **39** (1) × **40** 호랑이 **41** (1) ㉠ (2) ㉢ (3) ㉡

자습서 확인 문제 75쪽

1 독(들) **2** ㉢ **3** 실속 **4** ㉢

---

1 "백지장도 맞들면 낫다."는 쉬운 일이라도 힘을 합쳐서 하
면 더 쉽다는 뜻의 속담입니다.

2 협동을 하면 좋다는 뜻의 속담이므로, ㉣과 같이 가족의
협동이 나타난 상황에도 쓸 수 있습니다.

3 "손이 많으면 일도 쉽다"는 무슨 일이나 여러 사람이 같이
힘을 합하면 쉽게 이룰 수 있다는 뜻의 속담이므로 '협동'
과 관련되어 있습니다.

4 속담은 예로부터 전해 오는 말이므로, 지금 만들어서 쓸
수는 없습니다.

5 "사공이 많으면 배가 산으로 간다."는 여러 사람이 자기주
장만 내세우면 일이 제대로 되지 않는다는 뜻의 속담입니다.

6 "목수가 많으면 기둥이 기울어진다"도 "사공이 많으면 배
가 산으로 간다."와 같은 뜻으로 쓸 수 있는 속담입니다.

7
평가	답안 내용
상	**정답 키워드** 자신의 생각 예 자신의 생각을 효과적으로 드러낼 수 있다. → 정답 키워드를 포함시켜 자신의 생각을 효과적으로 드러낼 수 있다는 내용을 씀.
중	예 글이 훌륭해진다. / 글이 멋있어진다. → 글의 설득력이 높아진다는 점을 애매하게 씀.

8 속담을 사용하여 말을 하면 듣는 사람이 재미나 흥미를
느낄 수 있습니다.

9 바늘과 실은 바느질을 할 때 언제나 함께 쓰이는 물건이
므로 아주 가까운 관계를 나타냅니다. 그래서 가까운 관
계를 '긴밀한 관계'라는 말로 표현할 수 있습니다. '긴밀하
다'는 서로의 관계가 매우 가까워 빈틈이 없다는 뜻이므
로 빈칸에 들어갈 말로 가장 알맞습니다.

10 속담을 통해 조상들의 슬기와 교훈을 배울 수 있으므로,
이처럼 상황에 알맞은 속담을 쓰면 주장을 뒷받침하는 근
거로 사용할 수 있습니다.

11 "소 잃고 외양간 고친다"는 일을 그르친 뒤에는 후회해도
소용이 없으므로 미리 준비해야 한다는 뜻의 속담으로,
첫 번째 그림에 나타나 있습니다.

12 "티끌 모아 태산"은 아주 작은 것을 꾸준히 모은 상황에
쓸 수 있는 속담입니다.

13 "우물을 파도 한 우물을 파라"는 한 가지 일을 꾸준히 해
야 성공할 수 있다는 뜻의 속담이므로 여러 일을 동시에
벌이다가 아무것도 이루지 못한 상황에서 쓸 수 있습니다.

14 주어진 상황과 같이 철없이 덤비는 경우에 "하룻강아지
범 무서운 줄 모른다."를 쓸 수 있습니다.

15 장난감을 고치는 값이 장난감 값보다 훨씬 비싸서 고민인
상황입니다.

16 주된 것(장난감 값)보다 부수적인 것(장난감을 고치는 값)
이 더 크거나 많아서 이치에 맞지 않는 경우, "얼굴보다
코가 더 크다", "배보다 배꼽이 더 크다"라는 속담을 쓸
수 있습니다.

17 야구를 좋아하는 지우가 야구 용품을 늘 가까이에 두고
있는 상황입니다. 이와 같이 가까운 관계를 설명하는 속
담은 "바람 가는 데 구름 간다"를 쓸 수 있습니다.

18 글쓴이는 영주에게 힘든 일이 있더라도 꿋꿋하게 견디며
희망을 가지라고 하였습니다. 이와 같은 생각에 어울리는
속담은 ①~④입니다.

19 글쓴이는 노느라 발표 준비를 제대로 하지 않아 더듬거리
며 발표한 일을 후회하였습니다.

20
평가	답안 내용
상	**정답 키워드** 결과 예 거기에 걸맞은 결과가 나타난다. → 정답 키워드를 포함시켜 주어진 내용에서 자연스럽게 이어지는 뜻을 완성하여 씀.
중	예 결과를 정한다. / 결과를 나온다. → 정답 키워드를 포함시켜 썼으나 문장의 호응이 어색함.

21 독장수는 독들을 지게에 지고 팔러 다녔습니다.

22 독이 워낙 크고 무거워서 독장수는 독을 많이 가지고 다니지 못했습니다.

23 조금만 잘못 움직여도 굴러 떨어지는 아슬아슬한 상황에는 "바람 앞의 등불"과 같은 속담을 쓸 수 있습니다.

24 이야기의 제목 「독장수구구」는 독장수가 구구단을 외며 셈을 한다는 뜻으로 볼 수 있습니다.

25 독장수는 독을 팔아 빚을 갚고, 논과 밭을 산 다음, 고래등 같은 기와집을 지어야겠다고 생각했습니다.

26 독장수는 독이 하나도 안 팔리고 있는데도 독을 천만 개나 팔려는 허황된 계산만 하다가 독들을 깨뜨렸습니다. 빈칸에 들어갈 속담의 뜻을 짐작하면 실현성이 없는 허황된 계산은 도리어 손해만 가져온다는 내용이 가장 알맞습니다.

27 저승의 염라대왕이 까마귀를 부르는 부분에서 공간적 배경을 짐작할 수 있습니다.

28 염라대왕은 까마귀에게 인간 세상에 있는 강 도령에게 편지를 전하라고 하였습니다.

29 염라대왕의 설명을 통해 강 도령이 인간 세상의 모든 일을 맡아본다는 것을 알 수 있습니다.

30 까마귀는 강 도령에게 편지를 전한 다음에 말고기를 먹으려고 생각했다가, 다시 조금만 먹고 가기로 마음을 바꾸었습니다.

31 까마귀가 메밀밭가에 있던 말고기를 먹으려고 입을 벌리는 순간 편지가 바람에 날려 사라졌습니다.

32 정신없이 말고기를 먹느라 중요한 편지를 잃어버려서 걱정하는 마음이 들 것입니다.

33 ㉡을 통해 까마귀는 자기가 맡은 일을 제대로 할 생각도 부족하고, 거짓말로 쉽게 넘어가려는 성격을 가졌음을 알 수 있습니다.

34

채점 기준	
평가	답안 내용
상	**정답 키워드** 아무나 예 염라대왕께서 그냥 아무나 빨리 저승으로 보내라고 하셨습니다. → 정답 키워드를 포함시켜 까마귀의 말투로 직접 말하듯이 씀.
중	예 염라대왕께서 편지는 안 주셨어요. → 아무나 끌어 올리라는 내용을 쓰지 않고, 중요하지 않은 내용만 까마귀의 말투와 다르게 씀.

35 까마귀처럼 얕은꾀로 하늘로 올라가는 것을 포기한 상황에서 "가랑잎으로 눈 가리고 아웅 한다", "호미로 막을 것을 가래로 막는다" 등과 같은 속담을 쓸 수 있습니다.

36 그전에는 나이가 많은 순서대로 죽어서 저승으로 갔는데, 까마귀가 강 도령에게 거짓말로 잘못 전한 뒤부터 아무나 나이에 상관없이 사람들이 죽게 되었습니다.

37 까마귀가 중요한 일을 잊어버려서 큰일이 벌어진 이야기이므로, 중요한 일을 잊어버리지 말자는 주제를 짐작할 수 있습니다.

38 ④는 동물과 관련이 없는 속담입니다.

39 "말 위에 말을 얹는다"는 욕심이 많은 사람을 가리키는 속담입니다.

40 동물 중에서 '호랑이'를 주제로 속담을 모은 것입니다.

41 "말이 씨가 된다"는 늘 말하던 것이 실제로 이루어졌을 때에 쓸 수 있는 속담이고, "입은 비뚤어져도 말은 바로 해라"는 상황이 어떻든지 말은 언제나 바르게 해야 한다는 뜻의 속담입니다.

단원 평가	교과서 진도북 **77~80**쪽

1 ③ **2** ④ **3** (2) × **4** ㉠ **5** 예 자신의 주장을 뒷받침하여 듣는 사람을 쉽게 설득할 수 있다.

6 ④ **7** ② **8** ③ **9** (1) 힘든 일 (2) 희망

10 ㉢ **11** ⑤ **12** (1) 4 (2) 2 (3) 3 (4) 1

13 ④ **14** 예 헛된 욕심을 부리면 손해를 보게 된다.

15 ⑤ **16** ② **17** 혜림 **18** ④ **19** ②

20 (1) ①, ③ (2) ②, ④

1 "돌다리도 두들겨 보고 건너라", "궁지에 빠진 쥐가 고양이를 문다"와 같은 말은 예로부터 전해 오는 격언이나 잠언으로 '속담'에 해당합니다.

2 "백지장도 맞들면 낫다"는 협동의 중요성을 말하는 속담입니다.

4 윤경이는 처음에 우진이가 도와주겠다고 하자 괜찮다며 거절하였지만, 우진이가 속담을 사용해서 말을 하자 재미있어하며 도움을 받아들였습니다.

5

채점 기준	
평가	답안 내용
상	**정답 키워드** 주장, 뒷받침, 설득 → 정답 키워드를 모두 포함시켜 예시 답안과 같은 내용을 구체적으로 정확하게 씀.
중	예 주장을 잘할 수 있다. / 쉽게 설득할 수 있다. → 정답 키워드 중 일부만을 포함시켜 씀.

6 소를 잃고 나서 외양간을 고쳐 봤자 소용이 없다며 쓰는 속담이므로 ④와 같은 뜻을 알 수 있습니다.

7 ②와 같이 작은 것을 꾸준히 모아서 큰 덩어리로 만든 상황에서 "티끌 모아 태산"을 쓸 수 있습니다.

8 한 가지 일을 꾸준히 하여 좋은 결과를 얻은 상황이므로 "우물을 파도 한 우물을 파라"라는 속담이 잘 어울립니다.

9 글쓴이는 영주에게 힘든 일이 있더라도 꿋꿋하게 견디라고 하였습니다.

10 어려운 상황이더라도 언젠가는 좋은 날이 올 수 있다는 뜻으로 쓸 수 있는 속담은 "응달에도 햇빛 드는 날이 있다"입니다.

11 독장수는 이루어지지도 않은 일을 이미 다 된 일로 여기고 행동하였습니다. 따라서 "떡 줄 사람은 꿈도 안 꾸는데 김칫국부터 마신다"라는 속담을 써서 대답해 줄 수 있습니다.

12 독장수가 고개를 올라와 지게를 세워 놓고 그 옆에 누웠다가 헛된 상상을 하면서 지게를 넘어뜨려, 결국 독들을 깨뜨리고 말았습니다.

13 "독장수구구는 독만 깨뜨린다."는 실현성이 없는 허황된 계산은 도리어 손해만 가져온다는 뜻으로 쓸 수 있는 속담입니다.

14

평가	답안 내용
상	**정답 키워드** 헛된 욕심 → 정답 키워드를 포함시켜 헛된 욕심을 부리지 말자는 내용이 드러나게 씀.
중	**예** 쓸데없는 생각을 하지 말자. / 열심히 살자. → 주제에서 다소 벗어난 내용이거나 정답 키워드를 빠뜨린 내용을 씀.

채점 기준

15 지나친 욕심을 부리는 사람이 있을 때 "바다는 메워도 사람의 욕심은 못 채운다"라는 속담을 쓸 수 있습니다.

16 까마귀는 말고기 냄새에 넋을 잃고 말고기를 먹으려다가 편지를 잃어버렸습니다.

17 "까마귀 고기를 먹었나"는 무엇인가를 잘 잊어버리는 경우에 쓸 수 있는 속담입니다.

18 중요한 일을 잊어버리지 않도록 조심하자는 교훈을 얻을 수 있습니다.

19 주어진 속담은 모두 '말'과 관련된 속담입니다.

20 '돼지'와 '호랑이'는 띠 동물에 해당하고, "지위가 높을수록 마음은 낮추어 먹어야"와 "벼 이삭은 익을수록 고개를 숙인다"는 겸손함과 관련된 속담입니다.

---

6. 내용을 추론해요

진도 학습
교과서 진도북 83~90쪽

1 초등학교 선생님, 한의사 **2** ③ **3** ②
4 (3) ○ **5** 예 고양이가 남자 쪽을 보며 반대쪽으로 달려가는데 쫓기는 상황이라 다급할 것이다. **6** ㉮ **7** ④
8 (2) ○ **9** 융건릉, 용주사 **10** ⑤ **11** (1) ×
12 왕과 왕비 **13** ④ **14** 민정 **15** 교태전
16 ⑤ **17** 부용지 **18** (1) 예 옛날식 건물에 그린 그림이나 무늬. (2) 예 단청이 화려하다고 했기 때문에 그림이나 무늬를 말하는 것으로 생각했다. **19** ① **20** ㉱ **21** (2) ×
22 ③ **23** ㉮ **24** 경운궁 **25** 전통문화
26 ④ **27** 스포츠 정신 **28** ③, ⑤ **29** ㉱
30 ㉰ → ㉯ → ㉲ **31** 예 정정당당함이 스포츠 정신이다

자습서 확인 문제 **89쪽**

1 5개 **2** ㉡ **3** ㉢ **4** 추론

1 ❸은 초등학교 선생님, ❹는 봉사단 단원, ❺는 한의사입니다.

2 북한 이탈 주민들에 대해 우리와 같은 민족이자 겨레라는 것을 알고 편견을 갖지 말고 대하자는 것을 알리기 위한 공익 광고입니다.

3 영상에 나오는 인물의 표정과 행동에서 추론할 단서를 확인했습니다.

4 북한 이탈 주민도 모두 우리와 같은 민족이며 겨레라는 뜻입니다.

5 「야묘도추」라는 그림을 자세히 살펴보고 무엇을 표현했는지 생각해 봅니다.

평가	답안 내용
상	예 고양이가 남자 쪽을 보며 반대쪽으로 달려가는데 쫓기는 상황이라 다급할 것이다. → 그림을 보고 내용을 알맞게 추론하여 씀.
중	예 고양이가 병아리를 물고 있다. / 고양이와 닭, 병아리, 남자와 여자가 나온다. → 그림의 내용을 단순하게 쓰거나 인물만을 씀.

채점 기준

6 『화성성역의궤』는 수원 화성에 성을 쌓는 과정을 아주 세밀하게 기록한 책인 의궤입니다.

7 성을 쌓는 과정을 기록한 것이므로 '수원 화성 공사가 환경에 끼친 영향과 대책'에 대한 내용은 담겨 있지 않습니다.

8 '엄격하다'는 '말, 태도, 규칙 따위가 매우 엄하고 철저하다.'라는 뜻입니다. 따라서 정조 임금이 엄격하게 고른 좋은 자리에 수원 화성을 지었다는 것은 그만큼 정조 임금이 수원 화성을 건축하는 데 많은 관심을 가졌다는 뜻입니다.

9 글쓴이가 근처에 있는 융건릉과 용주사에 가 볼 것을 추천했습니다.

10 현재 서울에 남아 있는 궁궐은 모두 다섯 곳으로 '경복궁, 창덕궁, 창경궁, 경희궁, 경운궁'입니다.

11 조선 시대의 궁궐에는 왕과 왕비, 왕실 가족뿐만 아니라 궁궐을 지키는 군사, 왕실 가족의 생활을 도와주는 내시와 나인 등 많은 사람이 살았습니다. 이 많은 사람은 자신의 신분에 맞는 건물에서 생활했습니다. 예를 들어 경복궁에서 왕과 왕비가 사용하던 건물은 '전' 자가 붙은 강녕전과 교태전입니다.

12 강녕전이나 교태전과 같이 '전' 자가 붙는 건물에는 궁궐에서 가장 신분이 높은 왕과 왕비만 살 수 있었습니다.

13 각자 자신의 신분에 알맞은 건물에서 생활했다는 내용을 통해 조선 시대에는 신분에 따른 차이가 아주 명확했다는 것을 추론할 수 있습니다.

> **더 알아보기**
> **이야기를 읽고 추론하는 방법**
> ① 자신이 평소에 아는 사실과 경험한 것을 떠올려 보고 무엇을 더 알 수 있는지 생각해 봅니다.
> ② 글에 쓰인 다의어나 동형어가 어떤 뜻인지 정확히 이해하려면 국어사전을 찾아봅니다.
> ③ 이야기의 특정 부분을 바탕으로 하여 알 수 있는 내용과 더 추론할 수 있는 사실을 살펴봅니다.
> ④ 글의 내용을 바탕으로 하여 친구들과 함께 질문을 만들고 서로 묻거나 답해 봅니다.

14 '즉위식'의 앞에 '왕의'라는 말이 있고, 뒷부분에는 "왕실의 혼례식, 외국 사신과의 만남과 같은 나라의 중요한 행사를 치르던 곳이다."라는 문장이 있으므로 즉위식은 왕이 주인공인 행사 즉 임금의 자리에 오르는 식을 뜻합니다.

15 경복궁에서 안쪽에 자리 잡은 교태전은 왕비가 생활하던 곳입니다. 교태전은 중앙에 대청마루를 두고 왼쪽과 오른쪽에 온돌방을 놓은 구조로 되어 있습니다. 교태전 뒤쪽으로는 아미산이라는 작고 아름다운 후원이 있습니다.

16 창덕궁의 후원은 우리나라 전통 정원의 모습을 잘 보여 준다고 했습니다.

17 전통적 사상을 반영해 네모난 연못 가운데 둥근 섬을 띄운 형태로 만든 것은 '부용지'입니다.

18

채점 기준

평가	답안 내용
상	(1) **예** 옛날식 건물에 그린 그림이나 무늬. (2) **예** 단청이 화려하다고 했기 때문에 그림이나 무늬를 말하는 것으로 생각했다.
	→ (1)에 '단청'을 추론한 뜻을, (2)에 그렇게 생각한 까닭을 적절하게 씀.
중	(1) **예** 여러 가지 빛깔로 그린 그림. (2) **예** '정자'와 '화려하고'라는 말이 있기 때문이다.
	→ (1)에 추론한 뜻과 (2)에 그렇게 생각한 까닭을 간단하지만 틀리지 않게 씀.
하	(1)과 (2)를 적절하게 쓰지 못함.

19 성종은 할머니들을 모실 목적으로 경복궁 동쪽에 '창경궁'을 지었습니다.

20 문정전 앞뜰에서 사도 세자가 목숨을 잃었습니다. 문정전은 창경궁에 있는 건물 가운데 하나이므로 창경궁에서 사도 세자가 목숨을 잃었다고 말할 수 있습니다.

21 경희궁은 인조 이후에 10대에 걸쳐 왕들이 머물렀던 궁궐입니다.

23 조선 시대에는 왕권이 강했지만 일제 강점기에는 왕권이 약화됐습니다.

24 지금의 덕수궁은 원래 경운궁이라고 불렸습니다.

25 주제를 정하기 위해 방송에서 본 궁궐의 담장에 대해 말하고 있습니다.

26 '전화기의 원리와 발달 과정을 연구하자.'라는 문장은 스마트폰에 대한 주제와 관계가 없습니다.

27 축구 시합을 할 때 일어난 일을 말한 것으로 '스포츠 정신' 분야의 주제와 관련이 있습니다.

28 역할을 나눌 때에는 모둠 친구들이 골고루 역할을 맡을 수 있도록 정해야 합니다.

29 자막을 어떻게 넣을지 이야기하는 과정을 표현했습니다.

30 영상 광고 주제와 내용, 분량을 정한 다음에 역할을 나누어 도구를 준비하고 촬영하여 자막을 넣습니다.

31

채점 기준

평가	답안 내용
상	**예** 정정당당함이 스포츠 정신이다.
	→ 그림의 주제를 잘 나타낼 수 있는 제목을 씀.
중	**예** 축구를 하자 / 스포츠는 누구나 할 수 있는 것이므로 모두 즐기자.
	→ 그림의 주제가 잘 드러나지 않게 제목을 쓰거나 너무 길게 씀.

단원 평가

교과서 진도북 **91~94**쪽

1 ① **2** 우리는 이미 하나 **3** (1) ④ (2) ㉮
4 ④ **5** 유진 **6** 예 몇몇은 모자를 벗고 있거나 부채를 들고 있는 것으로 보아 날씨가 더울 것이다. **7** ②, ③
8 ①, ③ **9** (2) ○ **10** ⑤ **11** ⑤ **12** ①
13 ② **14** ①, ② **15** 경회루 **16** 지원 **17** ①, ④
18 ⑤ **19** (1) 예 힘이나 감정, 사상 등이 서로 뒤엉켜 혼란스러운 상태. (2) 예 앞에 '강한 나라들의 정치적'이라는 말과 뒤에 '휘말리면서'라는 말이 있기 때문이다. **20** ③

1 왼쪽의 환자를 보고 오른쪽 가려진 부분에 있는 사람의 직업을 짐작해 봅니다.

2 '우리는 이미 하나'는 북한 이탈 주민들이 우리와 같은 민족, 하나의 겨레라는 뜻입니다.

3 (1)은 인물의 표정이나 행동에서 단서를 찾았고, (2)는 자신의 경험을 떠올렸습니다.

4 남자 뒤에 있는 여자도 남자처럼 놀라서 급하게 달려 나가고 있는 모습입니다.

5 진성이는 그림과 관계없는 경험을, 민아는 그림을 보고 추론한 사실을 이야기했습니다.

6

채점 기준		
평가	답안 내용
상	예 몇몇은 모자를 벗고 있거나 부채를 들고 있는 것으로 보아 날씨가 더울 것이다.
	→ 그림을 보고 추론할 수 있는 사실을 알맞게 씀.
중	예 경기를 지켜보는 사람들의 표정이 긴장감으로 느껴진다.
	→ 그림을 보고 추론할 수 있는 사실을 썼지만 문장에 어색한 부분이 있음.
하	예 긴장감이 느껴진다.
	→ 무엇에서 긴장감이 느껴지는지 알 수 없도록 내용을 너무 간단하게 씀.

7 추론하며 글을 읽으면 좀 더 깊고 넓게 내용이나 상황을 이해할 수 있게 되고, 글에 직접 드러나지 않은 내용도 생각할 수 있게 됩니다.

8 수원 화성은 일제 강점기에 파괴되기 시작해서 6.25 전쟁 때 크게 훼손되었습니다.

9 수원 화성이 일제 강점기와 6.25 전쟁이라는 위기를 거치는 것을 글에서 찾을 수 있습니다.

10 『화성성역의궤』에 수원 화성 공사와 관련된 내용이 자세히 실려 있어서 파괴된 수원 화성을 원래의 모습대로 다시 만들 수 있었습니다.

11 글쓴이는 이 글을 통해 수원 화성이 세계적으로 훌륭한 건축물이라는 것을 알려 주고 있습니다.

더 알아보기

내용을 추론하며 글 읽기
① 글 내용과 관련해 이미 아는 사실에는 무엇이 있는지 정리해 봅니다.
② 글 내용과 관련한 경험이 있는지 떠올려 봅니다.
③ 글에서 다의어 또는 동형어로 예상되는 낱말을 찾아보고 국어사전에서 그 뜻을 확인해 봅니다.
④ 글을 읽고 새롭게 안 점에는 어떤 것이 있는지 정리합니다.
⑤ 글쓴이의 생각을 추론해 봅니다.

12 가장 신분이 높은 왕과 왕비가 사용했던 '전' 자가 붙은 건물이 가장 격이 높습니다.

13 ②는 '각자 자신의 신분에 알맞은 건물에서 생활했다.'라는 설명에 대해 예외적인 부분입니다.

14 근정전은 나라의 중요한 행사를 치르던 장소이고, 교태전은 경복궁의 가장 안쪽에 자리 잡았습니다.

15 '경사스러운 연회'라는 뜻을 지녔고, 왕이 외국 사신을 접대하거나 신하들에게 연회를 베풀던 장소는 경회루입니다.

16 궁궐에는 관리, 군인, 내시, 나인 등도 살았습니다.

17 성종이 할머니들을 모시기 위해 창경궁을 지었고, 이곳에서 효자로 유명한 정조가 태어났습니다.

18 일제 강점기에 일본 사람들이 창경궁과 경희궁의 건물을 헐었습니다.

왜 틀렸을까?
① – 이름이 바뀐 것은 창경궁입니다.
② – 창경궁과 경희궁의 후원이 없어졌다는 내용은 없습니다.
③ – 동물원이 들어선 곳은 창경궁입니다.
④ – 일제 강점기에 일본 사람들이 식물원을 지은 곳은 창경궁입니다.

19

채점 기준		
평가	답안 내용
상	(1) 예 힘이나 감정, 사상 등이 서로 뒤엉켜 혼란스러운 상태. (2) 예 앞에 '강한 나라들의 정치적'이라는 말과 뒤에 '휘말리면서'라는 말이 있기 때문이다.
	→ (1)에 '소용돌이'를 추론한 뜻을, (2)에 그렇게 생각한 까닭을 적절하게 씀.
중	(1)에 '소용돌이'를 추론한 뜻은 알맞게 썼지만 (2)에 그렇게 생각한 까닭은 적절하게 쓰지 못함.
하	(1)에 '소용돌이'를 추론한 뜻을 '혼란스러운 상태.'와 같이 간단히 썼고, (2)에 그렇게 생각한 까닭은 쓰지 못함.

20 경운궁을 행궁으로 만든 때는 임진왜란이 끝난 선조 임금 때입니다. 광해군은 선조 다음의 임금입니다.

7. 우리말을 가꾸어요

진도 학습

1 (2) ○ **2** (1) ① (2) ② **3** 생선, 핵노잼, 헐
4 ④ **5** ③ **6** 예 여자아이가 줄임 말과 신조어, 비속어를 사용해서 아빠와 의사소통이 안 되고 있기 때문이다.
7 ㉮ **8** ① **9** ⑤ **10** 솔미 **11** ①
12 ⑤ **13** ② **14** 지수 **15** ① **16** ③
17 ③ **18** 예 초등학생의 줄임 말, 신조어 **19** ⑤
20 ③ **21** "괜찮아, 넌 잘할 수 있어." **22** ④
23 예 가창 시험 준비로 힘들어하는 친구에게 "점점 실력이 좋아지고 있어. 잘할 거야."라고 말했다. **24** ㉰ **25** ⑤
26 (2) × **27** (1) 예 긍정하는 말과 고운 우리말 (2) 예 글쓴이가 긍정하는 말과 고운 우리말을 사용하자고 주장을 했기 때문이다. **28** (1) 영상 광고 (2) 신문 **29** ㉯
30 (1) ㉰ (2) ㉮ (3) ㉯ **31** ⑤

자습서 확인 문제 101쪽

1 ㉢ **2** ㉢ **3** 영화

1 여자아이는 이번 생일 선물은 무엇인지 물었습니다.

2 여자아이는 '생선'을 생일 선물이라는 뜻으로 말했고, 아빠는 물고기로 생각했습니다.

3 여자아이가 ❶, ❸, ❹에서 한 말을 다시 한번 살펴봅니다.

4 여자아이가 아빠와 대화를 하면서 사용한 '생선', '핵노잼', '헐'과 같은 말은 평소에 즐겨 사용하기 때문에 아빠와 대화를 하면서 자연스럽게 나온 것입니다.

5 '핵노잼'도 못 알아듣는다고 "헐." 하며 돌아서는 여자아이에게 답답한 마음이 들 것입니다.

6 그림 ❶, ❸, ❹에서 여자아이가 한 말을 아빠가 이해하지 못하는 상황입니다.

채점 기준

평가	답안 내용
상	**정답 키워드** 의사소통 예 여자아이가 줄임 말과 신조어, 비속어를 사용해서 아빠와 의사소통이 안 되기 때문이다. → 아빠와 여자아이가 말이 통하지 않은 까닭을 알맞게 씀.
하	예 여자아이가 친구들과 사용하는 말을 써서 말을 했기 때문이다. → 아빠와 여자아이가 말이 통하지 않은 까닭을 애매하게 쓰거나 너무 간단하게 써서 답을 정확하게 알 수 없음.

7 왼쪽 모둠이 오른쪽 모둠을 이기고 있는 상황입니다.

8 경기에서 지고 있는 모둠의 친구들을 무시하고 싶어서 비난하는 말을 했습니다.

9 격려하는 말을 들은 강민이는 힘이 나고 기분이 좋았을 것입니다.

10 다른 사람의 기분을 살피지 않고 말한 사람은 누구인지 찾습니다.

11 평범한 중고등학생 네 명의 욕 사용 실태를 관찰했는데 네 시간 동안 평균 500여 번의 욕설을 했습니다.

12 준형이와 수진이가 뜻하지 않게 서로 부딪혔는데 배려하는 말을 하지 않고, 비속어를 사용하며 비난해서 다투게 되었습니다.

13 우리말이 파괴되어 올바른 우리말이 점점 사라질 것입니다.

14 우리 주변에서 올바르지 못한 언어를 사용하고 있는 예를 이야기하는 것은 '헐, 쩔어' 같은 비속어가 있는 감탄사를 사용하는 예를 든 '지수'입니다.

15 우리말 간판은 찾기 어렵고 외국어를 사용한 간판이 대부분인 거리의 모습입니다.

16 욕설·비속어를 사용하는 청소년과 관련된 뉴스를 보고 우리말이 파괴되고 훼손되고 있다는 것을 느낄 수 있습니다.

17 조사한 자료는 출처를 밝히고, 내용을 설명하는 그림이나 사진 자료를 덧붙여 사용합니다.

18 지원이는 줄임 말, 신조어 등 잘못된 우리말 사용 실태에 대해 조사했습니다.

19 글쓴이는 친구들이 대화할 때 짜증 난다는 말이나 비속어, 욕설 등을 사용한다고 했습니다.

20 기분이 나빠지고 화가 나서 다툼도 일어난다고 했습니다.

21 친구에게 잘할 수 있다는 말을 해 주어 그 친구가 승점을 내게 했습니다.

23
채점 기준

평가	답안 내용
상	예 가창 시험 준비로 힘들어하는 친구에게 "점점 실력이 좋아지고 있어. 잘할 거야."라고 말했다. → 친구에게 해 준 긍정하는 말의 예를 들며 자신의 경험을 자세히 씀.
하	긍정하는 말을 해 준 경험을 알맞게 쓰지 못함.

24 긍정하는 말이 부정하는 말보다 좋다는 우리 반 친구들의 실태를 조사했습니다.

25 이 글의 마지막 문단에서 글쓴이는 '긍정하는 말과 고운 우리말을 사용하자'는 주장을 펼쳤으므로 글을 쓴 까닭이 그 주장을 펴기 위해서라는 것을 알 수 있습니다.

26 긍정하는 말을 하면 말을 하는 사람과 듣는 사람 모두 마음이 편안해지고 자신감이 생긴다고 했습니다.

> **왜 틀렸을까?**
> (1), (3) - 글 **3** 에서 부정하는 말을 긍정하는 말로 고쳐 사용하면, 말하는 사람과 듣는 사람 모두 기분이 좋아지고 자신감도 생긴다고 했으므로 알맞습니다.
> (2) - 글 **3** 에서 긍정하는 말을 하면 말하는 사람과 듣는 사람 모두 마음이 편안해진다고 했으므로 알맞지 않습니다.

27 채점 기준

평가	답안 내용
상	(1) 예 긍정하는 말과 고운 우리말 (2) 예 글쓴이가 긍정하는 말과 고운 우리말을 사용하자고 주장을 했기 때문이다.
	→ (1)과 (2)를 모두 알맞게 씀.
중	(1)은 알맞게 썼지만 (2)는 알맞게 쓰지 못함
하	(1)은 너무 길게 써서 제목으로 적절하지 않고 (2)는 쓰지 못함.

28 가 는 영상 광고, 나 는 신문 형식으로 사례집을 만든 예입니다.

29 가 는 줄임 말, 나 는 다듬은 말에 대한 내용입니다.

30 외국어의 뜻과 쓰임에 맞는 우리말을 생각해 봅니다.

31 외국 뉴스는 우리말과 관계없으므로 조사 대상으로 알맞지 않습니다.

단원 평가

교과서 진도북 **105~108**쪽

1 ② **2** ⓓ **3** 예 재미없다 **4** ③
5 ⑤ **6** 예 친구가 다리를 다쳤을 때 진심으로 걱정하는 말과 함께 친구의 가방을 들어 주었다. **7** ①
8 ④ **9** 예 배려하는 말을 하지 않고 비속어를 사용하며 서로 비난했기 때문이다. **10** ㉠
11 (1) 예 반려동물 돌봄이 (2) 예 이동 장 **12** ③
13 (1) ⓛ (2) ⓔ (3) ⓒ (4) ㉠ **14** ④ **15** (3) ○
16 ③ **17** ⑺ **18** ⑤ **19** ①
20 예 심각한 말 줄임, 올바른 우리말 사용

1 여자아이는 '생선'이라는 줄임 말을 사용하여 말했습니다.

2 ❷ 에 여자아이의 언어생활에 대한 아빠의 생각이 드러나 있습니다.

3 줄임 말을 사용하지 않으면 '핵노잼'이라고 했습니다. '핵노잼'은 몹시 재미가 없다는 뜻입니다.

4 무시하는 말을 들은 솔연이는 무척 기분이 나쁘고 속상했을 것입니다.

5 지고 있는 모둠의 친구에게 격려의 말을 해 주고 있습니다.

6 채점 기준

평가	답안 내용
상	예 친구가 다리를 다쳤을 때 진심으로 걱정하는 말과 함께 가방을 들어 주었다.
	→ 언어 예절을 지키며 대화한 경험을 알맞게 씀.
중	언어 예절을 지키며 대화한 경험을 썼지만 문장에 어색한 부분이 있음.
하	예 친구에게 좋은 말로 말을 걸었다.
	→ 언어 예절을 지키며 대화한 경험을 구체적으로 쓰지 못함.

8 글에 나온 결과를 살펴보면 ㉠과 같은 일을 한 까닭을 알 수 있습니다.

9 채점 기준

평가	답안 내용
상	예 배려하는 말을 하지 않고 비속어를 사용하며 서로 비난했기 때문이다.
	→ 준형이와 수진이가 서로 다투게 된 까닭을 알맞게 씀.
하	준형이와 수진이가 서로 다투게 된 까닭을 '준형이와 수진이가 서로 부딪혀서.'라고만 씀.

11 '펫시터'는 반려동물을 돌보아 주는 사람, '켄넬'은 개집, 개 사육장을 뜻하는 외국어입니다.

12 가 는 외국어 간판이 대부분인 거리의 모습이고, 나 는 청소년의 잘못된 언어 사용에 대한 뉴스입니다.

13 다 는 사전, 라 는 텔레비전 프로그램, 마 는 국립국어원 누리집의 순화어, 바 는 어린이 신문입니다.

14 학교에서 지내는 동안 높임말을 사용한다고 했습니다.

16 항상 똑같은 크기의 목소리로 발표하는 것보다, 중요한 부분은 강조하며 발표하는 것이 좋습니다.

19 글 ⑷에서 글쓴이의 주장을 찾아봅니다.

20 채점 기준

평가	답안 내용
상	정답 키워드 우리말 예 심각한 말 줄임, 올바른 우리말 사용
	→ 영상 광고와 관련 있는 내용을 주제로 씀.
하	예 심각한 줄임 말
	→ 너무 간단하게 써서 주제가 무엇인지 정확하게 알 수 없거나 자막의 내용을 그대로 씀.

8. 인물의 삶을 찾아서

진도 학습

교과서 진도북 111~128쪽

1 ③　　**2** ①, ②, ④　**3** 민지　　**4** 예 쉽게 포기하는 내게 도움이 될 것 같아서 『노인과 바다』를 읽고 싶다.
5 ①　　**6** ②　　**7** (1) 우리 (2) 일편단심　**8** ㉣
9 ⑤　　**10** ④, ⑤　**11** ①　　**12** ④
13 울돌목(명량해협)　**14** (2) ○　**15** 동철　**16** ③
17 ⑤　　**18** ⑤　　**19** 상현　**20** 예 아들의 죽음이라는 큰 고난 앞에서도 흔들리지 않고 자신과 나라가 처한 상황을 극복하려고 생각했기 때문이다.　**21** ⑤　　**22** ⑤
23 예 버들이와 같이 살려고 지은 기와집　**24** ㉮
25 (1) ○　**26** ⑤　　**27** ①　　**28** ②　　**29** ②
30 기와집 뒤란　　**31** ㉯　　**32** 혜미
33 예 진심을 담아 상대를 대하는 것을 추구한다. / 믿음과 사랑을 추구한다.　**34** ②, ⑤　**35** 은행나무 뿌리　**36** ⑤
37 예 몽당깨비에게 앞으로 어떻게 해야 할지 함께 방법을 찾아보자고 했을 것 같다.　**38** 케냐　**39** ④　　**40** ⑤
41 (1) ○　**42** ㉰　　**43** ④, ⑤　**44** ③
45 (1) 예 나무 심기를 계속한 상황 (2) 예 "나무 심기를 포기할 수는 없어요."　　　　**46** (1) × (2) ○ (3) ○
47 그린벨트 운동　**48** ⑤　　**49** 지연　**50** ⑤
51 ①, ③　**52** ①　　**53** 예 모두의 이익과 행복을 추구한다.
54 ④, ⑤　**55** ②　　**56** ④　　**57** ②

자습서 확인 문제 (116쪽)

1 글, 죽을힘　　**2** ㉠　　**3** 포기, 극복

자습서 확인 문제 (121~122쪽)

1 도깨비 샘물　　**2** 기와집　**3** 정훈
4 ㉢　　**5** 몽당깨비　**6** 이익

자습서 확인 문제 (127쪽)

1 나무　　**2** ㉡　　**3** (2) ○

---

1 글쓴이는 읽은 책들의 주인공들에게서 희망과 감동 등을 받았습니다.

2 글쓴이는 지혜롭게 세상을 살 수 있는 것은 책이 주는 선물이라고 하였습니다.

3 글에서 자주 사용한 낱말 중에서 '책'이 가장 중요한 낱말이므로 글쓴이가 말하고자 하는 생각은 책을 읽자는 것입니다.

4 글쓴이가 소개한 책 가운데에서 자신의 삶에 도움이 될 만한 책과 까닭을 생각해 봅니다.

채점 기준

평가	답안 내용
상	예 나도 작가가 되고 싶은데, 글쓴이가 『갈매기의 꿈』을 읽고 도움이 되었다니 나도 그 책을 꼭 읽어 보고 싶다.
	→ 글쓴이가 소개한 책 가운데에서 자신의 삶에 도움이 될 만한 책과 그 까닭을 알맞게 씀.
중	예 빅토르 위고의 작품이기 때문에 『레 미제라블』을 나도 읽어 보고 싶다.
	→ 읽고 싶은 책을 썼으나, 자신의 삶에 도움이 될 만한 책이기 때문이라는 내용으로 쓰지 않음
하	예 『갈매기의 꿈』을 읽고 싶다.
	→ 글쓴이가 소개한 책 가운데에서 자신의 삶에 도움이 될 만한 책을 썼으나, 그 까닭을 쓰지 않음.

5 이방원은 뜻을 같이하자는 마음을 '만수산 드렁칡'에 빗대었습니다.

7 '우리'에서 친근함을 드러내며 뜻을 같이하자는 마음이 느껴지고, '일편단심'의 변치 않는 마음이라는 뜻이 정몽주의 생각을 그대로 보여 줍니다.

더 알아보기
• 이방원의 생각: 뜻을 함께 모아 새 나라를 세우자.
• 정몽주의 생각: 변함없이 고려에 충성을 다하겠다.

8 마지막 장인 종장에서 자신의 생각을 가장 직접적으로 표현하였습니다.

9 ㉯는 고려에 대한 충성을 지키려는 정몽주의 의지가 드러난 시조입니다.

10 이순신은 1597년에 다시 삼도 수군통제사가 되어 전라도로 내려가면서 남은 배와 군사를 모았습니다.

11 이순신은 임금님께 글을 올려 수군으로 싸우겠다는 자신의 의지를 밝혔습니다.

12 이순신은 죽을힘을 다해 싸운다면 이길 수 있을 것이라고 하였습니다.

14 이순신은 고기잡이배와 피난 가는 배들을 판옥선처럼 꾸미고, 백성들에게 계속 돌아다니게 하여 군사의 수가 많은 것처럼 보이게 했습니다.

15 이순신이 적은 수의 배와 군사를 가졌지만 쉽게 포기하지 않은 것은 어떤 어려움도 극복할 수 있다고 생각하는 사람이기 때문입니다.

16 이순신은 일본군과 울돌목에서 싸우는 상황에서 죽으려 하면 살고, 살려 하면 죽으니 죽기를 각오하고 싸워야 한다고 말하였습니다.

17 명량 대첩은 단 13척의 배로 133척의 배를 물리친 전투였습니다.

18 명량 대첩에 패한 일본군이 이순신에 대한 분풀이로 이순신의 고향 마을을 공격한 것이 분명하다고 생각했기 때문입니다.

20

평가	답안 내용
상	**예** 어떤 고난 앞에서도 의지를 굽히지 않고 자신이 처한 상황을 극복하려고 하기 때문이다.
	→ 이순신이 처한 상황에서 한 생각의 까닭을 이순신이 겪은 일과 관련하여 알맞게 씀.
중	**예** 의지와 끈기가 있기 때문이다.
	→ 이순신이 처한 상황에서 한 생각의 까닭을 자세히 쓰지 않음.

채점 기준

21 이순신이 수군을 포기하고 육군으로 싸우라는 나라의 명을 받은 상황과 일본군과 울돌목에서 싸우는 상황에서 한 말과 행동은, 이순신이 어떤 어려움도 극복할 수 있다고 생각하는 사람이기 때문에 어떤 고난도 포기하지 않고 극복하려는 의지를 추구한다는 것을 보여줍니다.

25 미미와 몽당깨비는 사람이 되고 싶어 합니다.

26 버들이는 어머니 병을 낫게 하려고 새벽마다 가장 먼저 도깨비 샘물을 뜨러 왔습니다.

27 버들이는 잔칫집에서 일하는 날이면 떡이랑 메밀묵을 가져다주었습니다.

28 몽당깨비는 버들이가 고생하는 게 가엾어서 돈을 만들어다 주거나 부잣집 돈을 훔쳐 내기도 하였습니다.

29 ㉢의 말을 통하여 버들이가 샘물을 쉽게 얻을 수 있는 방법을 원한다는 것을 알 수 있습니다.

30 몽당깨비는 샘을 기와집 뒤란으로 옮겨 달라는 버들이의 말을 들은 상황에 처해 있습니다.

32 몽당깨비가 버들이를 탓하지 말라고 말하고, 버들이가 원하는 대로 샘물줄기를 바꾼 까닭은 자신이 사랑하는 사람을 위하여 진심을 다하는 인물이기 때문입니다.

33

채점 기준

평가	답안 내용
상	**예** 자신이 좋아하는 사람을 위하여 진심을 다하는 것을 추구한다.
	→ 몽당깨비가 처한 상황에서 한 말과 행동을 통하여 추구하는 가치를 알맞게 씀.
하	**예** 도움을 주고자 한다.
	→ 몽당깨비의 행동과 관련된 내용을 씀.

35 몽당깨비는 버들이네 기와집으로 샘물줄기를 바꾼 죄로 대왕 도깨비에게 천 년 동안 은행나무 뿌리에 얽매여 있어야 하는 벌을 받게 되었습니다.

36 몽당깨비와 버들이가 한 말과 행동을 통하여 인물이 추구하는 가치를 알아보면 글의 주제를 알 수 있습니다.

37 이야기 속 인물이 되어 자신이라면 어떤 말과 행동을 했을지 생각해 봅니다.

채점 기준

평가	답안 내용
상	버들이가 처한 상황을 파악하여 그 상황에서 자신이라면 어떤 말이나 행동을 할지 자신의 생각을 알맞게 씀.
하	상황을 잘못 파악하거나, 자신이라면 어떤 말이나 행동을 했을지 쓰지 못함.

41 케냐의 새로운 지도자들은 돈벌이를 위하여 숲을 없애고 차나무와 커피나무를 심었습니다.

43 왕가리 마타이는 나무를 심어 주는 회사를 세우면 회사가 삭막한 도시를 풍요롭게 만들어 주고, 가난한 사람들에게 일자리를 제공할 것이라고 생각했습니다.

44 왕가리 마타이는 테레사 수녀와 마거릿 미드에게 큰 감명을 받고, 나무와 숲이 있는 더 푸른 도시를 만들기로 결심하였습니다.

45

채점 기준

평가	답안 내용
상	(1) **예** 나무 심기를 계속한 상황 (2) **예** 나무 심기를 포기할 수는 없다고 말함.
	→ 왕가리 마타이가 처한 상황과 그 상황에서 한 말을 알맞게 씀.
하	(1)과 (2) 중, 한 가지만 알맞게 씀.

46 묘목을 옮겨 심을 때마다 한 그루에 4센트씩의 대가를 지불하였습니다.

48 왕가리 마타이는 인내심을 가지고 나무를 심어줄 것을 부탁했습니다.

49 왕가리 마타이는 모두를 위하여 나무 심기 운동을 계속하라고 했으므로 이기적인 성격은 아닙니다.

50 왕가리 마타이는 케냐 정부가 나이로비 시내 한복판에 있는 우후루 공원에 복합 빌딩을 건설하려고 하는 상황에 처해 있습니다.

51 왕가리 마타이는 관련 회사와 정부에 편지를 쓰고 언론에 자신의 주장을 알리며 우후루 공원을 지키려고 애썼으며, 걱정하는 친구들에게 우후루 공원은 모든 사람의 것이라고 말하였습니다.

53 왕가리 마타이가 처한 상황을 파악하여 그 상황에서 한 말과 행동을 통하여 추구하는 가치를 생각해 봅니다.

채점 기준	
평가	답안 내용
상	왕가리 마타이가 나무 심기 운동을 꾸준히 실천하고 우후루 공원에 건물 짓는 것을 반대하는 말과 행동을 통하여 왕가리 마타이가 자신뿐 아니라 모두의 이익과 행복을 추구한다는 내용을 씀.
하	왕가리 마타이가 추구하는 가치를 알맞게 쓰지 못함.

54 '기억나는 인물의 말과 행동'과 '인물을 말해 주는 질문과 대답'을 통하여 인물이 추구하는 가치를 알 수 있습니다.

55 인물을 말해 주는 질문과 대답으로 ②는 알맞지 않습니다.

56 인물 소개서에 쓸 내용으로는 '인물이 자신의 삶에 준 영향'이 알맞습니다.

57 인물 소개서에는 인물이 추구하는 가치에 대한 내용 외에도 작품 제목, 지은이, 소개할 인물의 이름 등을 쓸 수 있습니다.

단원 평가
교과서 진도북 129~132 쪽

1 ①   **2** 책   **3** ②   **4** ②   **5** 일편단심
6 (나)   **7** ⑤   **8** (1) 예 수군을 포기하고 육군으로 싸우라는 (2) 예 죽을힘을 다해 싸운다면 이길 수 있을 것이라고 말함.   **9** ④   **10** 판옥선   **11** (2) ○   **12** ⑤
13 ④   **14** ④   **15** (1) ② (2) ①
16 ①, ②, ⑤   **17** ②   **18** ⑤   **19** ①, ③
20 예 케냐 정부는 현실적인 이익을 추구하지만 왕가리 마타이는 보다 많은 사람들의 이익과 행복을 추구한다는 점에서 다르다.

1 글쓴이는 작가라는 꿈을 이루려고 더 많은 책을 읽었다고 하였습니다.

3 글쓴이는 책을 읽자고 말하고 있습니다.

4 뜻을 함께 모아 새 나라를 세우자는 이방원의 뜻이 잘 드러난 낱말은 '우리'입니다.

5 변치 않는 마음이라는 뜻의 '일편단심'이 정몽주의 생각을 그대로 보여 주는 낱말입니다.

6 변함없이 고려에 충성을 다하겠다는 정몽주의 생각을 보고 떠올린 생각입니다.

7 이순신은 원균과 달리 임금님께 자신의 생각을 당당하게 말하고 행동했습니다.

8 이순신이 처한 상황과 그 상황에서 한 말을 파악하여 봅니다.

채점 기준	
평가	답안 내용
상	(1)에 이순신이 처한 상황을 쓰고, (2)에 그 상황에서 한 말을 알맞게 씀.
중	(1)에 이순신이 처한 상황을 알맞게 쓰고, (2)에 '죽을힘을 다해 싸우겠다고 함.'과 같이 인물이 한 말을 자세히 쓰지 않음.
하	(1)과 (2)중, 한 가지만 알맞게 씀.

9 이순신은 어떤 어려움도 극복할 수 있다고 생각하는 사람이었기 때문에 적은 수의 배와 군사를 가졌지만 쉽게 포기하지 않은 것입니다.

10 멀리서 보면 수십 척의 판옥선이 갖추어진 것처럼 보이게 하였습니다.

11 전쟁에서 꼭 승리하겠다는 이순신의 굳은 결심이 느껴지는 말입니다.

12 파랑이는 버들이가 몽당깨비를 꾐에 빠뜨리고 있다고 생각했기 때문에 몽당깨비의 이야기를 듣고 반대하며 펄쩍 뛰었습니다.

13 버들이는 위독하신 어머니께 샘물을 더 드리고 싶어서 샘가에 오두막을 짓고 살고 싶어 하는 상황입니다.

15 버들이는 위독하신 어머니께 샘물을 더 드리고 싶어서 샘가에 오두막을 짓고 살겠다고 말한 것으로 보아 효와 현실적인 이익을 추구한다는 것을 알 수 있습니다.

17 왕가리 마타이는 외국에서 공부를 마치고 케냐로 돌아온 상황에서 ①, ③, ④와 같이 말하고 행동했습니다.

19 왕가리 마타이는 우후루 공원의 나무가 베어지는 것과 시민들의 쉼터가 없어지는 것을 막으려고 했습니다.

20

채점 기준	
평가	답안 내용
상	예시 답안과 같이 케냐 정부와 왕가리 마타이가 추구하는 가치를 알맞게 비교하여 씀.
중	예 케냐 정부는 물질을 중요하게 생각하지만, 왕가리 마타이는 물질을 중요하게 생각하지 않는다.
중	→ 케냐 정부와 왕가리 마타이가 추구하는 가치를 비교하여 썼지만 인물이 추구하는 가치를 알맞게 파악하지 못함.
하	예 케냐 정부는 물질을 중요하게 생각한다.
하	→ 케냐 정부와 왕가리 마타이가 추구하는 가치를 비교하여 쓰지 못함.

9. 마음을 나누는 글을 써요

6

진도 학습

교과서 진도북 **135~140**쪽

1 ④, ⑤   **2** ㉮   **3** 예 안타까운   **4** 미수
5 (1) ② (2) ①   **6** 가   **7** 나   **8** ③
9 ⑤   **10** ①   **11** ③, ④   **12** 예 읽을 사람을 생각
하여 표현한다. / 맞춤법, 띄어쓰기를 잘 지켜 표현한다.
13 ⑤   **14** ②   **15** ⑤   **16** ⑤   **17** ④
18 ⑤   **19** ⑤   **20** 예 다른 사람의 도움을 바라지만
말고 먼저 베풀면서 살아라.

자습서 확인 문제 138쪽

1 ㉠, ㉡   **2** 상황, 목적   **3** 헤나

1 학용품을 소중히 다루어야 하는 까닭은 학용품은 자연 자원으로 만들었고, 학용품을 아껴 사용하면 자원 절약을 할 수 있기 때문입니다.

2 서연이는 자연 자원이 낭비되고 있는 상황을 보게 되어 자원을 아끼자는 생각을 하게 됩니다.

> **더 알아보기**
>
> **학용품은 어떤 자원으로 만들었을까요?**
>
> • 연필은 나무와 석탄으로 만들었습니다.
> • 지우개는 고무나 플라스틱으로 만들었습니다.

3 학용품을 소중히 다루지 않아 자연 자원이 낭비되는 것이 안타까운 마음입니다.

4 상진과 동철은 서연이에게 일어난 사건과 나누려는 마음을 바르게 파악하여 글을 쓰게 된 목적을 알맞게 말하였습니다.

6 글 가는 선생님께 감사한 마음을, 글 나는 친구에게 미안한 마음을 표현하기 위해서 쓴 글입니다.

7 글 가는 편지로 마음을 나누었고, 글 나는 문자 메시지로 마음을 나누었습니다. 나누려는 마음을 편지로 쓰면 하고 싶은 말을 자세히 표현할 수 있고, 문자 메시지로 쓰면 내 생각이나 느낌을 바로 전할 수 있고, 읽을 사람의 반응을 바로 확인할 수 있습니다.

> **더 알아보기**
>
> **마음을 나누는 글쓰기의 목적**
>
> • 자신이 경험했던 일을 떠올리며 마음을 나눌 수 있습니다.
> • 다른 사람과 원활하게 소통할 수 있습니다.

8 글 가는 공손한 말로, 글 나는 친근한 말로 표현했습니다.

> **더 알아보기**
>
> • 마음을 나누는 글은 누가, 어떤 사람에게 썼는지에 따라 표현하는 방법이 달라집니다.
> • 마음을 나누는 글은 어떤 내용과 마음을 나누느냐에 따라서도 표현하는 방법이 달라집니다.

9 신우는 점심시간에 미역국을 엎질러서 친구 가방이 더러워진 일 때문에 글을 쓰려고 합니다.

10 신우는 친구 가방을 더럽혀서 미안한 마음과 친구가 이해하고 도와주어서 고마운 마음을 전하려고 합니다.

11 신우가 미역국을 엎질러서 지효 가방을 더럽히게 된 사건을 바탕으로 지효에게 나누려는 마음이 무엇인지 살펴보아야 합니다. 신우는 지효에게 미안한 마음과 이해하고 도와주어서 고마운 마음을 나누려고 편지를 썼습니다.

12 글을 쓸 계획을 세울 때 고려할 점을 생각해 봅니다.

채점 기준	
평가	답안 내용
상	예 친구가 읽기 쉽게 친근한 표현, 쉬운 표현을 사용한다.
	→ 글을 쓸 때 표현하기에서 고려할 점을 구체적으로 알맞게 씀.
하	예 띄어쓰기를 지킨다.
	→ 표현할 때 고려할 점을 간단히 씀.

13 정약용은 두 아들이 버릇처럼 일가친척 중에 돌보아 주는 사람이 없다고 개탄하는 것은 하늘을 원망하고 사람을 미워하는 말투라고 하였습니다.

14 정약용은 두 아들이 남이 베풀어 주는 일에 너무 익숙해져 있다고 걱정하고 있습니다.

15 정약용은 두 아들이 남이 은혜를 베풀어 주기만 바라고 있어 사람의 본분을 망각하지는 않았는지 걱정이 되어서 편지를 보낸다고 하였으므로 글을 쓰게 된 상황은 두 아들이 은혜를 베풀어 주기만 바라고 있어서가 알맞습니다.

> **더 알아보기**
>
> **정약용이 두 아들에게 나누고 싶은 마음**
>
> • 다른 사람을 배려하는 마음
> • 다른 사람에게 베푸는 마음
> • 다른 사람을 걱정하는 마음
> • 다른 사람을 아끼는 마음

16 정약용은 마음속으로 남의 은혜를 받고자 하는 생각을 버린다면, 절로 마음이 평안하고 기분이 화평해진다고 하였습니다.

17 정약용은 밥을 끓이지 못하는 집에 쌀을 주고, 추운 집에는 장작개비를 나누어 주고, 병든 사람들에게는 약 지을 돈을 주고, 가난하고 외로운 노인을 공손한 마음으로 공경하라고 두 아들에게 당부하였습니다. 근심 걱정에 싸여 있는 집에 가서 고통을 함께 나누며 잘 처리할 방법을 의논하라고 하였습니다.

18 정약용은 남이 먼저 은혜를 베풀어 주기만 바라는 것은 오기 근성이 없어지지 않았기 때문이라고 하였습니다.

19 마음속에 보답받을 생각을 가지면 다른 사람이 보답해 주지 않으면 원망하게 됩니다.

20 정약용이 두 아들에게 남이 먼저 은혜를 베풀어 주기만을 바라지 말라고 말한 것에서 알 수 있습니다.

채점 기준	
평가	답안 내용
상	예 다른 사람을 위해 먼저 은혜를 베풀어라.
	→ 정약용이 두 아들에게 하고 싶은 말을 바르게 파악하여 씀.
하	예 남에게 베풀어라.
	→ 정약용이 두 아들에게 하고 싶은 말을 간단히 씀.

단원 평가
교과서 진도북 141~144쪽

1 ①　　**2** 동수　　**3** ②　　**4** ①
5 예 친구들이 학용품을 소중히 다루지 않았기 때문이다.
6 (2) ○　　**7** ④　　**8** (개)　　**9** 읽기　　**10** ④
11 예 미안한 마음　　**12** ②　　**13** ④　　**14** ②
15 ②　　**16** ⑤　　**17** ②　　**18** ④　　**19** 은호
20 예 다른 사람을 배려하는 마음을 두 아들과 나누기 위해서이다.

1 민지는 친구에게 생일 선물을 받아서 기쁜 마음을 나누려고 감사 편지를 썼습니다.

2 상현이와 같이 슬픈 마음을 나누는 글을 쓴 경험에 대하여 말한 사람은 동수입니다.

3 고마운 마음을 전하기 위하여 누리집 게시판에 글을 쓰는 것이 알맞습니다.

4 서연이는 뉴스와 분실물 보관함을 보고 난 뒤 자원을 아껴 써야겠다는 생각을 하게 됩니다.

> **왜 틀렸을까?**
> ②, ③ - 서연이는 자연 자원을 아끼기 위해 자연 자원으로 만든 학용품을 낭비하지 말아야 한다고 생각하므로, 자원을 만들자거나 아예 쓰지 말자는 것은 오답입니다.

5 서연이에게 일어난 일을 살펴보고 서연이가 안타까운 마음이 든 까닭을 생각해 봅니다.

채점 기준	
평가	답안 내용
상	예 친구들이 학용품을 아껴 쓰지 않았기 때문이다.
	→ 서연이에게 일어난 일을 바탕으로 서연이가 안타까운 마음이 든 까닭을 알맞게 씀.
중	예 친구들이 연필과 지우개를 떨어뜨렸기 때문이다.
	→ 서연이가 안타까운 마음이 든 까닭을 정확히 파악하지 못함.

6 동생에게 사과하는 마음을 문자 메시지를 통하여 전할 수 있습니다.

7 친구가 선물로 사 준 우산을 잃어버린 상황에서 나누려는 마음은 속상한 마음입니다.

9 글 (개)는 선생님께서 국어 공부를 재미있게 하는 방법을 알려 주신 일에 대하여 고마운 마음을 나누려고 쓴 글입니다.

10 연아는 만화책만 재미있었다고 했습니다.

11 친구에게 과학 시간에 물을 엎질러서 미안한 마음을 표현하기 위해서 쓴 글입니다.

12 글 (내)는 나누려는 마음을 문자 메시지로 썼습니다.

13 신우는 점심시간에 미역국을 엎질러서 지효 가방이 더러워진 일에 대해 미안한 마음을 나누려고 글을 쓰려고 합니다.

14 신우는 지효에게 가방을 더럽혀서 미안한 마음과 이해해 줘서 고마운 마음을 전하려고 합니다.

15 친구에게 나누려는 마음을 전하는 것이므로 문자 메시지로 쓰는 것이 알맞습니다.

16 '첫인사, 마음을 나누려는 사람'은 글 (개)의 내용이고, '끝인사, 나누려는 마음'은 글 (대)의 내용입니다.

17 마음을 나누는 글을 쓸 때는 읽을 사람을 생각해서 표현하고, 맞춤법과 띄어쓰기를 잘 지켜 표현합니다.

18 정약용이 두 아들의 마음가짐을 걱정하여 유배지에서 보낸 편지입니다.

20

채점 기준	
평가	답안 내용
상	예 정약용이 다른 사람을 배려하는 마음을 두 아들과 나누려고 글을 씀.
	→ 정약용이 글을 쓴 목적을 알맞게 파악하여 씀.
하	예 배려하는 마음 / 걱정하는 마음
	→ 정약용이 글을 쓴 목적을 자세히 쓰지 않음.

1. 비유하는 표현

개념 확인하기
온라인 학습북 **4**쪽

1 ㉠   **2** ㉢   **3** ㉡
4 ㉠   **5** ㉡

서술형·논술형
온라인 학습북 **5**쪽

|연습|

1 (1) 봄날 꽃잎, 나비, 함박눈, 폭죽

(2) ① 예 나비

② 예 번데기가 나비가 되듯이 아주 다른 모습으로 변하는
것이 비슷해서이다.

|실전|

2 (1) ① 교향악 ② 악기 ③ 큰북 ④ 작은북

⑤ 예 소리가 작다.

(2) ① 예 계단 ② 예 실로폰

③ 예 올라가거나 내려가는 모습이 비슷하기 때문이다.

|연습|

1 (1) 뻥튀기가 사방으로 날리는 모양은 흩날리고 소복하다
등의 특징이 있습니다.

(2) 뻥튀기의 특성을 생각하며 비유하고 싶은 사물을 떠
올립니다.

더 알아보기

글 「뻥튀기」에 나오는 비유하는 표현

대상	비유하는 표현	비유한 까닭
뻥튀기가 사방으로 날리는 모양	봄날 꽃잎	뻥튀기가 봄날 꽃잎처럼 하늘에 흩날리기 때문에
	나비 / 함박눈 / 폭죽	다양한 방향으로 움직여서 / 소복하게 내리니까 / 멀리 퍼져 나가서
뻥튀기 냄새	메밀꽃 냄새 / 새우 냄새 / 멍멍이 냄새 / 옥수수 냄새	냄새가 고소하고 달콤하기 때문에

채점 기준

		배점
(1)	모범 답안과 같이 표기한 정답만 인정	4점
	뻥튀기를 비유하고 싶은 사물과 그렇게 표현한 까닭을 알맞게 썼는가?	배점 6점

(2)	뻥튀기와 공통점이 있는 사물을 알맞게 쓰고, 둘 사이의 공통점을 구체적으로 썼다.	뻥튀기와 공통점이 있는 사물을 알맞게 썼지만, 둘 사이의 공통점을 구체적으로 쓰지 못하였다.	뻥튀기와 공통점이 있는 사물만 썼다.
	6점	4점	1점

|실전|

2 (1) 은유법으로 봄비가 오는 날의 모습을 빗대어 표현하
였습니다.

더 알아보기

시 「봄비」에 나오는 비유하는 표현

대상	비유하는 표현	비유한 까닭
봄비 내리는 소리	교향악	여러 가지 소리가 섞여 있는 것이 비슷해서
이 세상 모든 것	악기	소리가 나는 것이 비슷해서
지붕	큰북	큰 소리가 나는 것이 비슷해서 / 크기가 커서
세숫대야 바닥	작은북	작은 소리가 나는 것이 비슷해서 / 크기가 작아서
봄비 내리는 모습	왈츠	경쾌하고 가볍게 움직이는 것이 비슷해서

(2) 대상과 비유하는 표현 사이에는 공통점이 있어야 합
니다.

채점 기준

		배점
(1)	①~⑤ 모범 답안과 같이 표기한 정답만 인정	각 2점
	대상, 비유하는 표현, 비유한 까닭을 알맞게 썼는가?	배점 6점

(2)	대상과 비유하는 표현을 알맞게 쓰고, 둘 사이의 공통점을 구체적으로 썼다.	대상과 비유하는 표현을 알맞게 썼지만, 둘 사이의 공통점을 구체적으로 쓰지 못하였다.	대상과 비유하는 표현 중에서 하나만 썼다.
	6점	3점	1점

정답을 확인하기 전에 자기가 푼 단원평가의 정답을 **큐알**을 찍어 올려 보세요.

단원 평가

온라인 학습북 **6~8**쪽

문항 번호	정답	평가 내용	난이도
1	⑤	글에서 표현하는 것 알기	쉬움
2	④	비유하는 대상 파악하기	보통
3	④	비유한 까닭 알기	어려움
4	④	빗대어 표현한 까닭 알기	보통
5	②	비유하는 표현을 알맞게 바꾸어 쓰기	보통
6	④	비유하는 표현을 사용하면 좋은 점 알기	보통
7	②	비유하는 표현 알기	어려움
8	④	시를 바르게 이해하기	쉬움
9	①	시의 제목 떠올리기	보통
10	④	비유한 까닭 파악하기	어려움
11	⑤	시의 내용 파악하기	보통
12	④	운율이 잘 느껴지는 부분 찾기	어려움
13	⑤	시에서 표현하는 장면 떠올리기	어려움
14	④	비유하는 표현 방법 알기	어려움
15	③	시를 바르게 이해하기	보통
16	⑤	시를 읽고 장면 떠올리기	보통
17	①	시의 주제 파악하기	어려움
18	④	비유하는 표현 방법 알기	보통
19	⑤	비유하는 대상의 공통점 떠올리기	쉬움
20	④	은유법에 대하여 알기	보통

1 뻥튀기가 튀겨질 때 사방으로 튀는 모습과 튀길 때 나는 고소한 냄새를 표현하였습니다.

2 봄날 꽃잎, 나비, 함박눈, 폭죽은 뻥튀기가 사방으로 날리는 모양을 비유하는 표현입니다.

3 '뻥튀기 냄새'와 '옥수수 냄새'는 달콤하고 고소하다는 공통점이 있습니다.

4 '뻥튀기'를 다른 사물에 빗대어 표현한 까닭은 뻥튀기하는 상황을 훨씬 실감 나게 표현하고 읽는 사람들에게 더 생생하게 전달하기 위해서입니다.

5 구수한 뻥튀기 냄새를 떠올릴 수 있는 표현을 찾습니다.

6 비유하는 표현을 사용한다고 해서 낱말의 뜻을 저절로 알 수는 없습니다.

7 비유하는 표현에는 공통점이 있는 두 대상이 나타나야 합니다.

8 말하는 이가 비가 많이 오는 것을 걱정하고 있다는 내용은 나오지 않습니다.

9 이 시는 봄비가 내리는 모습을 표현하고 있으므로, 제목도 「봄비」가 가장 알맞습니다.

10 '봄비 내리는 소리'와 '교향악'의 공통점은 여러 가지 소리가 섞여 있다는 것입니다.

11 악기가 되는 것은 소리가 나는 공통점이 있습니다. '엄마 치마 주름'은 소리가 나지 않습니다.

12 운율은 소리가 비슷한 글자나 일정한 글자 수가 반복될 때 생기므로, '도당도당 도당당'에서 운율이 가장 잘 느껴집니다.

13 "앞마을 냇가에선 / 퐁퐁 포옹 퐁 / 뒷마을 연못에선 / 풍풍 푸웅 풍"은 앞마을 냇가와 뒷마을 연못에 봄비가 경쾌하게 내리는 장면을 표현한 것입니다.

14 "바다같이 넓은 어머니 마음"은 직유법으로 표현하였고, 나머지는 은유법으로 표현하였습니다.

15 이 시에는 계절적 배경이 두드러지게 나와 있지 않습니다.

16 새 학년이 되어서 만난 친구와 친하게 지낼 것을 다짐하는 장면은 떠오르지 않습니다.

17 이 시에는 친구 사이의 우정이 드러납니다.

18 "봄비는 큰 은혜로 내리는 교향악"은 은유법을 사용하고 있습니다.

19 '발전소'는 전기를 만들어 내는 곳인데, 전기는 쓰이는 곳에 힘을 내게 해 줍니다.

20 '~은/는 ~이다'로 빗대어 표현하는 방법을 은유법이라고 합니다.

2. 이야기를 간추려요

개념 확인하기

온라인 학습북 **9**쪽

1 ㉢　　　　**2** ㉢　　　　**3** ㉠

4 ㉠

서술형·논술형

온라인 학습북 **10**쪽

|연습|

1 (1) 예 미워하는 마음만 남았다.

(2) 예 황금 사과를 두 동네가 똑같이 나누어 가지거나 황금 사과를 팔아서 공원이나 도로와 같이 두 동네에 필요한 일에 사용한다.

|실전|

2 (1) 예 저승사자가 원님에게 덕진이라는 아가씨의 곳간에서 쌀을 꾸어 계산하라고 제안하였다.

(2) 예 남에게 덕을 베푼다. / 어려움에 처한 사람들을 돕는다.

|연습|

1 (1) 두 동네 사람들 사이에는 서로 미워하는 마음만 남게 되었습니다.

> **더 알아보기**
>
> **이야기 「황금 사과」에서 두 동네 사람들 사이에 일어난 일**
>
> | | |
> |---|---|
> | 1 | 두 동네의 한가운데에 있는 사과나무에 황금 사과가 열렸는데, 두 동네 사람들이 황금 사과를 서로 가지겠다고 땅바닥에 금을 그었다. |
> | 2 | 두 동네 사람들은 담까지 높게 쌓았는데, 담을 세운 까닭을 잊고 미워하는 마음만 남았다. |
> | 3 | 어느 날, 한 꼬마 아이가 엄마께 담 너머에 누가 사느냐고 묻자 엄마는 괴물이 사니 조심하라고 했다. |
> | 4 | 꼬마 아이가 공을 주우려고 담 쪽으로 갔다가 담에 있는 문을 열자, 그곳에는 아이들이 즐겁게 놀고 있었다. |

(2) 누구나 가지고 싶은 물건을 똑같이 나누어야 할 일이 생겼을 때 어떻게 하면 서로 기분 좋게 받아들일 수 있을지 생각해 봅니다.

채점 기준

	'미워하는 마음만 남게 되었다.'라는 내용으로 썼는가?		**배점**
(1)			4점
	그렇다.	아니다.	
	4점	0점	
	황금 사과를 사이좋게 나누는 방법을 알맞게 썼는가?		**배점**
			6점
(2)	황금 사과를 똑같이 나눈다거나 황금 사과를 판 돈을 두 마을 모두를 위해 사용한다는 내용을 썼다.	'황금 사과를 똑같이 나눈다.' 등과 같이 간단하게 썼다.	'황금 사과를 집집마다 나누어 준다.' 등과 같이 다소 알맞지 않은 내용으로 썼다.
	6점	3점	1점

|실전|

2 (1) 이야기 흐름에서 중요하지 않은 사건은 삭제하거나 간단히 쓰고, 중요한 사건이 일어난 원인과 그에 따른 결과를 찾습니다.

> **더 알아보기**
>
> **이야기 구조에 따라 「저승에 있는 곳간」의 사건의 중심 내용을 간추리기**
>
> | | |
> |---|---|
> | 발단 | 저승에 간 원님이 염라대왕에게 이승에서 좀 더 살게 해 달라고 간청하자 염라대왕은 원님을 저승사자에게 돌려보냈고, 저승사자는 원님에게 수고비를 내놓으라고 함. |
> | 전개 | 저승사자는 원님에게 덕진이라는 아가씨의 곳간에서 쌀을 꾸어 계산하게 하고 원님을 이승으로 보냄. |
> | 절정 | 원님이 이승으로 돌아와 덕진을 만나고 덕진의 말과 행동에 크게 감명받아 덕진에게 쌀 삼백 석을 갚음. |
> | 결말 | 덕진이 원님에게 받은 쌀로 마을 앞을 가로지르는 강가에 다리를 놓음. |

(2) 덕진의 저승 곳간에 쌀이 수백 석이나 있다는 것은 덕진이 이승에서 그만큼 좋은 일을 많이 한다는 뜻입니다.

채점 기준

		배점
(1)	모범 답안의 사건이 나타나게 쓴 정답만 인정	6점
	'덕진이 덕을 베푼다거나 좋은 일을 많이 한다.'라는 내용으로 썼는가?	**배점**
		4점
(2)	그렇다.	아니다.
	4점	0점

정답을 확인하기 전에 자기가 푼 단원평가의 정답을 **큐알**을 찍어 올려 보세요.

단원 평가

온라인 학습북 **11~14**쪽

문항 번호	정답	평가 내용	난이도
1	①	사건의 원인 파악하기	보통
2	②	사건 파악하기	보통
3	⑤	인물의 마음 파악하기	어려움
4	⑤	사건 정리하기	보통
5	②	이야기를 읽고 질문 만들기	어려움
6	⑤	이야기의 내용 파악하기	쉬움
7	④	이야기의 내용 파악하기	쉬움
8	④	이야기의 내용 파악하기	보통
9	⑤	문장의 뜻 파악하기	어려움
10	⑤	사건의 중심 내용 간추리기	어려움
11	③	이야기의 내용 추론하기	쉬움
12	⑤	이야기의 내용 파악하기	쉬움
13	⑤	이야기의 장면 떠올리기	어려움
14	①	인물의 마음 파악하기	어려움
15	④	사건 전개 과정 알기	쉬움
16	③	인물의 생각 알기	쉬움
17	②	인물의 마음 파악하기	보통
18	⑤	사건의 중심 내용 간추리기	보통
19	⑤	이야기의 내용 파악하기	쉬움
20	③	인물의 생각 추론하기	어려움

1 두 동네 사람들은 황금 사과를 서로 가지려고 싸움을 하게 되었습니다.

2 두 동네 사람들은 땅바닥에 금을 긋고 금을 기준으로 해서 황금 사과를 나누어 가지기로 하였습니다.

3 다른 동네에서 황금 사과를 더 많이 가져가지 않는지 의심하다가 결국에는 미워하는 마음을 가지게 되었습니다.

4 아이가 공을 주우려고 담 쪽으로 갔다가 담에 있는 문을 열자, 그곳에 아이들이 있었습니다.

5 사실을 묻는 질문이나 사실을 바탕으로 하여 추론한 정보를 묻는 질문, 사실에 대한 가치 판단을 묻는 질문 등을 할 수 있습니다.

6 수고비를 내라고 한 사람은 저승사자입니다.

7 저승사자는 원님에게 저승 곳간에서라도 내놓으라고 하였습니다.

8 저승 곳간은 이승에서 좋을 일을 한 만큼 재물이 쌓이게 되어 있습니다.

9 '코웃음'은 콧소리를 내거나 코끝으로 가볍게 웃는 비난조의 웃음입니다. '눈웃음'은 '소리 없이 눈으로만 가만히 웃는 웃음'을 가리킵니다.

10 간추린 내용은 핵심 내용을 담고 있어야 합니다.

11 원님은 저승에 있는 덕진의 곳간에 재물이 많이 쌓여 있음을 보고 이승으로 온 것입니다.

12 덕진이 죽어 저승에 갔을 때 그전에 원님이 덕진의 곳간에서 쌀을 꾼 것을 알 것이라고 한 것입니다.

13 덕진이 저승으로 가 원님이 자기에게 쌀을 준 까닭을 아는 내용은 나오지 않습니다.

14 허리를 굽히고 종이를 줍는 할머니는 힘들 것입니다.

15 종이 할머니가 채소 가게 앞에서 빈 상자를 가져가는 눈에 혹이 난 할머니를 만나는 부분에서 사건이 본격적으로 발생합니다.

16 쉽게 허리를 구부리지 않기로 결심하였습니다.

17 눈에 혹이 난 할머니와 함께 마음을 나누며 살기 때문에 행복할 것입니다.

18 종이 할머니가 마음을 열고 눈에 혹이 난 할머니와 친구처럼 지내면서 이야기는 끝을 맺습니다.

19 소년은 주로 개울가 징검다리에서 소녀를 마주쳤습니다.

20 흙탕물이 묻은 옷은 소년과의 소중했던 추억이 담긴 옷이어서 소녀는 그 추억을 간직하고 싶어 하였습니다.

3. 짜임새 있게 구성해요

개념 확인하기 온라인 학습북 **15**쪽

1 ㉡ **2** ㉡ **3** ㉠
4 ㉡ **5** ㉠

서술형·논술형 온라인 학습북 **16**쪽

|연습|

1 (1) ① 예 듣는 사람이 친구들이다.

② 예 친구들과 개인적으로 이야기한다.

③ 예 여러 친구 앞에서 공식적으로 말한다.

(2) 예 여러 사람 앞에서 공식적으로 말하는 상황에서는 높임 표현을 사용하여 바른 자세와 태도로 말한다. / 자료를 활용하는 것이 좋다.

|실전|

2 (1) ① 학교에 바라는 점을 조사한 설문 조사 결과

② 『오늘의 순위』 책 내용

(2) 예 전하려는 내용을 쉽게 전달할 수 있다. / 듣는 사람이 쉽게 이해할 수 있다. / 설명하는 내용을 한눈에 알아보기 쉽다

|연습|

1 (1) 그림 ①와 ②의 말하기 상황의 비슷한 점과 다른 점

비슷한 점	
• 말하는 사람과 듣는 사람이 있다. • 듣는 사람이 친구들이다.	
그림	다른 점
①	• 교실 밖에서 자유롭게 말한다. • 친구들과 개인적으로 말한다.
②	• 수업 시간에 교실에서 여러 사람 앞에서 발표한다. • 여러 친구 앞에서 공식적으로 말한다.

(2) 공식적인 말하기 상황의 특성

• 여러 사람 앞에서 발표하는 상황이기 때문에 큰 소리로 또박또박 말한다.

• 듣는 사람은 집중해서 듣는다.

• 높임 표현을 사용해야 한다.

• 듣는 사람이 이해하기 쉽게 자료를 활용하면 좋다.

(1)	①에 두 상황의 비슷한 점을 쓰고, ②와 ③에 각 그림의 상황에서 다른 점을 썼는가?		배점 4점
	세 가지 모두 썼다.	두 가지만 썼다.	한 가지만 썼다.
	4점	2점	1점
(2)	공식적인 상황에서 말할 때의 태도를 알맞게 썼는가?		배점 4점
	모범 답안의 내용과 비슷하게 썼다.	'바른 말을 사용한다.'와 같이 구체적으로 쓰지 못하였다.	
	4점	1점	

|실전|

2 (1) 「전교 학생회 회장단 선거 후보의 연설」의 내용 파악하기

후보자는 어디에서 누구에게 말했나요?	강당에서 학생들에게 말했다.
후보자는 어떤 공약을 발표했나요?	• 깨끗한 화장실을 만들겠다. • 다양한 직업 체험학습을 가도록 노력하겠다. • 꿈 찾기 기획을 진행하겠다.
후보자는 의견을 발표할 때 어떤 자료를 활용했나요?	• 학교에 바라는 점을 조사한 설문 조사 결과 • 『오늘의 순위』라는 책 내용
공식적인 말하기 상황에서 후보자는 어떤 태도로 말해야 할까요?	• 듣는 사람의 특성에 맞추어 알기 쉽게 말한다. • 바른 자세와 태도로 말한다. • 연설 시간을 생각한다.

(2) 자료를 활용하여 발표하면 좋은 점

• 듣는 사람이 흥미를 느끼게 할 수 있다.

• 정보를 효과적으로 전달할 수 있다.

• 듣는 사람이 더 잘 이해할 수 있다.

(1)	①에 '설문 조사 결과'라는 내용을 쓰고, ②에 '책'이라는 내용을 썼는가?	배점 4점
	두 가지 모두 썼다.	한 가지만 썼다.
	4점	2점
(2)	자료를 활용하여 발표할 때 좋은 점을 구체적으로 썼는가?	배점 4점
	모범 답안의 내용과 비슷하게 썼다.	답안의 내용을 구체적으로 쓰지 못하였다.
	4점	1점

정답과 풀이 | **27**

정답을 확인하기 전에 자기가 푼 단원평가의 정답을 큐알을 찍어 올려 보세요.

단원 평가

온라인 학습북 17~20쪽

문항 번호	정답	평가 내용	난이도
1	①	공식적인 말하기 상황 알기	쉬움
2	⑤	후보자가 활용한 자료 알기	보통
3	⑤	연설 내용 파악하기	쉬움
4	①	말하기 상황의 특성 알기	쉬움
5	①	자료를 활용한 까닭 알기	어려움
6	①	표의 특성 알기	보통
7	②	동영상을 활용하여 발표할 주제 파악하기	어려움
8	④	자료를 활용해서 말하면 좋은 점 알기	보통
9	③	발표하는 내용 알기	쉬움
10	②	자료를 활용하여 발표할 때 주의할 점 알기	보통
11	①	말할 내용에 따라 활용할 자료 파악하기	보통
12	①	발표할 내용을 준비하는 방법 알기	쉬움
13	⑤	발표 내용을 구성하는 방법 알기	보통
14	①	발표하는 내용 알기	어려움
15	⑤	자료의 내용 파악하기	보통
16	⑤	자료의 종류 알기	쉬움
17	①	자료의 내용 파악하기	쉬움
18	⑤	자료를 활용한 순서의 까닭 알기	어려움
19	②	끝맺는 말에 들어가는 내용 파악하기	보통
20	⑤	자료를 활용할 때 주의할 점 알기	쉬움

1 ㉣은 친구들과 개인적으로 이야기하는 상황입니다.

2 학생들이 학교에 바라는 점을 조사한 설문 조사 결과와 『오늘의 순위』라는 책의 내용을 자료로 활용하였습니다.

3 어릴 때부터 공부만 열심히 하라는 말을 지겹게 들어 온 결과라고 하였습니다.

4 공식적인 말하기 상황에서는 높임 표현을 사용해야 합니다.

5 말하려는 내용에 알맞게 자료를 활용하면 길게 말하지 않아도 내용 전달을 쉽고 효과적으로 할 수 있습니다.

6 장면을 있는 그대로 보여 줄 수 있는 것은 사진이나 동영상의 특성입니다.

7 우리나라 인구수의 변화는 도표를 활용하는 것이 알맞습니다.

8 표는 사라진 직업의 종류와 그 까닭을 직업별로 정리해서 보여 주기에 알맞습니다.

9 과거에 있던 직업인 보부상을 소개하는 동영상입니다.

10 적절한 양의 자료만 보여 주는 것이 좋습니다.

11 여행지까지 가는 길은 지도, 여행지의 자연환경이나 축제 모습은 사진이나 동영상, 여행지의 강수량과 기온은 도표 등을 활용하는 것이 알맞습니다.

12 발표할 주제는 발표하기 전에 정해 놓아야 합니다.

13 발표할 내용을 잘 구성해야 짜임새 있게 발표할 수 있고, 듣는 사람이 흥미 있게 발표를 들을 수 있습니다.

14 발표 주제를 소개하였습니다.

15 자료 1은 시대에 따라 달라지는 100대 기업의 인재상 변화를 정리하여 나타낸 표입니다.

16 한국교육방송공사의 동영상을 활용하였습니다.

17 미래 사회에서는 여러 분야에서 다양한 능력을 갖추어야 하고 한 사람이 4~5개의 직업을 가져야 합니다.

18 발표 마지막에 친구들이 가장 흥미 있을 내용을 넣어 발표 마지막까지 집중해서 들을 수 있도록 하기 위해서입니다.

19 끝맺는 말에는 발표한 내용을 간단히 정리하고 발표를 듣고 생각할 점을 말합니다.

20 다른 사람의 창작물은 허락을 구하고 출처를 밝히면 사용할 수 있습니다.

4. 주장과 근거를 판단해요

개념 확인하기

온라인 학습북 **21**쪽

1 ㉡   **2** ㉠   **3** ㉠

4 ㉢

서술형·논술형

온라인 학습북 **22**쪽

|연습|

1 (1) 예 동물원은 필요한가

(2) 예 동물원은 있어야 한다. 동물원은 우리에게 즐거움을 주고 동물을 보호해 주기 때문이다. / 동물원은 우리에게 즐거움을 주고 동물을 보호해 주기 때문에 동물원은 필요하다.

|실전|

2 (1) 예 동물원은 없애야 한다.

(2) ① 예 동물원은 동물의 자유를 빼앗고 동물에게 사람의 구경거리가 되는 고통을 느끼게 한다.

② 예 동물원은 인공적인 환경이기 때문에 자연을 대신할 수 없다.

|연습|

1 (1) 시은이네 모둠은 '동물원이 필요한가'라는 주제로 서로 이야기해 보기로 했습니다.

> **더 알아보기**
>
> **논설문의 특성**
>
> ① 주장과 이를 뒷받침하는 근거로 되어 있습니다.
> ② 서론, 본론, 결론으로 짜여 있습니다.
>
> | 서론 | 글을 쓰게 된 문제 상황과 글쓴이의 주장을 밝힙니다. |
> |---|---|
> | 본론 | 글쓴이의 주장에 적절한 근거를 제시합니다. |
> | 결론 | 글 내용을 요약하고 글쓴이의 주장을 다시 한 번 강조합니다. |

(2) 글 **나**에는 동물원은 필요하다는 주장과 이를 뒷받침하는 근거가 두 가지 나타나 있습니다.

> **더 알아보기**
>
> **논설문에서 내용의 타당성을 판단하는 방법**
>
> ① 주장이 가치 있고 중요한지 판단해 봅니다.
> ② 근거가 주장과 관련 있는지 판단해 봅니다.
> ③ 근거가 주장을 뒷받침하는지 판단해 봅니다.

채점 기준

	'동물원은 필요한가' 등으로 썼는가?		배점
			8점
(1)	그렇다.	'동물원'만 쓰거나 '동물원은 어떤가' 등과 같이 쟁점이 드러나지 않게 씀.	
	8점	0점	

	꼭 들어가야 할 말을 모두 넣어 글 ㉺에 나타난 주장과 근거를 간단히 썼는가?		배점
			12점
(2)	그렇다.	꼭 들어가야 할 말이나, 주장에 대한 근거 중 하나를 빠뜨리고 씀.	
	12점	6점	

|실전|

2 (1) 글쓴이는 '동물원은 필요한가?'라는 주제에 대하여 동물원은 없애야 한다고 말했습니다.

> **더 알아보기**
>
> **타당한 근거를 들어 알맞은 표현으로 논설문 쓰기**
>
> ① 우리 주변에서 일어나는 문제 상황을 생각해 봅니다.
> ② 문제 상황을 해결할 수 있는 방법 가운데에서 하나를 골라 주장을 정합니다.
> ③ 주장을 뒷받침하는 적절한 근거를 씁니다.
> ④ 논설문의 짜임에 알맞게 글을 씁니다.

(2) 글쓴이는 주장을 뒷받침하기 위해 두 가지 근거를 제시하였습니다. '첫째', '둘째'로 시작하는 문장에서 글쓴이가 제시한 근거 두 가지를 알 수 있습니다. 글쓴이는 동물원이 동물의 자유를 빼앗고 동물에게 사람의 구경거리가 되는 고통을 느끼게 한다고 하였습니다. 그리고 동물원은 인공적인 환경이기 때문에 자연을 대신할 수 없다고도 하였습니다.

채점 기준

	글쓴이의 주장이 분명하게 드러나는 내용으로 썼는가?		배점
			8점
(1)	그렇다.	'동물원은 나쁘다.' 등과 같이 동물원에 부정적인 입장이지만 글쓴이의 주장이 분명하게 드러나지는 않음.	
	8점	0점	

	글쓴이가 제시한 근거 두 가지를 알맞은 문장으로 썼는가?		배점
			12점
(2)	그렇다.	글쓴이가 제시한 근거 중 한 가지만 씀.	글쓴이가 근거로 제시한 문장을 그대로 옮겨 씀.
	12점	6점	2점

온라인 학습북 **17** ~ **22**쪽

정답을 확인하기 전에 자기가 푼 단원평가의 정답을 큐알을 찍어 올려 보세요.

단원 평가

온라인 학습북 23~26쪽

문항 번호	정답	평가 내용	난이도
1	①	글쓴이의 주장 파악하기	쉬움
2	⑤	글의 내용 파악하기	보통
3	⑤	주장과 근거 파악하기	어려움
4	②	글쓴이의 주장 파악하기	보통
5	①	주장과 근거 파악하기	보통
6	④	글쓴이의 주장 파악하기	보통
7	④	글의 내용 파악하기	쉬움
8	④	주장과 근거 파악하기	보통
9	④	주장과 근거 파악하기	보통
10	⑤	논설문의 짜임 알기	어려움
11	④	글의 내용 파악하기	쉬움
12	④	주장과 근거 파악하기	어려움
13	①	글쓴이의 주장 파악하기	쉬움
14	④	논설문의 짜임 알기	어려움
15	②	주장과 근거 파악하기	보통
16	⑤	주장과 근거 파악하기	보통
17	④	글의 내용 파악하기	어려움
18	②	글쓴이의 주장 파악하기	쉬움
19	⑤	글의 내용 파악하기	쉬움
20	①	글의 내용 파악하기	보통

1 이 글은 동물원이 있어야 한다는 주장이 드러난 글입니다.

2 야생에서 약한 동물이 더 강한 동물에게 공격당하기도 한다고 하였습니다.

3 글쓴이는 동물원이 필요하다고 하였습니다. 동물은 인간의 눈요깃거리가 아니므로 존중받아야 한다는 의견은 글쓴이의 주장을 뒷받침하지 않습니다.

4 동물원을 없애자는 주장에 대한 근거로 동물원 환경이 자연을 대신할 수 없음을 제시하고 있습니다.

5 친환경 동물원이 생기고 있지만 동물이 원래 살던 환경을 그대로 옮기는 것은 불가능하다고 하였습니다.

6 이 글은 전통 음식을 사랑하자는 주장을 펼치기 위한 논설문입니다.

7 청국장은 항암 효과는 물론 해독 작용까지 뛰어나다고 하였습니다.

8 전통 음식이 건강에 이롭다는 내용을 뒷받침하는 자료를 찾아야 합니다.

9 글쓴이는 계절과 지역에 따라 다양한 맛을 즐길 수 있는 음식의 예를 들어 근거를 제시하였다.

10 논설문에서 '본론'은 주장을 뒷받침하는 근거를 자세하게 제시하는 부분입니다.

11 삼국 시대부터 발달한 염장 기술로 고기류와 어패류를 오랫동안 보관해 맛있게 먹을 수 있었다고 하였습니다.

12 글쓴이는 우리 전통 음식을 통해 조상의 슬기와 문화를 경험할 수 있는 점을 근거로 제시하였습니다.

13 글쓴이의 주장을 파악하기 위해서는 중심 내용을 찾아야 합니다. 글 ❹에서 글쓴이는 우리 전통 음식을 사랑하자고 하였습니다.

14 논설문의 '결론' 부분에서는 글쓴이의 주장을 재강조하고, 글 전체의 내용을 요약하고 정리합니다.

15 우리 전통 음식이 세계 여러 나라에서 주목을 받고 있다고 하였습니다.

16 글쓴이는 무분별한 자연 개발 때문에 자연이 몸살을 앓고 있어 우리의 삶까지 위협받고 있다고 하였습니다.

17 무리한 자연 개발은 생태계를 파괴하고, 파괴된 생태계는 결국 사람의 생활 환경을 악화시킨다고 하였습니다.

18 글쓴이는 자연을 보호해야 한다는 주장을 펼치고 있습니다.

19 사람의 편의를 돕는 시설을 만들면서 무분별하게 산을 파헤치면 동식물은 삶의 터전을 잃게 됩니다.

20 자연은 한번 파괴되면 복원되기가 어렵다고 하였습니다.

5. 속담을 활용해요

개념 확인하기   온라인 학습북 **27**쪽

1 ㉡   **2** ㉠   **3** ㉡   **4** ㉠

서술형·논술형   온라인 학습북 **28**쪽

|연습|

1 (1) 재미 등

(2) **예** 주장의 논리를 뒷받침하여 쉽게 설득할 수 있다. / 의견을 뒷받침하는 근거로 사용할 수 있다.

|실전|

2 (1) ① 티끌 모아 태산 ② **예** 여럿이 모이면 큰 덩어리가 된다.

(2) ① 우물을 파도 한 우물을 파라

② **예** 꾸준히 하여야 성공할 수 있다.

|연습|

1 (1) 윤경이는 처음에 자신을 도와주겠다는 우진이에게 괜찮다고 했지만, 우진이가 속담을 써서 다시 말했을 때에는 재미있는 말이라며 관심을 나타냈습니다. 우진이처럼 속담을 사용하여 말을 하면 듣는 사람이 재미나 흥미를 느낄 수 있습니다.

> **더 알아보기**
>
> **속담의 뜻**
>
> | 속담 | 예로부터 민간에 전해 오는 쉬운 격언이나 잠언으로 우리 민족의 지혜와 해학, 교훈이 담겨 있음. |
> |---|---|

(2) 속담을 사용하여 말을 하면 주장이나 의견을 뒷받침할 수 있습니다. 또 속담을 사용하면 자신의 생각을 효과적으로 드러낼 수 있습니다.

> **채점 기준**
>
> | (1) | '재미'를 정확하게 썼는가? | | **배점** 4점 |
> |---|---|---|---|
> | | 그렇다. | '기쁨' 등의 표현을 썼다. | |
> | | 4점 | 2점 | |
>
> | (2) | 꼭 들어가야 할 말을 포함시켜 주장이나 의견을 뒷받침한다는 내용을 썼는가? | | **배점** 8점 |
> |---|---|---|---|
> | | 그렇다. | 꼭 들어가야 할 말을 빠뜨렸지만, 설득할 수 있다는 내용으로 씀. | |
> | | 8점 | 4점 | |

|실전|

2 (1) "티끌 모아 태산"은 아주 작은 것이라도 여럿이 모이면 큰 덩어리가 된다는 뜻의 속담입니다.

> **더 알아보기**
>
> **속담이 가진 특성**
>
> ① 비유성: 다른 것에 빗대어 표현한 속담이 있습니다.
>   **예** 새 발의 피
> ② 교훈성: 속담을 통해 배울 점이 있습니다. **예** 우물 안 개구리
> ③ 풍자성: 사회의 모습을 우스꽝스럽게 비꼬아서 나타낸 속담이 있습니다. **예** 돈이 양반이라

(2) "우물을 파도 한 우물을 파라."는 한 가지 일을 꾸준히 해야 한다는 뜻의 속담입니다.

> **더 알아보기**
>
> **다양한 상황에서 쓰이는 속담의 뜻 알기**
>
> ① 뒤늦게 후회하는 상황에 쓸 수 있는 속담이 있습니다.
>
> | 뒤늦게 후회하는 상황 | |
> |---|---|
> | 속담 | 소 잃고 외양간 고친다 |
> | 뜻 | 일이 이미 잘못된 뒤에는 손을 써도 소용이 없다. |
>
> ② 말조심과 관련된 속담이 있습니다.
>
> | 말조심을 해야 하는 상황 | |
> |---|---|
> | 속담 | 가는 말이 고와야 오는 말이 곱다 |
> | 뜻 | 남에게 말이나 행동을 좋게 하여야 남도 좋게 한다. |
>
> ③ 하고 싶은 말에 어울리는 속담을 사용해야 합니다.
> ④ 하고 싶은 말을 먼저 한 뒤에 속담을 사용해도 되고, 순서를 바꾸어도 됩니다.

> **채점 기준**
>
> | (1) | ①에 속담을 정확히 쓰고, ②에 속담의 뜻을 자연스러운 문장으로 완성하여 썼는가? | | **배점** 12점 |
> |---|---|---|---|
> | | 그렇다. | ②에 쓴 뜻의 내용은 알맞으나 문장의 호응이 어색함. | ①에 속담만 씀. |
> | | 12점 | 6점 | 3점 |
>
> | (2) | ①에 속담을 정확히 쓰고, ②에 속담의 알맞은 뜻을 정확한 문장으로 썼는가? | | **배점** 12점 |
> |---|---|---|---|
> | | 그렇다. | ②에 쓴 뜻의 내용은 알맞으나 문장의 호응이 어색함. | ①에 속담만 씀. |
> | | 12점 | 6점 | 3점 |

정답을 확인하기 전에 자기가 푼 단원평가의 정답을 큐알을 찍어 올려 보세요.

문항 번호	정답	평가 내용	난이도
단원 평가			온라인 학습북 **29~32**쪽
1	③	속담의 특징 알기	쉬움
2	②	상황에 알맞은 속담 파악하기	보통
3	⑤	속담의 뜻 알기	어려움
4	⑤	상황에 알맞은 속담 파악하기	보통
5	④	상황에 알맞은 속담 파악하기	보통
6	①	속담의 뜻 알기	보통
7	③	속담의 뜻 알기	쉬움
8	⑤	인물의 마음 파악하기	보통
9	⑤	글의 내용 파악하기	어려움
10	③	인물의 마음 파악하기	보통
11	①	속담을 사용하는 까닭 알기	쉬움
12	⑤	글의 내용 파악하기	보통
13	⑤	글의 내용 파악하기	쉬움
14	②	글의 내용 파악하기	쉬움
15	⑤	인물의 성격 파악하기	보통
16	⑤	상황에 알맞은 속담 파악하기	보통
17	②	속담의 뜻 알기	쉬움
18	③	글의 내용 파악하기	쉬움
19	③	글의 내용 파악하기	보통
20	④	글의 주제 파악하기	보통

1 속담이란 예로부터 민간에 전해 오는 쉬운 격언을 말합니다.

2 서로 의견을 굽히지 않는 상황에서는 '사공'이 많으면 배가 산으로 간다는 속담을 쓸 수 있습니다.

3 배를 조종하는 사공이 많으면 배가 엉뚱한 곳으로 간다는 속담이므로 ⑤와 같은 속담도 비슷한 뜻을 나타냅니다.

4 "바다는 메워도 사람의 욕심은 못 채운다"는 지나친 욕심을 부리는 사람이 있을 때 쓸 수 있는 속담으로 알맞습니다.

5 "세 살 적 버릇이 여든까지 간다"는 어릴 때 몸에 밴 버릇은 나이가 들어서도 고치기 어렵다는 뜻입니다.

6 "우물에 가 숭늉 찾는다"라는 속담은 모든 일에는 질서와 차례가 있는 법인데 일의 순서도 모르고 성급하게 덤빔을 비유적으로 이르는 말입니다.

7 빈칸에 '소'를 넣으면 일이 잘못된 뒤에는 손을 써도 소용이 없다는 뜻의 속담이 됩니다.

8 ㉠ 다음에 나오는 독장수의 말로 독장수의 마음을 짐작할 수 있습니다.

9 독장수가 겪은 일로 보아, 실속 없이 허황된 상상만 하는 경우에 "독장수구구는 독만 깨뜨린다."라는 속담을 쓸 수 있습니다.

11 속담을 사용한다고 해서 말을 빠르게 할 수 있는 것은 아닙니다.

12 염라대왕이 까마귀가 심부름을 제대로 못할 것이라 생각했다는 내용은 글에 나와 있지 않습니다.

13 염라대왕은 까마귀에게 인간 세상에 있는 강 도령에게 편지를 전하라고 시켰습니다.

14 까마귀가 말고기를 먹으려고 입을 벌리는 순간, 입에 문 편지가 바람에 날려 갔습니다.

15 까마귀는 자기가 맡은 일을 제대로 할 생각도 부족하고, 거짓말로 쉽게 모면하려는 성격을 가졌음을 알 수 있습니다.

16 해 줄 사람은 생각지도 않는데 미리부터 다 된 일로 알고 행동한다는 뜻의 속담이므로 ⑤와 같은 상황에서도 사용할 수 있습니다.

17 "가랑잎으로 눈 가리고 아웅 한다"는 얕은수로 남을 속이려는 사람에게 쓸 수 있는 속담입니다.

18 편지를 찾지 못한 까마귀는 다른 심부름을 하느라 늦었다며 염라대왕님이 아무나 끌어 올리라고 했다는 거짓말을 하였습니다.

19 까마귀는 염라대왕의 호통이 두려워 인간 세상에 그대로 눌러앉기로 하였습니다.

20 글의 내용으로 보아, "까마귀 고기를 먹었나"라는 속담은 무엇인가를 잘 잊어버리는 사람을 뜻하는 속담임을 짐작할 수 있습니다.

6. 내용을 추론해요

개념 확인하기

온라인 학습북 **33**쪽

1 ㉠   **2** ㉡   **3** ㉢   **4** ㉡

서술형·논술형

온라인 학습북 **34**쪽

|연습|

1 (1) 예 설계

(2) 예 『화성성역의궤』가 자세하게 기록되었기 때문에 수원 화성을 원래의 모습대로 만들 수 있었다.

|실전|

2 (1) 예 초등학생을 가르치는 선생님이 북한 이탈 주민일 것이다.

(2) 예 밝고 환한 표정이다. / 일하는 것을 즐기는 표정이다.

(3) 예 북한 이탈 주민이 여러 가지 직업을 가지고 있다는 사실을 알게 되었다.

|연습|

1 (1) 『화성성역의궤』는 수원 화성에 성을 쌓는 과정을 기록한 책인 의궤입니다. 『화성성역의궤』에는 수원 화성 공사와 관련된 참여 인원, 사용된 물품, 설계 등의 기록이 그림과 함께 실려있습니다.

> **더 알아보기**
>
> **내용을 추론하며 글 읽기**
>
> ① 글 내용과 관련해 이미 아는 사실에는 무엇이 있는지 정리해 봅니다.
> ② 글 내용과 관련한 경험이 있는지 떠올려 봅니다.
> ③ 글에서 다의어 또는 동형어로 예상되는 낱말을 찾아보고 국어사전에서 그 뜻을 확인해 봅니다.
> ④ 새롭게 안 점에는 어떤 것이 있는지 정리합니다.

(2) 글 **가** 의 내용과 『화성성역의궤』에 무엇이 기록되어 있는지 살펴봅니다.

> **더 알아보기**
>
> **추론하는 방법**
>
> ① 자신이 평소에 아는 사실과 경험한 것을 떠올려 보고 무엇을 더 알 수 있는지 생각해 봅니다.
> ② 글에 쓰인 다의어나 동형어가 어떤 뜻인지 정확히 이해하려면 국어사전을 찾아봅니다.
> ③ 이야기의 특정 부분을 바탕으로 하여 알 수 있는 내용과 더 추론할 수 있는 사실을 살펴봅니다.

채점 기준

		배점
(1)	모범 답안과 같이 표기한 정답만 인정	2점
	㉠에서 추론할 수 있는 사실을 알맞게 썼는가?	12점
(2)	꼭 들어가야 할 말을 두 가지 다 넣어서 추론할 수 있는 사실을 알맞게 썼다.	추론할 수 있는 사실을 썼으나 꼭 들어가야 할 말을 하나만 썼다.
	12점	6점

|실전|

2 (1) **2**에 수업 중인 학생들이 등장하는 것을 보아 학생들의 앞에 있는 선생님이 북한 이탈 주민일 것이라고 짐작할 수 있습니다.

> **더 알아보기**
>
> **말이나 행동에서 드러나지 않은 내용 짐작하기**
>
> ① 영상이나 그림을 보고 내용을 파악합니다.
> ② 자신의 경험을 떠올립니다.
> ③ 말이나 행동에서 단서를 확인합니다.
> ④ 영상이나 그림에서 의도를 추론해 봅니다.
> ⑤ 드러나지 않은 내용을 짐작해 보면 좀 더 깊고 넓게 내용이나 상황을 이해할 수 있습니다.

(2) **3**~**6**의 영상에 나오는 사람들의 표정을 살펴봅니다. 영상에 나오는 인물의 표정이 밝고 환하다는 것을 알 수 있습니다.

(3) 우리의 편견을 깨는 영상을 보고 추론할 수 있는 내용을 생각하여 씁니다. 북한 이탈 주민들은 여러 가지 직업을 가지고 우리 사회의 구성원으로 함께 살아가고 있다는 것을 추론할 수 있습니다.

채점 기준

		배점
	2를 보고 짐작할 수 있는 내용을 알맞게 썼는가?	10점
(1)	**2**와 관련된 내용을 알맞게 썼다.	**2**와 관련된 내용을 쓰지 못했다.
	10점	0점
	영상에 나오는 사람들의 표정을 알맞게 썼는가?	6점
(2)	그렇다.	아니다.
	6점	0점
	추론할 수 있는 내용을 영상과 관련된 내용으로 썼는가?	12점
(3)	그렇다.	아니다.
	12점	0점

정답을 확인하기 전에 자기가 푼 단원 평가의 정답을 큐알을 찍어 올려 보세요.

단원 평가

온라인 학습북 **35~38**쪽

문항 번호	정답	평가 내용	난이도
1	④	영상의 내용 추론하기	보통
2	③	드러나지 않은 내용 짐작하기	쉬움
3	④	영상의 내용 추론하기	쉬움
4	①	영상의 내용 파악하기	보통
5	③	영상의 내용 추론하기	보통
6	⑤	드러나지 않은 내용 짐작하기	보통
7	④	글의 내용 파악하기	쉬움
8	⑤	낱말의 뜻 추론하기	보통
9	②	글의 내용 파악하기	보통
10	③	문장의 뜻 추론하기	어려움
11	③	글의 내용 파악하기	쉬움
12	④	글의 내용 파악하기	보통
13	①	낱말의 뜻 추론하기	어려움
14	④	글의 내용 파악하기	쉬움
15	③	글의 내용 파악하기	보통
16	②	글의 내용 파악하기	보통
17	②	글의 내용 요약하기	어려움
18	⑤	낱말의 뜻 추론하기	어려움
19	⑤	글의 내용 파악하기	보통
20	⑤	글의 내용 파악하기	보통

1 영상 편집 장소는 영상을 보고 내용을 추론할 때 생각하지 않아도 됩니다.

2 수업 중인 학생들의 앞에 있는 사람은 선생님이라는 것을 짐작할 수 있습니다.

3 밝은 표정으로 봉사하는 모습을 볼 수 있는 영상은 ❹입니다.

4 각 영상에서 언제 탈북했는지에 대한 자막을 보면 모두 북한 이탈 주민들임을 알 수 있습니다.

5 북한 이탈 주민은 여러 가지 직업을 갖고 잘 적응하며 더불어 살고 있다는 것을 추론할 수 있습니다.

6 양반과 평민, 어른과 아이가 구분 없이 앉아 있는 것에서 아이가 볼 수 있는 경기임을 알 수 있습니다.

7 『화성성역의궤』에 수원에 화성을 세우려고 했던 까닭은 나오지 않습니다.

8 성은 돌을 층층이 얹어서 만든 구조물입니다. 따라서 '쌓다'의 뜻으로 '물건을 차곡차곡 포개어 얹어서 구조물을 이루다.'가 알맞습니다.

9 정조 임금이 갑자기 세상을 떠나는 바람에 다음 임금인 순조 때 『화성성역의궤』가 만들어졌습니다.

10 ㉢은 그 당시 자세한 공사 보고서를 남긴 나라는 우리나라밖에 없다는 것이지 공사 보고서를 남긴 나라가 우리나라뿐이라는 것은 아닙니다.

11 '전' 자가 붙은 건물인 '강녕전', '교태전' 등에는 궁궐에서 가장 신분이 높은 왕과 왕비만이 살 수 있었습니다.

12 궁궐에 사는 많은 사람은 각자의 신분에 알맞은 건물에서 생활했습니다.

13 '즉위식'은 임금 자리에 오르는 것을 백성과 조상에게 알리기 위하여 치르는 의식을 뜻합니다.

15 경복궁에서 가장 웅장한 건물은 근정전입니다.

16 건물과 후원이 잘 어우러져 유네스코 세계 문화유산으로 등록된 궁궐은 창덕궁입니다.

17 창덕궁은 건물과 후원이 잘 어우러져 아름다우며 유네스코 세계 문화유산으로 기록되었습니다.

18 '단청'은 궁궐이나 절의 벽에 여러 가지 빛깔과 무늬를 그린 그림을 말합니다. '단청'의 뜻을 바르게 추론한 사람은 연주입니다.

19 창덕궁의 후원은 우리나라 전통적인 정원의 모습을 잘 보여 줍니다.

20 일본 사람들은 창경궁에 동물원과 식물원을 만들면서 많은 건물을 헐고, 이름도 '창경원'으로 바꾸었습니다.

7. 우리말을 가꾸어요

온라인 학습북 **39**쪽

개념 확인하기

1 ㉠ **2** ㉠ **3** ㉠

4 ㉢

서술형·논술형

온라인 학습북 **40**쪽

|연습|

1 (1) 예 생선, 핵노잼, 헐

(2) 예 줄임 말

(3) 예 여자아이가 줄임 말과 신조어, 비속어를 사용해서 아빠와 의사소통이 안 되고 있기 때문이다.

|실전|

2 (1) 예 야, 넌 눈도 없냐? 똑바로 보고 다녀야지!

(2) ① 예 반려동물 돌봄이

② 예 이동 장

③ 예 길고양이 돌봄이

(3) 예 올바른 우리말이 점점 사라져 갈 것이다.

|연습|

1 (1) 아빠는 '생선', '핵노잼', '헐'과 같은 여자아이가 쓰는 줄임 말, 비속어, 신조어를 이해하지 못했습니다.

더 알아보기

그림의 내용 파악하기

• 여자아이가 사용한 말
 – 줄임 말, 신조어, 비속어 등 바르지 못한 말
• 여자아이가 바른 말을 사용하지 않아 일어난 일
 – 아빠가 여자아이의 말을 알아듣지 못해 대화에 어려움을 겪음.
• 여자아이가 바른 말을 사용하지 않은 까닭
 – 친구들이 다 그렇게 말해서.
 – 그렇게 말하지 않으면 재미없어서.
• 바른 말을 사용해야 하는 이유
 – 의미가 잘못 전달될 수 있음.
 – 원활한 의사소통이 이루어지지 않을 수 있음.

(2) ❸에서 여자아이는 친구들도 줄임 말을 사용한다고 말하며 그렇게 하지 않으면 재미없다고 했습니다.

(3) 아빠는 여자아이가 하는 말을 이해하지 못했습니다.

더 알아보기

언어생활 스스로 점검해 보기

• 나는 외국어를 사용한다.
• 나는 줄임 말을 사용한다.
• 나는 욕설이나 비속어를 섞어서 말한다.
• 나는 다른 사람을 배려하며 말한다.
• 나는 긍정하는 말을 사용한다.
• 나는 올바른 우리말을 사용한다.

채점 기준

		배점
(1)	모범 답안과 같이 표기한 정답만 인정	6점
(2)	모범 답안과 같이 표기한 정답만 인정	2점
(3)	아빠와 여자아이가 말이 통하지 않은 까닭을 알맞게 썼는가?	10점

(3)	여자아이가 줄임 말, 신조어, 비속어를 썼기 때문이라는 내용을 넣어 썼다.	아빠와 여자아이가 말이 통하지 않은 까닭을 정확하게 쓰지 못했다.
	10점	0점

온라인 학습북 **35**~**40**쪽

|실전|

2 (1) 글 **가**의 내용과 수진이가 한 말을 보고 준형이가 어떤 말을 했을지 짐작해 봅니다.

(2) '펫시터'는 반려동물을 돌봐 주는 사람, '켄넬'은 개집 또는 개 사육장, '캣맘'과 '캣대디'는 길고양이 보호 활동을 하는 사람이라는 뜻을 가지고 있습니다. 단어의 뜻에 유의하여 올바른 우리말로 바꾸어 봅니다.

(3) 비속어나 욕설을 사용하고 외국어, 외래어를 계속 사용하면 우리말이 어떻게 될지 짐작해 봅니다.

채점 기준

		배점
(1)	비속어나 욕설을 넣어 비난하는 말을 썼는가?	8점

(1)	상황에 알맞은 비난하는 말을 썼다	비난하는 말을 썼지만 상황에 적절하지 않다.
	8점	2점

		배점
(2)	①~③을 모범 답안과 같이 표기한 정답만 인정	각 2점
(3)	올바른 우리말이 사라질 것이라고 썼는가?	10점

(3)	그렇다.	아니다.
	10점	0점

정답을 확인하기 전에 자기가 푼 단원 평가의 정답을 큐알을 찍어 올려 보세요.

단원 평가

온라인 학습북 41~44쪽

문항 번호	정답	평가 내용	난이도
1	④	문제 상황 파악하기	쉬움
2	③	인물의 생각 파악하기	보통
3	⑤	인물이 사용한 말의 특징 파악하기	보통
4	③	인물의 마음 파악하기	쉬움
5	④	대화 상황 파악하기	보통
6	②	글의 내용 파악하기	보통
7	①	글의 내용 파악하기	쉬움
8	③	글의 내용 파악하기	보통
9	③	문제 상황 파악하기	보통
10	①	바른 말 사용하기	보통
11	⑤	문제 상황 파악하기	보통
12	③	우리말 사용하기	어려움
13	④	글의 내용 파악하기	쉬움
14	④	자료 특성 파악하기	어려움
15	①	문제 상황 파악하기	보통
16	①	글의 내용 파악하기	보통
17	③	글의 내용 파악하기	보통
18	⑤	글쓴이의 의도 파악하기	어려움
19	②	긍정하는 말 사용하기	쉬움
20	④	자료의 주제 파악하기	어려움

1 여자아이가 줄임 말과 신조어, 비속어를 사용하여 아빠가 여자아이의 말을 이해하지 못했습니다.

2 아빠는 여자아이가 줄여서 말한 우리말을 알아듣지 못하고 있습니다.

3 여자아이는 평소에 친구들과 즐겨 사용하는 줄임 말, 신조어, 비속어를 사용해서 아빠와 대화가 잘되지 않았습니다.

4 지고 있는 모둠의 친구를 무시하고 싶어서 비난의 말을 했습니다.

5 ❸의 여자아이는 듣는 이를 배려하며 힘과 긍정의 마음을 주고 있습니다.

6 관찰 결과 평범한 네 명의 학생이 네 시간 동안 평균 500여 번의 욕설을 했다고 했습니다.

7 대중 매체 환경이 빠르게 바뀌면서 욕설이나 비속어를 접하는 나이가 더욱 어려진다고 했습니다.

8 초등학생이 욕을 얼마나 아는지 알아보기 위해 아는 욕설을 적어보라고 했습니다.

9 준형이와 수진이가 부딪혔을 때 배려하는 말을 하지 않고 서로를 비난했습니다.

10 실수로 친구와 부딪혔을 때에는 상대방을 배려하는 말을 해야 합니다.

11 우리가 사용하는 반려동물 관련 용어가 대부분 우리말이 아닌 외래어와 외국어라는 우리말 사용 실태가 나타난 자료입니다.

12 펫시터는 pet(애완동물)+sitter(간호인, 돌보는 사람)이므로 '반려동물 돌봄이'라는 우리말로 고쳐 쓸 수 있습니다.

13 우리도 모르게 사용하는 외래어와 외국어가 많다는 사실을 알리는 사례입니다.

14 라는 청소년을 대상으로 하는 텔레비전 프로그램이고 바는 우리말을 가꾸자는 내용의 어린이신문입니다.

15 우리말이 파괴되고, 바르고 고운 우리말 사용이 이루어지지 않는다는 것을 짐작할 수 있습니다.

16 글쓴이가 욕설을 했다는 내용은 나와 있지 않습니다.

17 부정하는 말의 문제점과, 긍정하는 말의 좋은 점에 대하여 이야기한 글입니다.

18 글쓴이는 긍정하는 말과 고운 우리말을 사용하자는 주장을 하려고 이 글을 썼습니다.

20 ❶과 ❷를 보면 줄임 말보다는 우리말을 사용하자는 주장을 하는 것임을 짐작할 수 있습니다.

8. 인물의 삶을 찾아서

온라인 학습북 **45**쪽

개념 확인하기

1 ㉠　　　　**2** ㉠　　　　**3** ㉠

4 ㉢

서술형·논술형

온라인 학습북 **46**쪽

|연습|

1 (1) 예 '작가, 꿈, 책' 중에서 가장 중요한 낱말은 '책'이다.

　(2) 예 글쓴이는 책을 읽자고 말하고 있다.

|실전|

2 (1) 예 배와 군사들을 많아 보이게 하려고 미리 작전을 짜고 물살을 이용해 적선을 공격함.

　(2) 예 전쟁에서 꼭 이기겠다는 굳은 의지를 느낄 수 있다.

|연습|

1 (1) '작가, 꿈, 책'이 가장 많이 등장했습니다. 이 중에서 '책'은 글의 주제와 가장 관련 깊으므로 가장 중요한 낱말입니다.

> **더 알아보기**
>
> 「책이 주는 선물을 받고 싶은 어린이들에게」 내용 정리
>
> - 글쓴이가 감명 깊게 읽은 책과 그 이유
>   - 『꿀벌 마야의 모험』: 아기 꿀벌이 자신의 삶을 이끌어 가는 모습이 글쓴이에게 꿈과 희망을 줌.
>   - 『레 미제라블』: 어려운 사람들을 돕는 인물 모습이 글쓴이의 마음을 울림.
>   - 『노인과 바다』: 온갖 어려움에도 의지를 굽히지 않는 늙은 어부의 용기와 도전을 만남.
>   - 『갈매기의 꿈』: 꿈을 이루려면 어떻게 해야 하는지 알려줌.
> - 글쓴이가 말하는 책을 읽으면 좋은 점
>   - 다양한 경험을 할 수 있다.
>   - 작가가 말하고자 하는 생각을 듣게 된다.
>   - 내 삶을 돌아보는 기회가 된다.

　(2) 글에서 자주 사용하거나 중요하다고 생각하는 낱말 세 개를 찾고 하나씩 줄여 가장 중요한 낱말만 남겨 보고 글쓴이가 말하고자 하는 생각을 알아봅니다.

> **더 알아보기**
>
> 글의 주제를 파악할 때 살펴볼 점
>
> - 글의 제목
> - 글에서 중요한 낱말
> - 글의 중심 문장

채점 기준

(1)	글쓴이가 말하고자 하는 생각을 알 수 있는 낱말을 썼는가?		배점 4점
	중요하다고 생각하는 낱말 세 개를 찾고 그 중 가장 중요한 낱말을 썼다.		가장 중요하다고 생각하는 낱말 한 개만 썼다.
	4점		2점

(2)	글쓴이가 말하고자 하는 생각을 알맞게 썼는가?		배점 4점
	가장 중요한 낱말을 통하여 글쓴이가 말하고자 하는 생각을 알맞게 썼다.		'글을 읽자.'와 같이 가장 중요한 낱말과 관련 없는 내용으로 썼다.
	4점		1점

|실전|

2 (1) 이순신은 무기와 군사, 배 모두 적었지만 포기하지 않고, 고기잡이배와 피난 가는 배들을 판옥선으로 꾸미고 백성들을 바다가 보이는 산봉우리에서 계속 돌아다니게 해서 우리 군사의 수가 많아 보이게 했습니다. 그리고 물살의 방향을 이용하여 적들을 물리칠 계획을 세웠습니다.

> **더 알아보기**
>
> 인물이 추구하는 가치 파악하기 예
>
> | 인물이 처한 상황 | 적은 무기와 군사, 배로 수많은 적군을 상대해야 했다. |
> | --- | --- |
> | 인물이 한 말과 행동 | • "죽으려 하면 살고, 살려 하면 죽는다."
 • 미리 작전을 세워 적군에 맞섰다. |
> | 인물이 추구하는 가치 | 어떤 고난도 포기하지 않고 극복하려는 의지를 추구함. |

　(2) 인물이 어떤 상황에서 그런 말을 했는지 생각해 봅니다.

채점 기준

(1)	인물이 처한 상황에서 한 행동을 알맞게 썼는가?		배점 4점
	그렇다.		아니다.
	4점		0점

(2)	인물의 말에서 어떤 느낌을 받았는지 알맞게 썼는가?		배점 6점
	인물이 처한 상황을 고려하여 느낌을 알맞게 썼다		'의지가 느껴진다.'와 같이 느낌을 구체적으로 쓰지 않았다.
	6점		3점

온라인 학습북 **41~46**쪽

정답을 확인하기 전에 자기가 푼 단원 평가의 정답을 큐알을 찍어 올려 보세요.

문항 번호	정답	평가 내용	난이도
		단원 평가	온라인 학습북 **47~50**쪽
1	⑤	글의 대상 파악하기	보통
2	①	글의 내용 파악하기	쉬움
3	③	글의 내용 파악하기	어려움
4	②	낱말의 의미 파악하기	어려움
5	⑤	낱말의 의미 파악하기	어려움
6	①	글의 내용 파악하기	보통
7	④	인물의 마음 파악하기	보통
8	④	인물의 감정 파악하기	보통
9	②	인물이 처한 상황 파악하기	보통
10	⑤	인물의 말에 담긴 뜻 파악하기	어려움
11	④	인물이 추구하는 가치 파악하기	보통
12	⑤	인물이 처한 상황 파악하기	보통
13	②	인물이 추구하는 가치 파악하기	보통
14	④	글의 내용 파악하기	쉬움
15	④	인물의 의도 파악하기	보통
16	①	인물의 생각 파악하기	보통
17	⑤	글의 내용 파악하기	보통
18	①	글의 내용 파악하기	보통
19	⑤	인물이 한 일 파악하기	보통
20	④	인물이 추구하는 가치 파악하기	보통

1 책이 주는 선물을 받고 싶은 어린이들에게 이 글을 썼습니다.

2 글쓴이는 『꿀벌 마야의 모험』을 읽고 꿀벌이 자기 삶을 이끌어 가는 모습이 자신에게 꿈과 희망을 주었다고 했습니다.

3 는 정몽주의 「단심가」로 고려를 지키겠다는 뜻이 담겨 있습니다.

4 의 '우리'는 뜻을 같이하자는 의미로 쓰인 낱말입니다.

5 에서 글쓴이의 생각이 잘 드러난 낱말은 변치 않는 마음이라는 뜻의 '일편단심'입니다.

6 나라에서는 이순신에게 수군 대신 육군으로 싸우라고 했습니다.

7 이순신은 12척의 배로 죽을힘을 다해 싸우겠다고 했습니다.

8 막내아들 면의 꿈을 꾼 이순신의 마음은 불안했습니다.

9 이순신의 꿈이 아들 면의 죽음으로 드러났습니다.

10 싸움에 승리하여 더는 아들 면처럼 일본군에게 죽는 이가 없게 하겠다는 다짐입니다.

11 어떤 어려움에도 포기하지 않고 극복하려는 의지가 드러나 있습니다.

12 버들이가 처한 상황은 '나'가 미미에게 들려주는 이야기를 통하여 알 수 있습니다.

13 위독하신 어머니께 샘물을 좀 더 드리고 싶어서 샘가에 오두막을 짓고 살고 싶다고 말한 것으로 보아 효를 추구한다는 것을 알 수 있습니다.

14 버들이는 자신을 사랑하는 '나'에게 샘가에 집을 짓고 싶다고 했습니다.

15 버들이는 집에서 샘이 멀어 샘물을 조금밖에 못 길어가므로 샘 근처에 살고 싶다고 했습니다.

16 '나'는 샘가는 밤이면 온갖 동물도 나오고, 도깨비들도 모이는 곳이기 때문에 버들이가 집을 짓고 살만한 곳이 아니라고 생각했습니다.

17 학교를 보내 주지 않는 어머니에게 투정을 부렸다는 내용은 나오지 않습니다.

18 케냐의 새로운 지도자들은 돈벌이를 위해 숲을 없앴다고 했습니다.

19 왕가리 마타이는 관련 회사와 정부에 편지를 쓰고 언론에 자신의 주장을 알렸습니다.

20 왕가리 마타이는 자신뿐 아니라 모든 케냐 사람들을 위해서 우후루 공원을 지키려고 했습니다.

9. 마음을 나누는 글을 써요

온라인 학습북 **51**쪽

개념 확인하기

1 ㉡   **2** ㉠   **3** ㉠
4 ㉢

서술형·논술형

온라인 학습북 **52**쪽

|연습|

1 (1) 예 분실물 보관함에 쌓여 있는 연필과 지우개 등 자연 자원으로 만든 학용품을 본 일 때문이다.

　(2) 예 자연이 파괴되고, 자원이 낭비되는 것에 안타까운 마음

|실전|

2 (1) 예 과학 시간에 친구에게 물을 엎질렀다.

　(2) 예 미안한 마음을 친구에게 표현하기 위해서이다.

　(3) 예 읽을 사람의 반응을 바로 확인할 수 있다.

|연습|

1 (1) 서연이는 무분별한 벌목으로 인하여 자연이 파괴된다는 뉴스를 시청한 뒤 나무와 같은 자원을 아껴 써야겠다고 생각했습니다. 그 후 서연이는 분실물 보관함에 주인 없는 연필과 지우개가 쌓여 있는 것을 보고 자원이 낭비되고 있는 것을 알리는 글을 써야겠다고 생각했습니다.

더 알아보기

나누려는 마음을 글로 쓸 때 생각할 점 예

상황과 목적	주인 없는 학용품이 많아 자연 자원이 낭비되는 것이 안타까워서 친구들에게 안타까운 마음을 전하려고 한다.
나누려는 마음	자연 자원이 낭비되는 것에 안타까움을 가지고 학용품을 아꼈으면 하는 마음
읽을 사람	학급 친구들
표현	• 쉬운 표현을 사용한다. • 친근한 표현을 사용한다. • 맞춤법, 띄어쓰기를 잘 지킨다.

　(2) 서연이가 글을 쓸 생각을 하게 된 상황을 파악해 보고 글을 쓰는 목적을 생각해 봅니다.

더 알아보기

마음을 나누는 글을 써 본 자신의 경험 말하기 예

상황과 목적	어버이날을 맞이하여 부모님께 마음을 전하는 편지를 썼다.
나누었던 마음	• 항상 사랑으로 키워 주셔서 감사한 마음 • 부모님을 사랑하는 마음
읽을 사람	부모님
표현	• 높임말을 사용했다. • 맞춤법과 띄어쓰기를 지켰다.

채점 기준

	서연이가 글을 쓸 생각을 하게 된 까닭을 알맞게 썼는가?		배점 5점
(1)	그렇다.	아니다.	
	5점	0점	
	서연이가 글을 쓰게 된 상황과 관련하여 글을 쓰는 목적을 알맞게 썼는가?		배점 5점
(2)	그렇다.	아니다.	
	5점	0점	

|실전|

2 (1) 지수는 과학 시간에 정민이에게 물을 엎질렀습니다.

　(2) 지수가 어떤 일에 대하여 정민이에게 미안하다고 하였는지 살펴봅니다.

　(3) 문자 메시지의 특성에 대해 생각해 봅니다.

채점 기준

	지수에게 일어난 일을 바르게 썼는가?		배점 4점
(1)	그렇다.	아니다.	
	4점	0점	
	지수가 문자 메시지를 보낸 목적을 알맞게 썼는가?		배점 4점
(2)	나누려는 마음이 무엇인지 드러나게 썼다.	'사과하려고.'와 같이 문자 메시지를 보낸 목적을 간단하게 썼다.	
	4점	1점	
	문자 메시지로 마음을 나누는 글을 쓰면 좋은 점을 알맞게 썼는가?		배점 2점
(3)	그렇다.	아니다.	
	2점	0점	

온라인 학습북 **47~52**쪽

정답을 확인하기 전에 자기가 푼 단원 평가의 정답을 큐알을 찍어 올려 보세요.

단원 평가

온라인 학습북 **53~56**쪽

문항 번호	정답	평가 내용	난이도
1	⑤	그림의 내용 파악하기	보통
2	④	인물의 생각 파악하기	보통
3	⑤	글의 정보 파악하기	보통
4	⑤	글쓴이의 마음 파악하기	보통
5	①	글에 드러난 근거 찾기	쉬움
6	③	글의 내용 파악하기	보통
7	⑤	글의 종류 파악하기	보통
8	④	글의 종류별 좋은 점 파악하기	보통
9	⑤	글을 쓰게 된 배경 파악하기	쉬움
10	②	인물의 마음 파악하기	보통
11	④	마음을 나누는 글을 쓸 계획 세우기	보통
12	②	글의 종류 파악하기	보통
13	④	글의 내용 파악하기	보통
14	④	글의 내용 파악하기	보통
15	②	낱말이 가리키는 대상 파악하기	보통
16	③	글의 내용 파악하기	쉬움
17	⑤	글쓴이가 전하려는 말 파악하기	보통
18	④	글쓴이가 전하려는 말 파악하기	보통
19	②	글을 쓴 목적 파악하기	어려움
20	⑤	자료를 바탕으로 글 파악하기	어려움

1 서연이는 무분별한 벌목으로 자연이 파괴된다는 뉴스와 분실물 보관함에 쌓여 있는 학용품을 보고 자원을 아끼자는 생각을 하게 되었습니다.

2 분실물 보관함에 쌓여 있는 학용품들을 보고 학용품을 소중히 다루지 않아 안타까운 마음을 나누는 글을 쓸 것입니다.

3 편지 글은 읽을 사람의 반응을 바로 확인할 수 없습니다.

4 국어 공부를 가르쳐 주신 선생님께 고마움을 표현하기 위해 쓴 글입니다.

5 책은 만화책 말고는 모두 재미없어 했던 것은 선생님에게 고마움을 느낀 이유가 아닙니다.

6 지수는 과학 시간에 친구에게 물을 엎질러 친구의 옷이 젖게 만들었습니다.

7 지수는 정민이와 문자 메시지를 통해 서로 소통을 했습니다.

8 문자 메시지로 표현하면 생각이나 느낌을 바로 전달할 수 있습니다.

9 신우는 점심시간에 미역국을 엎질러서 지효 가방이 더러워진 일 때문에 글을 쓰려고 합니다.

10 신우는 지효에게 미안하고 고마운 마음을 나누는 글을 쓰려고 합니다.

11 마음을 나누는 글도 맞춤법, 띄어쓰기를 지켜서 써야 합니다.

12 신우는 지효에게 편지로 마음을 전달하고 있습니다.

13 신우는 나누려는 마음을 표현한 후 끝인사를 했습니다.

14 정약용은 두 아들에게 도움을 바라는 말버릇이 있어서 걱정하고 있습니다.

15 '너희'는 편지를 받는 사람인 정약용의 두 아들을 가리킵니다.

16 정약용이 두 아들에게 익숙해져 있는 일이라고 본 것 중에 땔감을 구해 오는 사람이 있는 것은 나오지 않습니다.

17 돈이 없어 공부를 못하는 아이들을 가르치라는 내용은 나와 있지 않습니다.

18 자신은 지난번에 다른 사람들을 도와주었는데 다른 사람들은 자신을 도와주지 않는다는 말은 가벼운 농담으로라도 하지 말라고 했습니다.

19 정약용은 두 아들에게 먼저 베풀고, 보답받지 못해도 원망하지 말라고 했습니다.

20 정약용이 유배지에서 다른 사람을 배려하는 마음을 두 아들과 나누려고 이 글을 썼습니다.

나는 그 누구보다도 실수를 많이 한다.
그리고 그 실수들 대부분에서
특허를 받아낸다.

I make more mistakes than anybody
and get a patent from those mistakes.

토마스 에디슨

실수는 '이제 난 안돼, 끝났어'라는 의미가 아니에요.
성공에 한 발자국 가까이 다가갔으니, 더 도전해 보면 성공할 수 있다는
메시지랍니다. 그러니 실수를 두려워하지 마세요.

정답은
이안에
있어!